LA LUZ DE MIKI ROQUÉ

Juan Manuel López

La luz de Miki Roqué

La admirable historia de un ganador
en su lucha contra el cáncer

Prólogo de Patricia Ramírez Loeffler
Epílogo de Carles Puyol

indicios

Argentina – Chile – Colombia – España
Estados Unidos – México – Perú – Uruguay – Venezuela

1.ª edición Febrero 2015

Foto portada: Miguel Angel Parejo

Copyright © 2015 *by* Ediciones Urano, S.A.U.
   Aribau, 142, pral. – 08036 Barcelona
   www.indicioseditores.com

ISBN: 978-84-15732-11-2
E-ISBN: 978-84-9944-837-4
Depósito legal: B-161-2015

Fotocomposición: Montserrat Gómez Lao
Impreso por: Romanyà-Valls – Verdaguer, 1 – 08786 Capellades (Barcelona)

Impreso en España – *Printed in Spain*

Gracias...

Hay situaciones en la vida que nos dejan sin palabras. Algo cambia de repente, de manera drástica y firme, empujando a la familia a vivir una realidad oscura de la que desearíamos escapar. De repente nada tiene sentido y la vida se paraliza.

Una vez ya sumergidos en la oscuridad, fueron muchas las personas y circunstancias que nos ofrecieron poder ir divisando de vez en cuando la luz, esa luz que nos daba empujones diarios, que no permitía que nos derrumbáramos y, si lo hacíamos, nos ayudaba a volver a subir y nunca dejar de luchar.

Queremos dar las gracias a todas esas personas, desde la primera a la última: nuestro más sincero agradecimiento por haber estado a su lado, a nuestro lado. En todo momento os hemos tenido y sentido cerca de nosotros, reconfortando nuestros corazones. Ese sentimiento nos lleva a deciros: ¡¡Gracias!! ¡¡Miles de gracias!!

Todos habéis sido muy importantes. Cada uno, con vuestra presencia y con vuestro cálido acompañar, nos habéis dado lo que necesitábamos en cada momento. Vuestro cariño ha quedado impreso en nosotros para siempre. ¡¡Gracias!!

Y también agradecerte a ti, Juan Manuel, por la insistencia que tuviste en escribir este libro sin prisas, con educación, respeto y sin ánimo de lucro, simplemente porque sentías que tenías que hacerlo. Eso dice mucho de ti. Te queremos.

No conocemos a las personas por accidente, todas están destinadas a cruzarse en nuestro camino por alguna razón.

Familia Roqué Farrero

Como padres de Miquel (Miki), es muy duro perder a un hijo, mucho, muchísimo, pero lo sentimos con nosotros, siempre, de la misma manera que sentimos que tenemos al lado a una hija preciosa, con su querido marido y con nuestros reyes de la casa, nuestros nietos, Gerard y Biel, valientes y comprensivos. Vosotros os merecéis un GRACIAS con grandes letras. A vosotros queremos daros lo más grande que tenemos, el amor más profundo. Vosotros sois vida, sois tanto que no podemos parar de sentir que os queremos. Perdonad, por favor, nuestros momentos de no saber, de gran desorden por la situación.

¡Os queremos muchísimo!

MIQUEL ROQUÉ y OLGA FARRERO

Prólogo

Por Patricia Ramírez Loeffler*

Mi amigo Miki.

Llego con la hora justa al aeropuerto, un domingo por la noche. Salgo de Granada. El lunes por la mañana tengo mi directo en «Para Todos la 2», en Barcelona. Es un programa de la 2 de TVE con el que colaboro todos los lunes. Y hago el mismo ritual de siempre: paso el control de seguridad, voy a la cafetería, me compro un café con leche, saco el móvil y llamo a Miki. Miki no siempre coge el móvil: unas veces está cansado, otras dormido, otras no le apetece hablar y otras sí contesta. Conmigo habla, casi siempre. Así que espero su respuesta al otro lado del teléfono. Olga descuelga y la saludo. Miki no está dormido, Miki no está triste, tampoco está cansado, Miki no está, sencillamente no está y no va a volver a estar. Por lo menos como hasta ahora lo habíamos visto.

Olga me dice que acaba de fallecer. En ese momento se me encoge el corazón y el estómago. La sensación es indescriptible, como si tu corazón fuera una esponja y alguien la apretara para escurrir las gotas que quedan cuando terminas de mojarla. Y se queda así, apre-

---

* Patricia es licenciada en Psicología, máster en Psicología Clínica y de la Salud y doctorado en el Departamento de personalidad, evaluación y tratamiento psicológico de la Universidad de Granada. Además, por otra parte, es autora de tres libros: *Entrénate para la vida, Autoayúdate* y *¿Por qué ellos sueñan con ser futbolistas y ellas princesas?* Formó parte del cuerpo técnico del equipo profesional del Betis conducido por Pepe Mel. Allí conoció a Miki.

tado, y sientes que te falta el aire y te cuesta respirar. Y en ese momento el cerebro piensa más rápido que nunca: «pero si se hubiera muerto, su madre no me cogería el teléfono»; «pero cómo no me lo va a coger si sabe que como muchos lunes me voy a pasar por la Dexeus»; «pero si hubiera muerto… por qué sobreviven los móviles a las personas que se mueren»; «pero si tengo mensajes de whatsapp de Miki de esta semana, no puede haberse muerto, no es comprensible»; «cómo va a morirse si no nos hemos despedido…» Mil estupideces sin sentido, que sólo tratan de no querer toparte con la mierda de realidad. Y esa realidad es que Miki se ha muerto.

Cuando visitaba a Miki en el hospital, cuando me marchaba, siempre bajaba con su madre y ella me contaba la realidad, la evolución, los cambios, la esperanza, la dureza de lo que estaban soportando. Nunca hablábamos de que Miki iba a morir hasta el día en que sí empezamos a hablar de ello. Los más cercanos sabíamos que el desenlace era ése y que no había otra. Las dos últimas veces que bajé con Olga a coger un taxi después de estar con Miki en la habitación de la clínica, las dos hablamos y lloramos y volvimos a llorar. Bueno, yo lloré muy poco porque me da vergüenza sentir tanta pena delante de alguien como una madre que tiene derecho a tener mil veces más pena que yo. Me siento egoísta de llorar porque creo que es el privilegio de su madre, y que si ella, toda su familia y Miki han mantenido la compostura como lo han hecho, ¿quién soy yo para llorar? Así que sólo lloré a solas.

Me hacía la fuerte delante de los capitanes, los llamaba después de cada visita a Miki. Le contaba a Iriney, Goitia y Casto cómo evolucionaba Miki. Y hablaba con ellos con toda mi madurez y templanza, algo que me caracteriza. Pero joder, la procesión va por dentro. Hablaba también con Monti y Pepe Mel, y me desahogaba con Rosa, la mujer de Pepe, porque lo que yo veía en la Dexeus no llegaba a Sevilla.

Llegué a la concentración del Betis de Pepe Mel en el año de Segunda, a La Manga. Ese día me presentaron a todos los jugadores y cuerpo técnico. Jugadores que salían del equipo como Sergio García camino del Espanyol, y jugadores que aún faltaban por llegar.

Como es habitual en la pretemporada, di mi charla inicial en la que explicaba en qué consistía la psicología deportiva, qué variables íbamos a trabajar a lo largo de la temporada, en qué podría ayudarles, etcétera. Es la primera toma de contacto.

Estuve en la concentración el mismo tiempo que el equipo. En los momentos en los que ellos se entrenaban, yo entrenaba también al margen con David Gómez. David Gómez era ese año el segundo preparador físico y hacía el trabajo específico con los jugadores lesionados. Así que David se encargaba esa pretemporada de entrenar a Miki y a mí. Nunca hubiera imaginado que esa complicidad que se empezó a fraguar en ese momento nos llevaría a vivir juntos tantas emociones.

De entrada te das cuenta que Miki es distinto. Su educación, saber estar, dulzura, su atención, su empatía le convertían en un chico joven y muy interesante, alguien con quien apetecía hablar y con quien disfrutabas de estar a su lado.

Empezamos a sentarnos juntos en los desplazamientos en el bus. Miki venía del Betis B y estaba preocupado porque con la lesión no tenía la oportunidad de demostrarle al míster que podía ser un central eficaz en el equipo. Hablamos mucho, de su experiencia en Liverpool, de su forma de ver la vida, de su pareja. Era un chico con el que era fácil comunicarse y con interés en hacerlo. Le gustaba hablar de temas profundos, del pasado, del futuro, de emociones, de cómo se sentía. No siempre es fácil encontrar hombres con los que hablar en este plano, y menos en un equipo de fútbol. No por nada, sino porque en los desplazamientos se habla del partido, de los resultados de otros encuentros, de lo que se ha hecho el fin de semana, y no siempre se llega a conectar, tener complicidad y compartir confidencias. Miki era una persona con la que podías hablar de todo.

Además, generaba ternura. Un hombre delicado, sensible, atento, educado, pendiente de ti y generoso. Siempre estaba de buen humor, no con un estilo graciosillo, pero era de las personas que facilitaban la comunicación y el trato, una persona fácil de llevar. No le veías un mal gesto, una mala contestación, ni reproches ni malos rollos. Un cielo. Siempre he dicho que «no hay como morirse para que hablen bien de ti», pero de Miki se hablaba bien siempre, en vida, en su presencia y en su ausencia.

Cuando nos enteramos de la triste noticia, tuve la sensación, tanto cuando hablé con él como durante todo el proceso, de que habría algo de incierto. Los médicos lo vieron claro desde el inicio: tiene difícil solución. Pero jamás me lo creí. Yo tenía la sensación de que estábamos dramatizando, incluso cuando su madre, en una de esas despedidas en la clínica, me dijo que no tenía solución. Incluso ahí pensé «qué dramáticas somos a veces las madres, no se va a morir». Por filosofía de vida, por las experiencias duras que he vivido, tiendo a quitar hierro a todo, a no verlo tan dramático como podría ser. No querer ver la realidad es una forma de protegerme. ¿Pero quién protegía a Miki?

La primera charla después de la noticia de Miki fue a mi estilo, de responsabilidad. Siempre predico que somos responsables de lo que sentimos y no me permito bajar la guardia en esos momentos. Les pedía a los jugadores que no nos excusáramos en la noticia de Miki para sentirnos mal y no dar todo en el partido, y que si el protagonista de la noticia la había asimilado con la entereza y madurez como lo había hecho, nosotros teníamos que estar a la altura de las circunstancias, y ser tan fuertes y maduros como él. Recuerdo que también les di pautas para hablar y tratar a Miki durante su enfermedad.

A partir de aquí, Miki se convirtió en un eje transversal en las charlas. Lo teníamos presente como uno más. Cuando recordábamos los objetivos individuales de cada uno, él también aparecía en la presentación del PowerPoint con el suyo. Era nuestro motor para luchar, un modelo a seguir, alguien que nos guiaba y nos enseñaba valores.

En la pretemporada en Cardiff, cuando preparábamos los objetivos individuales y grupales para nuestro año en Primera después del ascenso, llamé a Miki, le pedí su objetivo y lo escribí con su foto en la presentación. Sabía que ya no volvería a jugar, pero él formaba parte del ascenso, del grupo y de nuestro espíritu.

Durante mis visitas al hospital, Miki me habló de varios temas, además de todo lo que llevaba sufrido. Tenía días de desesperanza, en los que se preguntaba «¿por qué a mí?» Pero lo cierto es que fue un pedazo de persona de los pies a la cabeza y aguantó con brillante resignación el dolor, lo que le deparaba el futuro, y no se quejaba nada para lo que pudo haberse quejado. Durante meses vivía de la esperanza de volver a jugar, de volver a sentirse jugador del Betis. Debutó con el primer equipo, marcó goles y fue un central fantástico el poquito tiempo que pudo jugar. Y en esos días era completamente feliz. Recuerdo una foto de Miki celebrando con sus compañeros un gol que había marcado, en la que muestra una cara de felicidad absoluta.

Poco a poco, y a medida que se complicaba su enfermedad, fue perdiendo la esperanza de jugar, pero nunca lo vi encerrado en sí mismo y resentido con la vida. Al revés. Siempre encontraba otra motivación para seguir luchando. Una de sus ideas fue la de escribir un libro. Un día me dijo: *«Patri, tenemos que escribir un libro. Un libro de valores, un libro dedicado a todos los chavales que se dedican a jugar al fútbol. Y nos iremos por las canteras a darles charlas, porque yo he aprendido mucho aquí en el hospital y creo que tengo mucho que contar a los niños».* La primera vez que se lo oí me llené de ilusión, empecé a darle vueltas al libro y me imaginaba en el futuro yendo con Miki a dar charlas. Pero hubo un momento en el que empecé a fingir. Sabía que nunca podríamos escribir ese libro juntos, que nunca podría ir a dar las charlas, que no saldría del hospital. Y le decía que sí, que lo escribiríamos, que era una idea genial y me sentía una falsa transmitiendo ilusión a alguien que no tendría nunca la oportunidad de realizar su sueño. Otro sueño más que se truncaba.

Cierro estas palabras diciendo que mi corrector de Word no reconoce la palabra Miki, escrita decenas de veces en este prólogo. Me la subraya en rojo. Podría haber incorporado la palabra al diccionario de Word y dejar de verla en rojo, pero me encanta ver cómo la palabra Miki resalta en el texto, en cada párrafo.

Me ha costado un mundo terminar esta historia, no por lo extensa, pero sí por lo emotiva. Si yo apenas he podido hacerlo, no imagino lo que habrá supuesto para su familia. Adoro a la familia de Miki, adoro a Olga, con la que sigo hablando y manteniendo contacto.

Adoro su fortaleza, su saber estar en cada momento de la enfermedad y de la muerte de Miki. No hubo un solo día en el que Olga no se arreglara y se pusiera guapa, porque además es una mujer bellísima, para estar con su hijo. Yo admiraba verla maquillada, elegante, bien vestida, conviviendo a la vez con tanto dolor. Y ella me decía que eso formaba parte del respeto a Miki, de darle un ambiente en el que apeteciera estar y relacionarse.

Nunca voy a borrar el teléfono de Miki de mi móvil, ni los mensajes de whatsapp. Me acercan a él. Porque nadie tiene el teléfono del que no está. Por eso yo tengo el teléfono de alguien que sigue muy vivo. Jamás me quitaré la pulsera verde que sirvió para recaudar fondos. Llevo de forma perenne una pulsera verde en mi mano izquierda que pone MIKI ROQUE 26. Y además me quedé con 5 más para que, cada vez que una se deshilache o rompa, la pueda sustituir.

Cuando levanto la cabeza del ordenador en el que ahora estoy escribiendo, enfrente tengo una foto que dice: «PARA PATRICIA, CON MUCHO CARIÑO, NO CAMBIES NUNCA. UN ABRAZO Y GRACIAS POR TODO. MIKI». Esta foto y frase dedicada la entendí el día que murió. La semana anterior a su muerte, le había visitado en la Dexeus, el lunes por la tarde. Estaba muy dolorido, hinchado y hablábamos sobre los partidos de fútbol que iba a ver en la Eurocopa. Esa tarde también me acompañaba Andrés, mi marido. Había venido conmigo a Barcelona aprovechando que la liga de fútbol había terminado y tenía vacaciones. Miki esa tarde me dedicó tres fotos: una para mi hijo Pablo, otra para mi hija Carmen y otra para mí. Me pareció extrañísimo porque sabía que mi hijo no se interesaba por el fútbol, pero Miki insistió. Y a su muerte lo comprendí todo: se estaba despidiendo de nosotros y nos estaba dejando algo escrito, algo que no perece, no unas palabras de agradecimiento, sino su foto, su foto de futbolista del Betis y las palabras de gracias escritas con permanente.

Me fui esa tarde de la clínica sin siquiera pensar que no le volvería a ver. Sabía que no quedaba mucho, pero no tan poco. De haber sabido que no volvería a verlo creo que le hubiera asfixiado del abrazo. Igual no me hubiera sabido despedir. De Miki no te puedes despedir.

Me quedé con una gran pena. Mi libro *Entrénate para la vida* estaba en el horno. Le dije a Miki que él estaba en mi dedicatoria y que se la mandaría en Word para que la viera. Y me dijo: *«No, Patri, me espero a septiembre, me hará mucha ilusión verla en el libro».* Pero no llegó a septiembre y no pudo ver escrito lo mucho que había significado en mi vida.

1

Sólo como un guerrero puede uno soportar el camino del conocimiento. Un guerrero no puede quejarse ni lamentar nada. Su vida es un desafío interminable, y no hay modo de que los desafíos sean buenos o malos. Los desafíos son simplemente desafíos.

CARLOS CASTANEDA

1

—Mira Miki... Tienes un cáncer en la pala ilíaca. Es un tumor que hay que extirparlo, que parece ser maligno. Pero con una cirugía y tal, vamos a intentar resecarlo por completo. Y a partir de ese momento empezaremos a ver qué evolución tiene...

Aurelio Santos, jefe de la unidad de tumores óseos del hospital Virgen del Rocío, de Sevilla, fue el encargado de informar el diagnóstico. Miki Roqué se quedó quieto. La sorpresa invasora paralizó su primera reacción. ¿Cómo él, a su edad, podía tener un cáncer? ¿Qué era esta enfermedad? ¿Qué significaba? ¿Por qué, justo en ese instante, se tenía que caer el castillo que estaba armando? Hubo un silencio frío en esa sala, uno de esos eternos silencios que duran segundos. A su lado estaba el médico del Betis, Tomás Calero, con la misma postura, con la comisura de sus labios cerrada, sin repertorio de palabras, intentando mantener escondido ese dolor interior con el que convivía desde hacía dos días, cuando conoció el resultado de los estudios.

Miki, acto seguido, empezó a murmurar como queriendo encontrar respuestas a preguntas sin elaboración o como esperando que alguien le confirme que todo esto era una gran mentira. Él, que siempre intentaba dominar lo que giraba en su esfera, no lograba comprender esas palabras que retumbaban como un fuerte estallido en ese ambiente que se encogía cada vez más.

El tiempo, en esa oficina de hospital, pasó a ser inmediatamente una ilusión. Algo inventado en una imaginación colectiva. Un escepticismo. La aguja del reloj, lenta en su movimiento, mentía en ese mundo real: todo allí parecía medirse en horas. El minuto, en ese reducto, no era igual al minuto en un recreo de la escuela. Las edades engañaban también: los 22 años de Miki parecían ser idénticos a los 50 de Calero. Mudos se habían quedado los dos. Abrir la boca con esas pulsaciones que amenazaban con romper pechos era un reto subliminal, aunque el propio futbolista tendría la iniciativa para acabar con ese mutismo ensordecedor, exteriorizando las primeras dudas que explotaron en su mente:

—*¿Pero esto se puede curar o no se puede curar? ¿Puedo volver a jugar al fútbol?*

—Hombre, no lo sabemos exactamente. Confiamos en que sí. Lo que pasa es que esto hay que empezar a quitarlo —le respondió el doctor Santos, siendo cauto, suavizando conceptos, tratando de no pronunciar una coma de más, de no agregar otro episodio a la pesadilla incipiente.

—*Bueno... Y si me lo quitáis, yo quiero que me lo quitéis ya. Y si es así, ¿cuándo puedo volver a jugar al fútbol?*

—Vamos a esperar. Hay que esperar todavía. Va a depender también un poco de la cirugía...

En esa perpetua brevedad, el viaje se convirtió sin escalas en una engorrosa confusión. En esa tarde del viernes 4 de marzo de 2011, su camino se llenó de extraños escombros. Le impusieron, sin permiso, un cuento que él no quería protagonizar.

En un intento por aportar una brizna de tranquilidad, Aurelio

Santos tomó un esqueleto, comenzó a mostrar la zona del problema y lo que se debería realizar para quitar ese tumor. Su sencillo monólogo tuvo que ser interrumpido: Miki no aguantó la escena y se echó en los brazos de Calero. El jefe de los servicios médicos del Betis tampoco pudo almacenar sus lágrimas: sentía que esta situación enrarecida no estaba en los manuales que él estudió. Quería mostrarse fuerte ante el jugador, darle ánimos, pero sus pupilas conspiraron contra sus facultades. Lloraron los dos, abrazados, cumpliendo una acción sin protocolo. Lloraron juntos, durante casi un minuto, hasta que uno de ellos levantó la cabeza y dijo basta: Miki cogió del brazo a Calero, lo cogió fuerte, se separó de él y lo estimuló efusivamente con un tono de voz desafiante:

—*Vamos, vamos para delante. Me quiero enterar, porque esto hay que solucionarlo.*

• • •

Tomás Calero: fue un momento dificilísimo. Todo el día. Miki llegó al hospital como llega cualquier chaval de 22 años, como que se come el mundo, como diciendo «hay que solucionar esta tontería y venga que yo ya quiero volver a entrenar». Cuando entramos al despacho del doctor Santos, no se esperaba encontrar con esa noticia. Después, cuando nos pusimos a llorar, fue Miki el que me hizo tirar para delante. Ese optimismo... Eso fue una muestra de hombría excepcional. El doctor continuó entonces su explicación, y le dijo más o menos lo que había. Aurelio Santos, en ese momento, informó que le brindaba los servicios del hospital para lo que quisiera. Muy amable. Y en otra conversación, días después, me confesó: «Qué valiente es este chaval».

2

Calero sabía el diagnóstico desde la mañana del miércoles 2 de marzo. Se enteró estando en Ponferrada, antes de que el equipo conducido por Pepe Mel visite al Ponferradina, por la jornada 27 del torneo de Segunda división. «Tomás, me acaban de pasar los resultados de la anatomía patológica de Miki: tiene un osteosarcoma», le había comunicado, con esas palabras, el propio Santos.

El galeno verdiblanco intentó digerir la noticia en esa soledad que abraza miedos. No pudo. La soledad sirve también para entender lo que es el amor. Se dio cuenta que el afecto hacia Miki construía una barrera para desempeñarse con normalidad. Con más de 20 años ejerciendo la medicina en el Real Betis Balompié, al doctor nunca le había ocurrido un caso similar. Asumía, por supuesto, que él era el encargado de trasmitirle la información al jugador, pero no se sentía capaz de hacerlo solo. ¿Cómo se enfrenta a un chico, tan joven, con el que se convive diariamente, y se le dice que tiene un tumor maligno? ¿Dónde se compra ese valor para no exhibir debilidad delante de la víctima? Calero era dueño de sus capacidades médicas, pero los sentimientos no se gobiernan. Tuvo que buscar ayuda, un respaldo que le permita hacer un pacto de convivencia entre sus heridas emocionales y su tarea profesional.

—Aurelio, échame una mano que no estoy acostumbrado a dar estas noticias, no sé qué perspectivas quirúrgicas habrá, qué protocolo de actuación hay, qué tipo de espera...

—Tú no te preocupes, Tomás. Yo te ayudo, yo me encargo de darle la noticia y lo oriento un poco sobre las perspectivas que hay.

Tras regresar a Sevilla, luego del empate (1 a 1) contra Ponferradina, Calero contactó con Miki para avisarle que el viernes 4 de marzo, por la tarde, debían ir a hablar con un colega que tenía las pruebas del último análisis. Trató de engañarlo un poco, de esquivar, principalmente, cualquier tipo de interpelación que cree sospecha: se sacó el traje de médico para colocarse el de actor. También, el día anterior a visitar el hospital, localizó a José Antonio Bosch, el administrador judicial de la institución, para ponerlo al tanto de la situación y preguntarle en qué circunstancias estaba el club: Betis vivía una crisis económica, legal y futbolística.

3

Nacho (defensor del Betis): una vez, hablando con Miki, él me decía que le dolía la espalda. Se trataba muchas veces tanto antes como después de entrenar porque pensaba que era un problema lumbar o de la columna o de alguna vértebra... Nadie pensó que sería algo tan importante. Nos comentaba que tenía dolores de espalda, que siempre le molestaba un poco, pero hay mucha gente con las mismas molestias. Él era un tío largo, y la gente de esa envergadura, gente que hace deporte de alto nivel, suele sufrir ese tipo de inconveniente. No todo el mundo, por supuesto, aunque la espalda es una de las lesiones más frecuentes que pueden tener jugadores de las condiciones de Miki. Por eso, al principio, nadie le dio demasiada importancia. Se trataba, se entrenaba y ya está.

Joel Lara (representante de Miki): a mí también me decía que llevaba semanas entrenando, y que no se le iba ese dolor. Yo le decía «eso es por tu postura, eres jugador alto y te metes mucho para abajo; ponte recto para que no te duela la espalda». Le habían dado ejercicios especiales para que se le fuera el dolor.

Ya hacía más de un mes que Miki Roqué presentaba dolencias en la espalda. De todas maneras, él, al principio, le restaba trascendencia a la cuestión: minimizaba el sufrimiento o se lo guardaba para disipar intranquilidades. Amaba jugar. Confesaba amor por la profesión. Amor puro, sin mezclas. Por eso, a pesar de la incomodidad en el campo, quería seguir participando de los partidos. Desde la panza de los sentimientos nacen los distintos tipos de valentía: su caso no era la excepción.

El 12 de enero, padeciendo esas inquietantes molestias, estuvo en el Camp Nou, enfrentando a Barcelona, por la Copa del Rey. Esa noche, el equipo de Pep Guardiola ganó 5 a 0, a pesar del elogiado desempeño del conjunto bético.

—*Hostia, no doy más porque nos han hecho correr lo que no estaba escrito. Estos tíos no paran de correr* —le comentaría Miki a Ramón

Canal, el jefe de los servicios médicos de Barcelona, pocos minutos después de haber finalizado el encuentro.

• • •

Ramón Canal: ahí no se conocía la enfermedad, pero él ya estaba enfermo. Ese partido lo jugó con dolor en la espalda, pero nadie sabía qué era. Había un dolor, pero no acababan de discriminar exactamente lo que era. Un dolor tolerable para poder jugar. Lo podía incapacitar un poco, pero podía jugar. Recuerdo bien esa imagen, cuando lo vi. Se me viene a la memoria eso: él jugó, hizo un partido inmenso y estaba enfermo. Me queda esa imagen de verlo rojo y sudado, con la camiseta del Betis.

Tres días después, en el estadio Benito Villamarín, fue también titular, y hasta anotó el tercer gol de la victoria contra Alcorcón por 3 a 0. El designio de su presente insistía con la ambigüedad del mensaje: convivía —sin saber— con el cáncer, pero la realidad impulsaba otro aroma.

Su último encuentro oficial sería el 12 de febrero, de local: el equipo no tendría una buena jornada y perdería ante Elche 4 a 1. Ese día, rematado por una decepción, intuyó que podía tener algo más grave, que ya no era un «común» dolor de espalda. Su rostro medroso, con gestos de agobio, habló...

• • •

Miguel Angel Parejo (fotógrafo del club): en ese partido comete un error. Pierde un balón y el equipo contrario termina metiendo el primer gol del partido. Cuando ves las fotos de la jugada, tú dices «algo le ha pasado». No es normal. Él se ve derrotado. Él ha perdido un balón, ha intentado recuperarlo, da el máximo posible en la carrera y no puede con el atacante. No sólo está así por el fallo. Está así porque no puede dar todo lo que quiere para recuperar ese balón. Él se da cuenta de que algo ha fallado. Impotencia por el dolor. Eso se nota en las fotografías. Después entró al vestuario llorando, pidiéndole disculpas a algunos compañeros.

Su cuerpo comenzaba a notar bruscos cambios. Los malestares aumentaban sin transiciones de paz. Ya no conseguía dominarlos. Perdía la potestad para seguir haciendo lo que pretendía y abría la puerta para que ingresen las conjeturas. *«Debo tener lumbalgia, pero me parece que es más una hernia discal. Si es una hernia discal, me tendría que operar. Soy capaz de ir a cualquier lugar. Voy a donde fue el Pipita Higuaín»*, le había expresado Miki a Manuel Conde, su amigo y su vecino en Sevilla. Durante esas semanas, un llamado telefónico sacaría a relucir otra alarma.

—*Conde, ¿tú puedes venir a mi casa?*
—¿Por qué? ¿Qué te pasa?
—*Es que quiero comprar una bombona, y ¿tú crees que no puedo con ella? No tengo fuerza.*
—Venga… Allá voy.

Disimular el dolor dejaba de ser una opción.

4

Miki Roqué era muy meticuloso y pertinaz con su trabajo. El doctor Calero, ya conociéndolo, sumado el correr de los días, empezó a sospechar que lo suyo no se trataba de una simple molestia. Creía que podía tener una sacroileítis, una importante sobrecarga o algo en los glúteos. Una tarde lo citó para despejar dudas.

—Mira Miki, ya con esto se te va a quitar el dolor —le explicó para tranquilizarlo. «Esto» era una infiltración anestésica pura. El defensor se fue bien a su casa, pero regresó al día siguiente con la misma preocupación.

—Bueno, Miki. ¿Qué tal? ¿Cómo estás?
—*Me sintió muy bien el pinchazo, pero del todo no se me quitó el dolor.*

El jefe de los servicios médicos del Betis quedó asombrado ante la respuesta. Comentó el caso con el doctor Pérez Hidalgo, compañero del hospital Fremap, y decidieron hacerle una radiografía que no arrojó pista alguna. Entonces, para comprobar si verdaderamente había un foco inflamatorio crónico, le practicaron una gammagrafía, un estudio de medicina nuclear, que terminó revelando que existía un foco de captación, pero que tampoco presentaba un diagnóstico alarmante. Se veía que la articulación sufría «algo» que se debía seguir investigando. Para terminar la batería de exploraciones llegó el turno de la resonancia que arrojaría la peor consecuencia sobre la mesa.

—Oye, Tomás. Aquí hay algo raro…

* * *

Tomás Calero: me acerco a ver y el doctor me muestra una imagen muy extraña para la gente de medicina del deporte como yo, que no estamos vinculados a temas tumorales, pero ahí ya nos dimos cuenta que era un tumor. No sabíamos si era benigno, maligno o en qué circunstancias estaba. Las imágenes hacían prever que era maligno, pero los médicos son prudentes. Siempre dicen «hubo muchas imágenes que yo ponía las manos en el fuego de que era un tumor maligno y después era benigno. Y he puesto las manos en el fuego por un benigno y ha salido maligno». En ese momento, cogí las pruebas y me fui al Asepeyo, donde se encontraba el especialista más importante que había en Sevilla. Allí me dijeron «te tienes que ir al Virgen del Rocío, y te vas a poner en manos de Aurelio Santos». Fui a hablar con Aurelio: él vio las pruebas y, automáticamente, dijo que había que hacer una biopsia.

2
Su escalera deportiva

1

¿Por qué a Miki Roqué? Si sólo tenía 22 años cuando le encontraron el tumor. Los chicos no deberían tener cáncer. Debería estar prohibido en alguna Constitución mundial. ¿Qué juez cruel permite que los jóvenes sufran esta enfermedad? ¿Por qué a Miki? Si su carrera futbolística estaba en pleno ascenso, si cada vez quitaba más balones, si cada vez ganaba más en las alturas de las dos áreas, si todavía tenía que regar con su fútbol el césped del Benito Villamarín para que los béticos cosechen felicidad. ¿Por qué a él? Si hacía poco, muy poco tiempo, había pagado ese derecho de piso para ser un futbolista profesional. ¿Por qué? Si en la otra página de su historia lo estaba esperando la Primera división y vaya a saber qué otra gloria deportiva. ¿Qué mensaje fragmentario se esconde detrás de esta pena? ¿A qué se debe prestar atención?

Los golpes juegan a las escondidas y suelen ser sabios: no sólo se presentan para generar dolor, sino que aparecen también para enseñar, a su manera discutida y a su tiempo incalculable, porque el mayor conocimiento nace en las angustias. Ese sufrimiento, a veces excesivo, integra el paquete contradictorio de esta tierra: es el espejismo más grande. Algunos puñetazos llegan quizá con la intención de ignorar el futuro y vivir intensamente el presente. Otras desgracias buscan acelerar aprendizajes. Un supremo misterio insondable envuelve cualquier análisis.

Miki tenía dudas en esas primeras horas desconcertantes, pesquisas pendientes por un tratamiento desconocido, por algo «nuevo» que no traía un guión de actuación. El defensor del Betis trataría que por su mente no transcurran tantas interrogaciones nocivas: esquivaría ciertas vulgaridades y ciertas importancias, comprendiendo y aceptando rápido esta vida en forma de escalera, en la que basta con un paso en falso para caerse, como un edificio que tarda meses en construirse y sólo necesita un segundo para demolerse. A Miki Roqué le tocaba esta vez su propio derrumbe. Y también, al mismo tiempo, por iniciativa propia y coraje innato, vivía su propia ilusión: estaba dispuesto a construir de vuelta cada piso y escalar con parsimonia por cada escalón.

Así, consciente o inconscientemente, lo había hecho en su carrera deportiva, desde muy pequeño. El periplo para consolidarse de titular en el primer equipo del Betis fue extenso y bastante sinuoso...

Tras conseguir el histórico ascenso a Segunda con el Fútbol Club Cartagena, a mediados de 2009, no fueron pocos los equipos que preguntaron por él. Estaba claro: sus condiciones y su juventud despertaban interés. Miki quería ir a «uno de Primera». Ese era su afán. Su ambición era llegar a jugar en la Primera división española. Se esforzaba para que la parábola deportiva lo encuentre de nuevo bien alto, como aquella vez, en 2006, cuando debutó en la Copa de Campeones con el Liverpool inglés. La vía más rápida y segura, para sus aspiraciones, parecía ser aceptar la propuesta que llegaba desde Sevilla: integrar el filial del conjunto de Heliópolis.

—*¿Pero un filial? ¿Por qué no me ficha el primer equipo?* —preguntaría el defensor tras conocer la oferta. Buscaba ir lo más arriba posible: confiaba e indicaba que tenía las condiciones necesarias para desempeñarse en cualquier sitio. Una convicción enorme para superar desafíos. Firmaría contrato con la institución bética tras batallar duro con su agente, Joel Lara. Barcelona B, casi en la recta final de las negociaciones, acercaría también una invitación tentadora, pero ya sería tarde porque el jugador le había dado su palabra a los directivos andaluces:

—*El Betis vino primero, y me voy al Betis.*

• • •

Joel Lara: él no nos hacía el trabajo fácil. Siempre con regañadientes. Era complicado, pero complicado por su personalidad. Él siempre quería más. Eso es bueno. *«Pero no puedo ir aquí, pero no puedo ir allá»*, decía y se quejaba. Protestaba mucho, pero cuando tú le decías algo, te entendía, si sabía que se lo decías por su bien. Miki hablaba mucho, pero hacía caso. Yo prefiero que sean así. Tenía una personalidad muy marcada.

La temporada 2009-2010 la jugó entera en el filial, cumpliendo buenas actuaciones que hacían imaginar un rápido progreso. Eso sí: Antonio Tapia, primero, y Víctor Fernández, después, ambos entrenadores del primer equipo, lo convocarían muy pocos partidos.

El horizonte de un nuevo año, y la llegada de Pepe Mel para hacerse cargo de la plantilla, renovarían sus alicientes, pero, a la vez, mantendría sus planteos.

—*Yo me voy, Joel. Si no me quieren en el primer equipo, me voy* —avisaba, protestando.

Se alegró al saber que, después de algunos titubeos, comenzaría la pretemporada con ese primer equipo, tal como ambicionaba. Tendría, por fin, la posibilidad para dibujar su gran sueño y disipar esos dientes amenazantes que se asomaban para morder su progreso. Estaba contento porque había subido varios peldaños para llegar allí, pero, de nuevo, un tropezón ensombrecería su marcha: a los pocos días de estar entrenando, sufriría un gran esguince de tobillo que estropearía sus aspiraciones. La suerte, que suele ser jeroglífica, se alejaba otra vez de su lado.

• • •

Tomás Calero: eso fue en la pretemporada de Huelva. Metió el pie en un agujero del campo y se hizo un esguince gordísimo. Lo empezamos a recuperar y se comió el periodo de pretemporada. Fue el primer lesionado que tuvimos ese año.

Pepe Mel confeccionó una lista y, como no lo había visto jugar, no anotó su nombre. Miquel Roqué Farrero no estaba en sus planes. La desilusión dejaba traslucirse una vez más.

Joel Lara, antes de buscar otro club, prefirió hablar con el entrenador. «Mira, lo que te puedo decir es que yo lo dejaría en el Betis, pero a lo mejor comienza jugando en el Betis B, que no se preocupe porque no tengo conocimiento de él, porque casi no ha entrenado, no ha jugado partidos. No puedo tomar una decisión. Y, si me obligas a tomar una decisión, seguramente será perjudicial para tu jugador, seguramente te lo vas a tener que llevar», le aclaró Pepe Mel al representante, sin más justificaciones que la propia sensatez.

Miki, a los pocos días, quiso hablar también con el míster para salir cedido si no le iban a dar el lugar que creía merecer. Fue de la mano de su amigo, el orgullo.

—Si ya le he dicho a tu representante que continúas aquí, ¿para qué vienes tú? —le reprochó Mel.

—*Pues porque quiero hablarlo yo.*

—Ya le dije a tu representante. Búscate equipo, vete cedido o vete al B. Empieza a jugar en el B, y si hace falta ya te veré.

—*Me quedo en el B porque yo este año juego de titular en el Betis.*

• • •

Pepe Mel: yo llego a Betis, que está en Segunda división, y esto es tremendo. Aquí hay una guerra civil, social, económica. El club está en ruina. Tenemos que empezar a formar un equipo. El 90% de los jugadores que hay se quieren marchar. La gente no cobra. Él, entonces, empezó en el B haciendo buenos partidos. Y nosotros, en el primer equipo, pronto necesitamos gente porque no teníamos mucho. Y el chico se ganó un hueco en el primer equipo. Era un jugador muy rápido, una de las virtudes para su puesto. Era muy bueno para el juego aéreo. Era muy valiente. Tenía mucha actitud en todo. Y terminó siendo titular, teniendo en su puesto a dos jugadores experimentados como David Belenguer y Chechu Dorado.

2

Si le hubiera cortado las alas,
habría sido mío,
no habría huido.
Pero así
habría dejado de ser pájaro.
Y yo...
Y yo lo que amaba era un pájaro

Txoria txori, MIKEL LABOA

Miki Roqué quiso estar siempre relacionado con el balón. No existía un plan B. No se permitía un plan B. En una ocasión, estando en el colegio, les preguntaron a los alumnos qué querían ser cuando crecieran. Estaba prohibido decir «futbolista». Él, impetuoso, no quiso engañar y tampoco pudo engañarse: *«yo quiero ser jugador de fútbol».*

• • •

José Luis Sorando (su primer entrenador en la escuela de fútbol de Tremp): lo veías con 6 años y ya parecía más grande. Iba sobrado y poco después lo tuve que pasar a jugar con niños mayores que él. Ya se veía que era superior a los otros, superior en todo, en actitud, físico, sacrificio, voluntad... Le encantaba el fútbol. Si tenía que jugar dos partidos seguidos, los jugaba. Iba creciendo y no cambiaba. Tenía ese aire de superioridad técnica. Le demostraba a la gente que sabía jugar al fútbol.

Tenía sólo 12 años cuando dejó Tremp, su pueblo catalán, para vivir en una residencia de deportistas en Lleida y jugar en la Unió Esportiva Lleida. Allí, siendo muy pequeño, conoció nuevos amigos y compartió equipo con Sergio Busquets, apenas ocho días menor. Aquella fue la primera vez que se separó de su familia. Una separación ficticia: asociar kilómetros con ciertas distancias suele ser un error. Sus padres, Miquel Roqué y Olga Farrero, nunca tuvieron la sensación de tener un hijo fuera. Todo lo contrario: la lejanía, melancólica, sirvió para estar más comunicados y más unidos. «Solamente con su voz, por teléfono, yo ya notaba cómo estaba. Con él he podido hablar de muchas cosas que, quizá, si estaba aquí, no las hablaba», recuerda su madre.

En un mundo redondo donde no se permiten dar pasos hacia atrás, las distancias pueden acercar: alejarse sería dar toda una vuelta para encontrarse. Una opción efectiva cuando la separación es pequeña, teniendo en cuenta que al pasado, sellado, ya no se puede volver. La obligación de ir hacia delante. Nunca retroceder. La obligación omnipresente de utilizar los pies para caminar en un esférico.

El círculo, también en este caso, se presentaba como la figura geométrica preferida. Así, rodando, como todos, avanzaba Miki. Así era su perfil y su trayecto. Avanzaba tan veloz, sin tanto freno en las alturas y en las llanuras, que un vuelco lo llevaría a una cima repleta de flashes: Liverpool, el gran Liverpool inglés que acababa de ganar la Copa de Campeones, lo contrataba en agosto de 2005 para integrar el equipo de Reserva (Joan Ramón Puig Solsona fue el intermediario). El fichaje, en ese entonces, era más que una utopía.

• • •

Miquel Roqué (padre): él estaba jugando en Lleida, en campos de tierra y, de golpe y porrazo, se encontró entrenando con Gerard, con Xabi Alonso… Él lo decía: *«me tengo que pellizcar»*. Tenía 17 años cuando se fue a Inglaterra, pero era como si tuviera 20 o 22. Siempre fue muy maduro.

Olga Farrero (madre): cuando íbamos a visitarlo, salíamos con él y te daba la seguridad de un padre. Parecía más mi padre que mi hijo. Me llevaba a comer, trataba de llevarme a los mejores sitios, trataba de hacerme sentir bien, que estuviese bien. Veíamos que era muy responsable en todo lo que hacía. Él, en Tremp, no hablaba inglés, y allá lo cogió enseguida…

Olga Roqué Farrero (hermana): él estaba siempre pendiente de llevarte aquí, llevarte allá, de que estuvieses superbién. Y a veces pensabas «coño, tranquilo».

Mari Carmen Mases (madrina de Miki): tampoco lo veías preocupado cuando se fue a Inglaterra. Yo veía más preocupados a los padres, que decían «pobre, tan joven, allá solo». En cambio, él no: él se fue contento. Era muy fuerte por dentro. Era fuerte de carácter.

Marc García (compañero en Lleida): cuando me dijo *«me voy al Liverpool»*, eso fue un bombazo. «Madre mía», dije yo. Nos quedamos todos alucinando. Él era muy bueno, y él se lo creía, él se quería un montón. Ya a esa edad, él sabía que iría para delante, que daba lo mismo lo que viniera, él iría para delante. Yo ahí ya veía que podía ser futbolista porque tenía algo, tú lo veías por la calle y era alto, se hacía notar. Dentro del campo era muy bueno y tenía un carácter que no lo pisaba nadie: él sabía quién era y punto. Ya después, cuando venía desde Inglaterra, que venía de vacaciones, nos iba a ver al Lleida. No se olvidó de nosotros, seguía yendo. Me acuerdo que nos traía cosas del Liverpool, de jugadores del Liverpool, nos hacía una ilusión... Siempre tenía detalles. Traía regalos para todo el mundo, un montón de cosas que las iba repartiendo. Me decía: *«puedes coger lo que quieras, pero cuidado, no cojas mucho que le quiero dar a mucha gente»*.

Miki tenía la virtud de aprender más por la vida que por la escuela: ahorraba teorías para dedicarle más tiempo a las prácticas. Intentar. Ensayo y error. Ensayo y acierto, ejerciendo la profesión del científico que necesita sucesivos fracasos para conseguir un éxito. Ansiaba escribir su propia historia en un borrador. Escribir sin pánico porque las vidas, todas las vidas, se escriben siempre en borradores, con tachaduras, faltas de ortografía, incisos, correcciones, letras feas, letras lindas... De allí, tal vez, se desliga el sufrimiento inevitable, ya que a nadie se le permite pasar en limpio lo escrito.

Viajar, por otra parte, le brindaba conocimientos suplementarios que él sabía consumir y administrar. El recorrido regalaba nuevas miradas y revelaba distintas visiones. La escuela del viaje, una de las más antiguas de la humanidad, lo ayudaba a procesar y le transmitía un enriquecimiento lícito. En esas aulas abstractas y alegres, él comprendía que la riqueza y la pobreza no deberían tener un parentesco con la economía; que dos por dos no siempre es igual a cuatro; que los buenos corazones no fallan; que la primera frontera, la más difícil de saltar, tenía su propio nombre; que la libertad es consecuencia de la educación; que no hay clases sociales cuando se habla de sueños… Vislumbraba además que, en esta universidad benévola, nunca otorgan el diploma y tampoco permiten que el título se compre con la tarjeta de crédito. Su aprendizaje, así, proyectaba ser constante. Un descubrirse perpetuo.

En este particular centro académico, mientras conocía esa pedagogía que no figura en los proyectos escolares, terciarios o universitarios, observaba también sus progresos en su profesión. Un ejemplo curioso serviría de prueba para saber que los pasos que estaba dando eran meritorios. En diciembre de 2005, por la liga de Reserva, Liverpool derrotaría a Manchester United 2 a 0. Ese día, dos defensores catalanes, amigos, salieron al campo de juego: Gerard Piqué, de un lado; Miki Roqué, del otro. El oriundo de Tremp fue el que sobresalió durante el partido, impidiendo con esplendor la mayoría de los rápidos avances del internacional noruego Ole Gunnar Solskjaer. Cosas raras del raro destino.

Esa destacable actuación, sumada a otras, fueron suficientes para debutar un año después en la Copa de Campeones, ante Galatasaray, de Turquía (derrota por 3 a 2): tenía sólo 18 años cuando Rafa Benítez lo mandó al césped para reemplazar a su compatriota Xabi Alonso. Conseguiría, en Estambul, cumplir su primera meta: jugaría así su primer partido oficial en el torneo más deseado de Europa. Vivía la fantástica fantasía de la realidad.

3

Oriol Paredes (amigo de Tremp): lo conozco desde que tenía 3 años. Estuvimos en el mismo colegio hasta que se fue a Lleida. Siempre juntos. Él venía a dormir a mi casa, y yo iba a la suya. Si había un trabajo que hacer en clase, siempre los dos. El profesor decía «hay que hacer un trabajo en parejas», y nosotros ya nos mirábamos y quedábamos por la tarde. Compañeros de colegio, amigos del pueblo y en el fútbol también: jugábamos los dos de central en el Tremp. Yo lo imitaba un montón en todo. Los profesores, en las clases o en los entrenos, decían «son muy amigos, pero Ori quiere ser como él». Es que él era increíble. Cuando éramos superpequeños, yo me acuerdo de Miki, de ver un partido del Barça, de ver que un jugador hacía algo, y que él diga *es que mañana lo sé hacer*. Era muy fuerte. Mucha voluntad. En el patio, cuando jugábamos, siempre ganaba el equipo de Miki.

Al final de la temporada 2006-2007, por no tener lugar en Liverpool, fue cedido a Oldham Athletic, que actuaba en la Tercera división inglesa (League 1). Su situación no mejoraría: tendría muy pocos minutos en el campo, razón por la que, ya cansado, optaría por volver a su país para fichar con Xerez CD, que militaba en la Segunda división española. Allí, en el club andaluz, la suerte tampoco lo acompañó: su carrera, que presentaba incipientes brillos, se reencontraba con las penumbras. El giro, otra vez, en un sendero tortuoso.

• • •

Ramón Paris (uno de los primeros representantes de Miki): él debutó en Campeones, con Liverpool, y entonces se creía que lo había ganado todo. Tuvo una mala experiencia cuando estuvo en Inglaterra, después otra mala en Xerez, y por eso tuvimos que empezar de cero otra vez. Era un chaval fenomenal. Siempre estaba alegre. Siempre con una broma. Ahora, cuando salía al campo, se transformaba. Era como (Carles) Puyol. Era joven. Tenía todo lo que quería. Como jugador, él sabía bien dónde quería llegar: él quería llegar arriba de todo.

Ese «empezar de cero» era equivalente a bajar otra categoría: jugar en una Tercera división española. Algo así como dar un paso atrás para tomar impulso y despegar de una vez por todas. A Miki, al principio, no le gustó el recado. No quería seguir descendiendo: su plan era mantenerse, por lo menos, en una Segunda división, bien cerca de la Primera. Protestó y protestó con su representante hasta que terminó aceptando.

• • •

Joel Lara: nos reunimos en un hotel y le explicamos que a él no lo íbamos a meter en un gran equipo. Le explicamos que la vía que teníamos que hacer era dar un paso atrás. Tenía otras ofertas, de otras categorías porque él tenía edad, y tenía buen curriculum. Él no quería ir para atrás. Era muy cabezón. Una vez que debuta en Champions, tiene otras miras. Que no quiere, que no quiere y que no quiere. Costó convencerlo. Llegó una opción de Cartagena, que siempre hace buenos proyectos. Había afición e iban a verlo muchos ojeadores. Y acertamos: fue allí y terminó jugando todo. Jugaba tal como era su personalidad: muy agresivo. Tuvo un gran año y se dio a conocer en España porque a él mucho no lo conocían.

En la previa, el desafío en el Fútbol Club Cartagena no parecía tan simple: el equipo ya tenía su defensa titular. «Él llegó a Cartagena como suplente. Al principio de la temporada, cuando se arma el equipo, él llega para ser suplente. No se lo contrató como titular», cuenta Cristina Bustillo, jefa de prensa del club en aquel año.

—Miki, mira que ya hay cuatro centrales —le aclaró Joel Lara para ponerlo al tanto del panorama.

—*Yo juego con la gorra. Yo juego, seguro.*

Y no se equivocó. Con 20 años, no sólo se ganó el puesto, sino que fue también voz de mando: le gritaba a jugadores más grandes, con más trayectoria, que se habían desempeñado en Primera o en Segunda. Un carácter potente. Una personalidad fuerte que no se tapaba.

En la temporada 2008-2009, Cartagena consiguió un ascenso memorable: volvió a Segunda tras 22 años. El plantel conocía la gloria y los nombres de los futbolistas se grababan con letras especiales en la historia dorada de la institución. Miki, que arribó siendo casi un desconocido, finalizaba el campeonato como un gran ídolo. Su carrera, ahora sí, parecía encaminarse nuevamente.

• • •

Miquel Roqué: él se encontraba bien en Cartagena, y hubiera continuado allí. Pasa que después vino el Betis y, por su manera de pensar, creía que tenía más progresión en el Betis, aunque tenga que jugar en Segunda B.

Cristina Bustillo: ese plantel era especial, eran 22 jugadores especiales. Excepcionales. No sólo Miki. Había un gran grupo que terminó haciendo historia en el club. Yo viajaba con ellos. Por eso tenía mucha relación con cada uno. Muchos me veían como una hermana mayor, quizá una madre. Era la única mujer del club en ese momento. Con Miki nunca dejé de tener relación. Después del ascenso, Miki se fue, y yo tuve una niña: él me mandó un osito de regalo. No es que quiera hablar bien de él justo después de la muerte. No suelo hacer eso con ninguna persona. Es que no recuerdo algo de él que me haya hecho mal. Tampoco esto quiere decir algo. Yo puedo ser superamiga de alguna persona, y puedo recordar algo de esa persona que me haya molestado alguna vez. Con Miki, no. Sólo tengo cosas buenas. Busco cosas malas, pero no las encuentro. Busco algo que me haya molestado de él, pero no hay.

Carlos Carmona (compañero en el Fútbol Club Cartagena): estábamos todo el día juntos. Yo era un año mayor. Entrenábamos, salíamos a comer, cada uno iba a dormir la siesta y después de la siesta nos encontrábamos otra vez. Como uña y carne. Casi todos los viernes íbamos al cine. Sólo nos separábamos cuando nos íbamos a dormir. Después de Cartagena, él va a Betis y yo voy a Huelva. Me bajaba a Sevilla para verlo o él venía a Huelva. También seguíamos manteniendo comunicación por teléfono. He hecho buenos amigos en esta profesión, pero Miki fue el mejor amigo que hice en el fútbol.

4

Los sueños personales, los que se desean intensamente, acostumbran a transformarse en sueños colectivos, como si un virus poderoso se desprendiera del cuerpo soñador y se expandiera por el aire. Un virus que atrapa e involucra. Desde muy chico, Miki Roqué soñó con jugar en el Camp Nou, ese estadio gigante, repleto de luces que erizan pieles. Y Tremp, a la vez, soñó que uno de sus vecinos llegara a esa cumbre del fútbol mundial. Así como La Pobla de Segur, a 13 kilómetros de distancia, tenía a Carles Puyol, Tremp quería tener a su futbolista, a una figura que se codeara con las estrellas.

El miércoles 12 de enero de 2011, Miki, de titular con su Betis, saldría al emblemático campo blaugrana para enfrentar a Barcelona por el partido de ida correspondiente a los cuartos de final de la Copa del Rey. Cerca de él, como rivales, Pinto, Dani Alves, Piqué, Puyol, Maxwell, Xavi, Busquets, Iniesta, Pedro, Villa, Messi... Lo real y lo ideal se encontraban en el mismo sitio.

El tumor, desconocido e inesperado para esa fecha, no le permitiría estar en plenitud física. Tenía molestias. Tenía «eso» que lo incomodaba. *«No me deja estar como yo quiero»*, le diría a sus padres antes de partir hacia el estadio. Él, con su estilo, procuraba no amedrentar. En los días previos, se quejaba sin abrir demasiado la boca. Podía decir *«me duele un poco»*, aunque enseguida agregaba un *«pero tranquilo que voy a poder jugar»*. Contra el Barça quería estar sí o sí. Anhelaba ese enfrentamiento desde la más tierna infancia. El dolor preocupaba, inquietaba, aunque él estaba enamorado de su profesión, y la cobardía termina siendo un problema para el que no ama: él saldría a jugar sin miedos.

En esa jornada, Miki sería feliz, inmensamente feliz. Ni siquiera la derrota por 5 a 0 opacaría su iluminada satisfacción. Esa noche, exclusiva, no hubo espacio para el exitismo, una enfermedad mundial que está presa en un sistema de valores. Esa noche hubo una conclusión invisible que el tiempo visibilizó como una lección: el éxito es elegir y hacer algo que realmente guste.

• • •

Carles Puyol: ese día estuvimos hablando, no tan íntimamente, pero hablamos de que estaba bien, de que siga así. A él le hizo ilusión ir al Camp Nou. Ya le dolía la espalda, aunque estaba bien.

Oriol Paredes: de Tremp fuimos todos los que pudimos. Llegamos todos con camisetas, las que Miki nos daba. Camisetas del Betis, del Barça, la que fuera... Hicimos una pancarta. Fue gente del colegio, que a lo mejor había perdido más el contacto. Es lo que todo el mundo hubiese querido: jugar al fútbol allí, y que uno de nosotros lo consiga era increíble. Además, Miki siempre compartía todo. Te hacía partícipe de todo lo suyo. Él decía *«¿pero vais a venir, no?»* Claro que íbamos a ir. Era impensable no ir. Lo vi un día antes del partido, y nos cogíamos y decíamos «vas a jugar en el Camp Nou». Tenía mucha alegría. Le hacía mucha ilusión, pero el tío también estaba pendiente de los demás. El mismo día del partido, yo rendía un examen de economía. Cuando lo terminé, lo llamé a Miki, que ya estaba yendo para el campo. Le iba a preguntar si estaba nervioso, pero antes de hacer cualquier pregunta, él ya me dijo *«oye, ¿qué tal tu examen?»* Estaba preocupado por mí. Así era él. Le contesté: «pero déjate de examen que vas a jugar contra el Barça en el Camp Nou».

3
La protección

1

—*Hola, mamá. ¿Cómo estás? ¿Qué estás haciendo?*

—Hola, Miquel. ¿Qué tal?

—*¿Dónde estás? ¿Estás en casa?*

—Sí, aquí, en casa.

—*¿Y papá? ¿Está papá?*

—Sí, está aquí también.

—*¿Está contigo?*

—Sí, está aquí. Ahora salimos a cenar.

—*Bueno, mamá. Mira, tú tranquila eh... Me han dado los resultados de las pruebas. El resultado de la biopsia ha dado positivo... No es bueno. Ha salido una cosa que hay que operarla. Hay que sacarlo, pero nada... Lo han cogido a tiempo. Todo saldrá bien.*

Durante la tarde del viernes 4 de marzo, Miki Roqué preparó el modo de comunicar la noticia a su familia. No en vano esperó primero que fuera de noche. Constató que sus padres estuvieran juntos para que el golpe, de alguna manera, no derrumbara. Esa unión era esencial: sospechaba que ellos, un mismo amor repartido en dos cuerpos, se sostendrían mutuamente. Buscó normalizar la situación porque se cree que lo normal duele menos. Relativizó el episodio. Se centró en el presente, sin hacer futurología. Y hasta cuidó las palabras, reemplazando, siempre que pudo, «cáncer» y «tumor» por «ha salido una cosa» o «hay que sacarlo». Maniobras valederas para mitigar el primer disgusto.

El sufrimiento de sus padres era una angustia que lo vencía. Una congoja mayor a la propia. ¿Qué sentirán? ¿Cómo lo vivirán? ¿Dónde canalizarán sus penas? Él confiaba en su fortaleza, pero desconocía en ese entonces cómo y cuánto aguantaría su mamá, y cómo y cuánto soportaría su papá. Ese era el dilema más incómodo. Le resultaba inevitable convivir con culpa, una culpa injusta, por causarles ese intempestivo dolor. Era como ir en contra de la naturaleza. Rabiaba de impotencia porque no podía esta vez arreglarse solo.

El llamado telefónico de Sevilla a Tremp terminó siendo uno de esos puñales que minimizan o borran el resto de los problemas cotidianos. Era imposible soslayar la cicatriz. Absurdo en algún punto... Absurdo como pretender dominar el sentimiento: una derrota asegurada.

Olga Farrero, su madre, quedó estupefacta con la oreja en el móvil. Un frío interior le recorrió el cuerpo, pero se contuvo sin saber el porqué, y pudo hablar sin conocer el cómo.

—Claro, Miquel. Tranquilo que nos saldremos de todo —le dijo apenas unos segundos después, sorprendiéndose ella misma por la serena respuesta.

—...

—Tú tranquilo.

Miki, por ley divina, ya emanaba tranquilidad. No sólo tenía fuerzas, sino que también las sabía distribuir. Era un donante voluntario de energías: las transfería con su presencia o con su ausencia. No necesitaba pronunciar discursos o elaborar métodos extravagantes. Tenía la cualidad de fabricar armaduras, y las repartía en silencio para resguardar a los que veía más débiles. Esto no era nuevo: desde chico había estado dispuesto a marchar dejando corazas sin hacer tanto bullicio, como si todo perteneciera a una estrategia o a una misión creada en otro tiempo. Así, al menos, lograba que su alrededor actúe o intente actuar bajo una similar sintonía.

Quizá fue por eso, quizá fue por ese objetivo cumplido, que él respiró un poco aliviado al oír la primera reacción materna.

—*Mamá... Parece que te lo has tomado muy bien, ¿no?*

—Miquel, es que... Tranquilo que nos saldremos de ésta. Tú tranquilo. Nos saldremos de ésta.

• • •

Olga Farrero: seguro que él, en ese momento, estaba más fuerte que nosotros. Él tenía la fuerza para decir *«de esto me salgo»*. Por teléfono, noté su tranquilidad. Y por esa tranquilidad que me transmitió, sin pensarlo, me salió decirle «tranquilo». No me desesperé, aunque estaba helada. Después de hablar con él, nos sentamos en las sillas de la cocina. Y estuvimos dos horas sentados. No sabíamos cómo salir. Un dolor tan grande... Era como que no te lo creías.

Con un esfuerzo ingente, Miquel Roqué (padre) se dirigió luego a la casa de su hija, Olga Roqué Farrero, única hermana de Miki, para comunicarle la novedad que nunca hubiera deseado comunicar. Había que hacerlo personalmente para ofrecer, en caso de ser necesario, aquel regazo paterno que dispara seguridad. Ella estaba con su hijo Gerard, de apenas 4 meses. Estaba simpatizando con su felicidad, disfrutando de su matrimonio con Albert Mullol, sin ponerse a pensar tanto en los bruscos giros de la vida, sin detenerse a analizar la relatividad del tiempo, cómo un segundo podía ser demasiado.

—Olga, traigo una mala noticia. Lo que tiene Miquel es un tumor.

Tuvo gestos de negación al oír a su padre, como si negar fuera sinónimo de borrar. Sus pies firmes pasaron a un terreno resbaladizo. Creía que no podía ser cierto, si su hermano, 7 años menor, era joven, fuerte y deportista, si se llevaba el mundo por delante con su bravura. Olga se sintió invadida por un desasosiego nuevo que desembocaba en la pérdida de cualquier lógica, como si un relámpago le hubiera creado cientos de preguntas que confluyen en trayectos tenebrosos. Ese mismo día, ella no llamó a Miki. No pudo. Aguantó ese raro peso que aparece luego de un enorme vacío, y se comunicó con él al día siguiente.

—Tranquilo, Miquel, seguro que lo hemos cogido a tiempo, que irá bien.

—*Sí, sí, estoy superconvencido, pero me quedo sin continuar... Se acabó la temporada.*

• • •

Olga Roqué Farrero: el tema del fútbol parecía ser lo que más lo fastidiaba. Hablar con él me dejó bien. Me dejó más tranquila. Días después de saber la noticia, busqué información de su enfermedad por Internet... En Internet no tienes que mirar nada, pero miré. Miré mucho, y en algún momento me vine abajo. Pero, siempre que hablaba con él, me quedaba más tranquila. Verlo a él, viendo su actitud, hizo que creyera firmemente que esto lo íbamos a sacar adelante.

2

Graciana Matone fue una de las primeras personas en conocer la enfermedad. Ella era la novia de Miki, se habían conocido en 2009, cuando el jugador defendía los colores del Fútbol Club Cartagena, y le ganaba apenas por dos meses en la diferencia de edad. Ese 4 de marzo, a la tarde, se encontraba trabajando en una firma de ropa, en un Corte Inglés de Sevilla, y cada vez que podía se apartaba hacia un costado, cogía su móvil y le escribía pequeños textos, con múltiples signos de preguntas, para averiguar los resultados de los últimos estudios. Curiosamente, esos mensajes iban, pero no volvían. Y la no respuesta se transformaba en una invitación a la preocupación. Ella, de a poco, a pesar de no querer, se convertiría durante esas horas en el rehén de la impaciencia. Se cuestionaba por qué no le contestaba si la cita en el hospital ya tenía que haber finalizado. Su whatsapp vacío se había llenado de esos presagios que preceden al temor.

• • •

Graciana Matone: había algo extraño porque él siempre me respondía rápido los mensajes. Y ese día pasaba el tiempo y seguía sin responderme hasta que finalmente me puso «*ahora voy al Corte Inglés y hablamos*». Todo muy raro. Cuando llegó, no estaba afectado ni triste. Al menos no se notaba.

Él aparecería recién a las 20.30. Ella salía de trabajar a las 21.00. Cuando se vieron, se retiraron hacia un rincón para entablar un diálogo breve, procurando pasar desapercibidos porque aún regía el horario laboral.

—*Me han visto un tumor en la pelvis, pero me han dicho que me lo han cogido a tiempo, que todo saldrá bien.*

Miki fue corto y directo, pero no evitó la tristeza impresa en los ojos de Graciana. El llanto, para colmo, acompañó la escena. Era evidente que ni el mejor disertador estaba capacitado para anular esa primera asfixia que causa la noticia, tan evidente como que Miki no quería ver esa imagen, no le gustaban los agobios. Tampoco había descartado la posible reacción de su pareja: había querido estar allí, con su cuerpo, a su lado, para darle el primer cobijo y enseñarle a respirar como los nadadores cansados que deben continuar la competencia.

—*No seas tonta… No te pongas a llorar. Que no pasa nada. Esto va a salir bien.*

Con movimientos suaves, él alzaría su mano para limpiar los ojos de ella, para impedir otro sofoco y para que continuara con su labor, sin intenciones de entrometerse en sus funciones, sin ganas de llamar la atención. Se dirigiría luego a la cafetería para aguardarla allí, esperando el final de la jornada de trabajo. Al salir de su puesto, llegando al bar para el reencuentro, Graciana vio que Miki le estaba haciendo bromas al camarero.

• • •

Graciana Matone: en la cafetería, le pregunto «¿y ahora qué hacemos?» Me contestó «*nos tenemos que ir con mi familia*». Ya había decidido sus siguientes pasos. Todo muy rápido. No le gustaba que la gente se preocupara más de lo debido por él. No le gustaba que la gente esté pendiente de él. Siempre decía: *«yo tengo que ponerme bien, recuperarme y volver a Sevilla».* Todavía, a pesar de todo, tenía humor. Siempre miraba el lado positivo. Y eso me enseñó, a ser más positiva, a darle importancia a lo que realmente lo merezca.

3

El mismo día que le informaron sobre la enfermedad, en el mismo hospital, Miki Roqué se había colocado los guantes de boxeo. Quería pelear, sí o sí, sin conocer todavía bien al rival. Deseaba escuchar pronto la campana porque los valientes no demoran los combates. Deducía que no había que menospreciar el tiempo ni gastar fuerzas en lamentos medrosos que originan caídas inevitables. Esto de perder sin apostar no pertenecía a su filosofía. Tenía la obstinación de creer que las armas y los finales podían ser divergentes. La certeza de saber que cualquiera se puede ahogar: la diferencia pasa por conocer a los que intentan nadar. La seguridad de entender que cualquiera puede sufrir: lo que interesa es cómo se afronta ese sufrimiento.

La testarudez era una de sus características. Para bien o para mal, él elegía. Casi siempre, la decisión brotaba de sus labios. Y, cuando no lo hacía, protestaba antes de aceptar un mandato. No era de divagar. Tras conocer el tumor, Miki pidió brindar urgente una rueda de prensa. Quería encargarse de comunicar la novedad, de asegurarse que ningún otro asuma el reto. Había que borrar la fastidiosa presión de la realidad para coger rápido una brújula y tallar el norte. Cada día valía. Cada día era importante.

El mismo viernes 4 de marzo, a la noche, llamó a su agente, Joel Lara, para ponerlo al tanto de la consecuencia de la última prueba. Las distintas comunicaciones que tuvo durante ese día, tras abandonar la sala médica, quedaban unidas por un mismo eslabón: la protección hacia los demás y la preocupación por los demás. Su forma de expresarse, otra vez, rompía lazos con lo previsible.

—*Mira Joel, mañana voy a hacer una rueda de prensa, que me han encontrado un quiste...*

—¿Un quiste?

—*Un cáncer, un tumor... Un cáncer, pequeñito, en la clavícula... Por eso mañana voy a dar una rueda de prensa. Pero nada, es una tontería.*

—Hombre, ¿cómo una tontería? ¿Qué ha pasado? Explícamelo todo.

—*No, nada... Con el dolor aquel, me hicieron una punción, me han hecho un estudio y parece que tengo algo.*

—Pero... A ver, ¿esto qué es? ¿Qué procedimientos tienes que hacer?

—*No... Ahora tengo que estudiar un par de cosas. Pero esta temporada, a tomar por culo. Ahora que íbamos para ascender...*

—Bueno, nosotros, con Ramón (Paris), vamos a Sevilla.

—*No, no, que no hace falta. Si es una rueda de prensa. No quiero, no quiero... Ya la hemos preparado para mañana después del entreno. No hace falta que vengáis, Joel.*

—Bueno, pero... ¿Qué es? ¿Es algo grave?

—*Aún no lo sé del todo, pero tranquilo. Mañana te llamo.*

• • •

Joel Lara: a mí me dejó intranquilo pero tranquilo. Por la manera de decírmelo. No estaba nervioso, no me llora. Él era así. Le quitaba importancia a las cosas. Eso siempre lo hacía. Yo tampoco sabía el alcance real. Escuchas tumor y sí, te asusta. Pero él dice *«es una tontería, pequeñita, en la clavícula»*. No me dice en la pelvis. Me dice en la clavícula. Yo quería ir a Sevilla, pero él me dijo que no y que no. Era muy especial. Muy suyo. Muy directo. Muy fuerte. Al día siguiente, vi la rueda de prensa por la tele. Ahí, cuando vi llorar a Miki, ya me dije «esto no es una tontería».

4

Betis, presente

1

Caprichosa intromisión: siempre, alguien o algo, se encarga de romper esquemas para el goce o para el sufrimiento. El intruso no hace diferencias entre el bien y el mal. Es como una guiñada de ojo que solicita menos planificación y menos de esas demoras que hacen perder el hoy por estar pensando en el mañana. El maldito estigma de querer vivir el futuro en el presente: una filosofía adictiva que invade, seduce y engaña porque todavía no existe el arquitecto capaz de armar una estructura sólida que proteja corazones a largo plazo, como si se tratara de un sistema financiero.

¿Quién tendrá el mapa correcto si un segundo alcanza para meter el pie en un agujero bien grande y distorsionar el resto del camino? Que lo diga Real Betis Balompié, que presentaba para la segunda parte de la temporada 2010-2011 un proyecto futbolístico orientado y entusiasta. El plan exacto elaborado por Pepe Mel se desvaneció de manera súbita e imprevista. El fútbol de sus dirigidos, que había ocupado el espacio principal de su bosquejo, pasó a un plano más chico. La furia de un rayo modificó la estrategia del plantel: dentro del campo, el peso de las derrotas y el peso de las victorias, mirados desde otra perspectiva, comenzaron a ser más equilibrados. También, como alicientes inimaginables, promovieron más razones para ganar y menos para perder.

El entrenador del primer equipo fue la segunda persona del club que se enteró la enfermedad de Miki Roqué. Tomás Calero se la comunicó en un jardín de Ponferrada, el mismo día que se confirmó el peor de los pronósticos. Lo hizo durante el paseo habitual que solía dar el equipo en la previa de los partidos.

—Pepe... Este chico tiene un tumor maligno. Tenemos que empezar a averiguar qué posibilidades tenemos.

Mel, el que encontraba palabras para escribir libros, se quedó con su renglón vacío. Incrédulo. El suelo, en esa caminata, se volvió más frío; el jardín, feo. «Que esto no puede ser, que no puede ser», soltó de su boca, pocos segundos después, buscando una explicación que le permita respirar mejor en el ahogo de la noticia. Formuló enseguida una serie de preguntas que, en ese momento, no se podían contestar o no había que contestarlas para que la prudencia conduzca hacia la esperanza. Calero, por otra parte, no era un especialista en tumores óseos. En los días previos, el míster sabía que al defensor le estaban haciendo una serie de pruebas que arrojaban resultados poco alentadores, pero nunca imaginó, nunca creyó, que el diagnóstico sería un cáncer tan agresivo.

Jesús Paredes, por entonces preparador físico del plantel, fue el tercero que conoció la temida novedad. Entre los tres decidieron callarse durante esa jornada. Optaron por el silencio: no abrir la boca hasta que pase el partido contra Ponferradina. Decretaron un secreto de Estado: se pusieron una venda en los ojos hasta afrontar el compromiso futbolístico. Una venda para no mirar y para no ser mirados, impidiendo así cualquier sospecha, porque los ojos delatores son siempre peligrosos en estos tipos de casos: las pupilas son habladoras, no mienten y nunca aprendieron muy bien a disimular las tristezas.

• • •

Pepe Mel: el médico, ya de entrada, en Ponferrada, me dijo que era un cáncer que tiene un mal pronóstico, un pronóstico muy malo. Desde ese primer día, me dijeron que Miki se jugaba la vida, no jugar al fútbol.

2

Rafael Gordillo, presidente del club, José Antonio Bosch, el administrador judicial, y Tomás Calero, el jefe de los servicios médicos, se reunieron en el estadio para dirimir los primeros pasos a seguir. El jugador no contaba con un seguro que cubra la tan cara medicina que maneja precios inhumanos. Y el Betis, para empeorar el panorama, transpiraba por sus deudas. El peligro latente del concurso de acreedores, una crisis económica que paraliza acciones, no se obviaba en esa sala rebosada de miedos y necesitada de alientos. Aquel día, las diferentes posturas que podían aparecer en la conversación proyectaban un extenso debate, pero el cruce de opiniones terminaría siendo breve. Hubo un rápido acuerdo tras una introducción de Calero, quien expuso sobre la mesa la gravedad de la situación y precisó el futuro que podía tener el tratamiento.

—Hay dos opciones: ir por la vía de la sanidad pública o bien entrar por una vía de sanidad privada. La privada conlleva una serie de gastos...

—Aquí haremos lo que Miki quiera —interrumpió Gordillo—. Y si el Betis en este momento no tiene dinero, lo sacará desde debajo de las piedras para que el chaval tenga el tratamiento que él quiera y donde quiera.

—No hay nada más que hablar. Si tenemos que jugar 50 amistosos, jugaremos 50 amistosos para pagar la enfermedad —concluyó Bosch.

• • •

Rafael Gordillo: Miki no tenía seguro médico, y nosotros estábamos sin dinero. Esa era la realidad. Era nuestra época complicada, con deudas, juicios... Pero yo sabía que ya buscaríamos los medios para pagar.

Miguel Guillén (integrante del Consejo de Administración del Betis, y presidente a partir de junio de 2011): el club, desde el primer día, tomó la decisión de que se haría cargo del costo del tratamiento, de la recuperación. Nos planteamos en el Consejo de Administración cómo generar ingresos. Pensamos un partido benéfico y demás... La federación inglesa se comunicó con nosotros. Se pusieron a nuestra disposición. Ellos, en caso de necesidad, prestaban algunos servicios, pero el club ya tenía asumido que, en una cosa como ésta, tan dolorosa y tan personal, nosotros nos íbamos a hacer cargo. Afortunadamente, después, nos encontramos aquí con más personas que participaron en su tratamiento, que también ofrecieron sus servicios por iniciativa propia, sin ningún costo.

Para esas fechas de enredos y cuestionamientos, José Antonio Bosch comenzaba a dialogar con el doctor José Millán, con la intención de ofrecerle el cargo vacante de director médico del área de salud. Todavía no habían arreglado los pormenores cuando explotó el tema de Miki Roqué, cuestión que aceleraría el proceso de asunción para dejar de deambular sobre una cornisa.

—Mira Pepe... Vamos a arrancar esto, tu contrato, que aquí tenemos un problema. Tenemos un chico, de la cantera, con un cáncer, y no tiene un seguro de enfermedad. ¿Qué hacemos con este caso, Pepe? —indagó Bosch, sumiso en una intranquilidad perceptible—. Millán aceptó el puesto, involucrándose sin pausas en la causa: «Está claro que el club se tiene que hacer cargo de él».

• • •

José Millán: ¿qué es lo que nos planteamos como primer reto? Fue lo que Miki aportó con su enfermedad, que todos los chavales tengan seguros de salud. Todos. Eso lo dejó Miki. Ya no hay ninguna persona en el Betis que esté jugando y que no tenga seguro. Desde los grandes hasta el más pequeño. Y eso fue gracias a él. Todo el mundo con seguro. Eso fue Miki. El legado que dejó Miki es que toda la cantera tenga seguro médico.

3

El río del dolor estaba pasando por todas las orillas. Era el turno de una pata clave de la institución.

—Señores, esperad un momento, que tenemos que darles una noticia sobre Miki. El doctor la quiere decir.

El pedido de Pepe Mel, en el vestuario, llamó la atención, pero no hubo tiempo para generar tantas hipótesis. Casi inmediatamente, Tomás Calero enfrentó a la plantilla:

—Sabéis que el chaval lleva unos cuantos días con dolor. Le hemos hecho una biopsia, y los resultados nos dieron que es un tumor supuestamente maligno. Necesita una intervención quirúrgica. (…) El compañero dará ahora una rueda de prensa para explicar su lesión. El que quiera asistir…

El jefe de los servicios médicos intentó maquillar la noticia. Agregó un «supuestamente» antes de «maligno», habló de «lesión» para emparentarlo más con lo deportivo y previno no pronunciar «cáncer», vocablo que el diccionario lo suele definir como un sinónimo de «miedo». Creía que, en ese momento, no había que trasladarles demasiada información a los jugadores. Procuró que el mensaje esté regado de optimismo, de fe y de confianza. Que esa ilusión por la recuperación, inflada desde sus palabras, sea una manta que permita tapar el frío de las primeras tristezas, y no influya tanto en el estado anímico personal y grupal. Claro que era una meta casi imposible de cumplir porque el tipo de punzada provocaba instantáneamente la herida. Y algunos cortes, por más que se conversen, no se cierran rápido.

• • •

Nacho (defensor): a nosotros no nos comentaron toda la verdad porque quizá hubiera sido un palo más duro. Creo que estuvieron listos en dar un mensaje de esperanza, de vamos a ver cómo se recupera, de que la idea es ir paso a paso, de vamos a ver si puede volver. Fue muy inteligente de su parte. Igual yo, en aquel momento, hablando después con mi mujer, lo que pensaba, lo que me preocupaba y decía era que «igual ya no puede volver a jugar al fútbol», como diciendo, «ahora que ya ha conseguido estar en la primera plantilla, con lo difícil que es llegar ahí, es una lástima que por una enfermedad no pueda continuar». Iluso de mí o qué poco inteligente que estuve en ese momento porque no fui más allá. Lo grave, realmente, no era que no vaya a jugar fútbol. Lo importante era que vaya a salvar la vida. Yo no me di cuenta de eso.

Salva Sevilla (centrocampista): cuando nos reúnen en el vestuario, podíamos intuir algo, que pasaba algo, porque ya llevaba varios días sin entrenar, pero nunca de esa magnitud. Nos dicen también que estuviéramos tranquilos, que le transmitiéramos tranquilidad porque él estaba fuerte, estaba con ganas de afrontarlo, que estábamos seguros de que todo saldría bien. Hablamos mucho entre nosotros. Nos quedamos muy sorprendidos. Pero, dentro de lo malo de la noticia, nos tranquilizó un poco que él estaba con fuerza.

Jorge Molina (delantero): nos dijeron también que le iban a seguir haciendo pruebas para saber exactamente qué tenía. El doctor habló para que estuviéramos informados, pero intentó suavizarlo. Que tenía esa enfermedad, que Miki se encontraba bien y ya está…

Beñat (centrocampista): con Miki tenía mucha afinidad. Los dos habíamos entrado el mismo año al Betis B. Luego entramos los dos al primer equipo. Estábamos siempre muy unidos. Los días previos hablaba con él. Me decía que tenía molestias, un dolor en la espalda y listo. Hacía rato que ya no se entrenaba por esas molestias. Cuando nos reúnen, yo pensé que el asunto era más grave porque Miki no estaba en ese vestuario. Más grave me refiero a una hernia de disco, o algo así, que pasaría varios meses fuera de los partidos. Y nada más. Jamás creí que el doctor iba a decir lo que dijo.

5
Hasta siempre, Sevilla

1

En las batallas más temidas, el tiempo se acomoda en la vanguardia: es el arma indispensable de los sensibles y la herramienta que permite ordenar a los revoltosos sentimientos. Sólo el transcurso de los días puede adiestrar una parte del dolor para convertirlo en aprendizaje, aunque Miki Roqué, por un curioso poder en una bendita juventud, logró anular cualquier temporalidad. Renunció a los comportamientos formales, a las esperas prudentes y no necesitó un periodo para curar su corazón. Así lo demostró desde el día 1, sin tantos discursos y con tantos ejemplos. En la misma tarde que conoció su patología, el propio jugador decidió ofrecer lo más rápido posible una rueda de prensa para informar, con su voz, lo que estaba padeciendo su cuerpo. No quería escapar de esa responsabilidad y tampoco delegar un porcentaje de la misma. En menos de 24 horas, en el mediodía del sábado 5 de marzo de 2011, él se encontró sentado frente al micrófono, en la sala de conferencias que presenta el coqueto estadio Benito Villamarín. Rafael Gordillo y Tomás Calero se ubicaron a su derecha; Pepe Mel, a su izquierda. Enfrente, periodistas y fotógrafos, testigos desorientados que no entendían el porqué del acto. Más atrás, la plantilla del Betis que apareció repentinamente para ocupar butacas y para aumentar esa confusión hecha murmullo. El enigmático que corría en el aire se desvaneció pronto. Miki, sin más presentaciones, comenzó a explicar lo que sería inexplicable para los oyentes.

Buenos días a todos.

Quería hablar yo personalmente con todo el mundo. Ayer me lo comunicaron: me han encontrado un tumor en la clavícula y... Y bueno, me lo tienen que quitar. La verdad es que los médicos han sido optimistas, está en un grado 1-2, que no está muy avanzado. Y bueno, me han dicho que no van a tener problemas para quitarlo. Quería estar yo personalmente para comunicároslo y deciros que, bueno... Que por desgracia para mí se acabó la temporada.

Fueron apenas 38 segundos. Y no pudo continuar. Su voz se quebró, y sus lágrimas, una por vez, casi sin querer, fueron saliendo a pesar de la noble resistencia. Mel, Gordillo y Calero no pudieron agregar una palabra que corte el escalofrío. El entrenador, con su mano derecha, casi en un acto reflejo, intentó darle algún tipo de fuerza tocándole el antebrazo. El presidente, con su izquierda, buscó lo mismo con una palmada en la espalda. Fueron ademanes tímidos en el reino del temor. Continuó un silencio como el que viene detrás de las noches. Durante 11 segundos, nadie abrió la boca. Esa ausencia de voces fue también un dolor. Miguel Angel Parejo, fotógrafo del club, apoyó su cámara sobre la mesa y, de manera espontánea, empezó a aplaudir para acabar con el mutismo disfrazado de puñal. Los jugadores, en el fondo, prolongaron los aplausos.

• • •

Miguel Angel Parejo: no fue pensado. Yo no sabía lo que iba a decir. Empecé a aplaudir porque para mí, lo más importante, era apoyarlo a él. Quería darle ánimos porque él empezó a llorar y hubo un silencio sepulcral en el que nadie sabía qué decir ni qué hacer. Todo el mundo se quedó planchado. Sólo lo sabían los jugadores. Nadie más. Los medios no sabían nada. Se convoca a una rueda de prensa como otras. A mí me dicen «va a hablar Miki, no se sabe lo que va a decir, pero habla Miki. La cosa está seria». Pero si te dicen «seria», tú te puedes imaginar que tiene una lesión, un año o seis meses fuera de las canchas.

Eso es una cosa seria para un jugador. Cuando entran los futbolistas, los periodistas se empiezan a mirar, diciendo «ojo que aquí está pasando algo gordo». Después entra Miki, el entrenador, el presidente y el médico. Pero lo más llamativo eran los jugadores con la cara blanca. Eso sí te llama la atención. Te preguntas «¿qué coño está pasando que están aquí los futbolistas?» No hay mucho margen de maniobra porque después, inmediatamente, aparece Miki. Se habló muy poco en la rueda. Nos quedamos todos mudos. Las caras, todas mirando al suelo. Aunque él se lo tomó muy bien. Tenía su orgullo.

Pepe Mel: la verdad es que lo llevó muy bien. Estaba nervioso, sí, y se equivocó en decir el sitio donde tenía el problema, pero lo llevó muy bien. Lo hizo muy bien. Él sólo se vino abajo cuando vio a sus compañeros, en el momento en el que ve a sus compañeros. Creo que hasta ese entonces no se había dado cuenta. Tenía la cabeza como agachada, pero cuando vio a sus compañeros, los vio a todos allí, y ahí se vino abajo. Tanto al presidente del Betis, Rafael Gordillo, como a mí, nos costó mucho mantener el tipo, mantenernos más o menos para que él no nos viera, pero las ganas de llorar eran terribles.

Con la tensión en el ambiente, tras los aplausos, Calero pidió el micrófono para resaltar primero la «entereza de Miki» y aclarar luego que el tumor maligno era en la pelvis, no en la clavícula, como había dicho el defensor, producto de sus nervios. Dio además algunos detalles médicos («todos tenemos confianza en que pueda ser quirúrgicamente resecable y que la recuperación sea lo más llevadera posible»), intentando acicalar con el polvo de la ilusión un diagnóstico poco alentador, y avisó que no aceptaría preguntas («las noticias de la evolución de su patología las tendréis a través de comunicados oficiales en la página web del club»). Gordillo, el siguiente orador, fue todavía más breve. «Sólo deciros lo que Miki me comentaba ahora, y es que, aunque lo veis llorar, es por la emoción, por el apoyo que recibe de todos ustedes y de los que estamos aquí con él. Está muy fuerte, creo que más fuerte que yo, y me ha demostrado una entereza muy grande», expresó el directivo. Mel optó por no intervenir. Antes, también, había cancelado la típica rueda de prensa previa a los partidos. Había perdido sus fuerzas.

Con llanto o sin llanto, Miki no retrocedía ante el peligro, ni un centímetro, porque retroceder equivalía a agrandarlo. Era consciente de que debía encarar un juego muy difícil. Concentrarse y dedicarse ciento por ciento a su recuperación, colocándose la máscara de los caballos que no permite mirar hacia los costados. Sin embargo, pese a tener clara la teoría, era imposible que la cumpla al pie de la letra. Tenía una cuota congénita de rebeldía que no le permitía aislarse completamente de su entorno. La rebeldía existe también para ayudar a los prójimos, y él, casi sin razonar, comenzaría a jugar partidas simultáneas en un mismo tablero. Sería a la vez un proveedor de gafas para que su mundo observara la situación de diferente manera: parecía tener el propósito de alumbrar otras vidas porque la suya hacía rato que estaba encendida. Sus compañeros del Betis lo comprobaron el mismo día de la rueda de prensa, sorprendiéndose gratamente cuando lo fueron a saludar.

• • •

Jorge Molina: nosotros teníamos más miedos que él cuando lo vimos. Estoy seguro de eso. En el vestuario, entre todos, decidimos ir a la rueda de prensa. Más que hablarlo, sentíamos que teníamos que estar para apoyar a un compañero. Aun así, Miki nos demostró gran entereza. Él nos daba más ánimos a nosotros que nosotros a él. Cuando lo fui a saludar, yo iba con esa cosa de no saber qué decirle. Le pregunté qué tal, y él me dio ánimos. Me dijo *«bueno, salió esto, ya está. No pasa nada. Vamos a pelear, para delante»*. La respuesta de él fue de ilusión, de luchar. Él me transmitió tranquilidad, no sólo de querer vivir, sino también de querer volver a jugar. Él siempre, con nosotros, se refería a volver a jugar. Era su ilusión, lo que más le gustaba. Y yo se lo creí todo.

Beñat: fue un palo muy duro que él mismo tenga que comunicar la noticia en la rueda de prensa. Aunque estaba muy fuerte. Cuando fuimos a hablar con él, recuerdo que estaba diciendo todo el tiempo que iba a volver, que esto era pasajero, que no había que preocuparse. Le quitó importancia al asunto. Nos apoyó. Sí, él nos apoyó a nosotros. Uno parecía estar mucho más asustado que él. Yo sabía que tenía que darle ánimos, que apoyarlo, aunque, cada vez que nos encontrábamos, él me daba ánimos a mí.

2

Antes de la rueda de prensa, Pepe Mel y Rafael Gordillo se encontraron en el despacho del presidente. Allí debían esperar a su jugador 26 para dirigirse luego a la sala donde aguardaban los medios de comunicación. El panorama no era el mejor, claro está. Ninguno de los dos había visto a Miki Roqué tras la confirmación de la enfermedad: ese sería el primer acercamiento, y ambos intentaban aparentar una imagen de fortaleza, escondiendo la desdicha debajo de una alfombra. Acordaron disimular el evidente abatimiento e hicieron como un pacto implícito de no mirarse a los ojos para evitar quebrarse delante del defensor.

• • •

Pepe Mel: es que los dos estábamos muy nerviosos. Era una situación muy difícil porque no sabíamos cómo iba a reaccionar él. Yo era la primera vez que lo veía. Es el chico el que decide decir lo que tiene. Nosotros lo dejamos en sus manos. Él toma la decisión de dar la cara, de decir lo que tiene y llevarlo con naturalidad.

Rafael Gordillo: yo tenía las lágrimas a punto de saltar. Con Pepe estábamos que no nos salía nada. No podíamos mirarnos entre nosotros porque llorábamos…

El presidente y el entrenador habían perdido las normas de comportamiento. O nunca las tuvieron porque la experiencia se hace la sordomuda en estos casos. ¿Qué decir? ¿Cómo alentar? ¿Cómo no trasladarle más pena? ¿Cómo restar dolor? La aparición animada de Miki, con su vibración protectora y su energía saltarina, resolvería el problema inicial planteado en esa oficina:

—*Yo voy a salir de ésta. No pasa nada. Voy a luchar. Y voy a volver. Para delante, que no pasa nada. Esto me lo sacan y listo. Todo saldrá bien, lo voy a conseguir. Que no pasa nada...*

Así, fugaz y natural, sólo con su aura exclusiva, una tenue tranquilidad brotaría en ese despacho. No había oraciones fabricadas: Miki transmitía sensaciones, no imponía rebuscados pensamientos. Para él, no había que conversar tanto con la desgracia porque los aguerridos actúan más de lo que hablan.

• • •

Pepe Mel: cuando entró, lo vimos con mucho ánimo. Es él el que nos anima a nosotros. Entonces eso nos relajó un poco y pudimos salir a la rueda de prensa. De todas maneras, en esa rueda yo seguía con la cabeza gacha. No es una personalidad mía. Es que lo estaba pasando muy mal, y no quería hacer muestras de ese mal trago. Los médicos me habían dicho que el pronóstico era muy malo... A él, lo que en verdad le preocupaba, era que la temporada se ha acabado. No llega a ver más que eso. Entonces claro, tú lo estás viendo desde fuera, tú sí eres consciente de la gravedad y del verdadero problema, pero no quieres que él se sienta mal.

Rafael Gordillo: él nos animó a nosotros. Estaba convencido de que iba a salir, de que lo iba a afrontar fuerte. En la rueda de prensa, yo tenía un nudo en la garganta. No quería mirar. Estaba afectado. Soy un hombre emotivo, y me hace llorar cualquier cosa. Él nos tranquilizó a nosotros, con la manera de hablar y con las ganas... Nos despedimos dándole ánimo, que mucha suerte, que pronto estaría con nosotros, entrenando, porque en la rueda de prensa estaba esa sensación: que era un cáncer, que se podía quitar y al año, quizá, estaba jugando. Mucha tristeza porque se despedía de la temporada, sabiendo que era algo malo, pero nadie, o casi nadie, podía alcanzar la magnitud.

Miguel Guillén: fue un golpe muy duro, pero, en cierto modo, y sobre todo viendo la reacción de Miki, todos tuvimos fe de que era capaz de vencer a la enfermedad. La verdad es que él, desde el primer momento, nos transmitió la confianza de que podía con esa enfermedad porque era un tío tan duro, tan positivo, tan capacitado... Recuerdo que después también nos dijo: «*no pasa nada, es un palo duro, pero estemos tranquilos porque voy a pelear contra la enfermedad, y voy a volver al Betis*».

3

—*Tú tienes que hacer tus cosas. No dejes de hacer cosas por mí.*

Normalizar el presente seguía siendo una de las tácticas para proteger. Miki Roqué no quiso que su novia, Graciana, lo acompañase a la rueda de prensa. Se lo prohibió. Ella, con ojos de incomprensión, casi sin más remedio, se dirigió entonces a su trabajo para explicar que tendría que viajar el día siguiente hacia Lleida. La decisión, sin más sermones, ya se había tomado, y el «plan rehabilitación» estaba en marcha: el jugador buscaría recuperarse en Barcelona para regresar pronto a Sevilla.

• • •

Graciana Matone: él era muy independiente. Era una persona que buscaba la manera de que vieras lo bueno. Nunca lo vi nervioso.

Cuando salió del estadio verdiblanco, Miki vio en su móvil que tenía una llamada perdida de su amigo Oriol. Presumía que se había enterado de la novedad por televisión. Sospechaba, porque lo conocía desde los tres años, que podía estar desconsolado. Marcó su número para comprobar ese presentimiento.

—Pero tranquilo, que me lo han encontrado, que no te preocupes Ori, que esto lo cogen, me tendrán que hacer lo que tengan que hacer, me lo sacan y listo. Tranquilo, Ori...

—Sí, Miki, pero...

—Pero nada... Esto no pasa nada, esto me lo sacarán, ya verás que todo saldrá bien.

—Que no me lo creo, que no me lo creo, tío.

• • •

Oriol Paredes: yo no quería creérmelo. No me creía que estuviera pasando esto. No me creía la situación. Ahora que había jugado en el Camp Nou, en el momento que todos estábamos más contentos por cómo le iba. Oír la palabra cáncer, y lo primero que piensas es que no vas a salir. No sé si soy yo... Me acuerdo que ese día estaba en casa, me saqué un zumo de la nevera, me lo puse delante del portátil porque siempre abro la prensa por Internet. Vi no sé qué de Miki en rueda de prensa, y puse rápido la tele, que lo estaban echando justo en ese momento. Y lo vi. Me puse supernervioso. Me puse tan nervioso que lo llamé. Estaba en mitad de la rueda de prensa y yo lo estaba llamando al móvil... Luego pensaba «joder, cómo te lo va a coger». Quedé destrozado. Después, cuando Miki salió de allí, me llamó. Y yo seguía destrozado. No podía hablar, estaba llorando, y no podía hablar. Él me termina tranquilizando. Yo ya sabía que sería así porque Miki siempre ha tenido eso de ser más fuerte que los demás, de tener más voluntad para hacer las cosas. Esto desde pequeño. Él me consoló ese día.

Miki Roqué, con pocos dichos o con muchas acciones, avisaba que no se dejaría vencer por el desaliento. Esa tesis la tenía bien clara, pero tampoco quería que los demás pierdan ese combate instalado entre los ánimos y los desánimos. Con sus modales, con sus aciertos y sus desatinos, él elegía las letras para que, en esta historia, todos leyeran un relato más bonito. Había confusiones transitorias, por supuesto, aunque su lupa mostraba otra visión: estar confundido tenía su encanto; estar confundido era estar aprendiendo, era estar vivo.

La noticia rebotaría rápido por los medios nacionales e internacionales: «Jugador del Betis tiene cáncer de pelvis». Su nombre se reproducía en los portales de Internet, se escuchaba en la televisión y en las radios. La ofensiva, ahora sí, estaba oficialmente iniciada.

• • •

Joel Lara: cuando vi la rueda de prensa por la tele, lo llamé y le dije «Miki, explícame un poco más». Él lo hablaba muy *light*. Ni llorando, ni nada... *«Joel, ahora tengo que mirar el tema médicos»*, me contestó. Hasta ahí, el drama, si se quiere, era que se perdía la temporada, que iba bien, que estaba en el once, que estaba siendo titular, que se lo había ganado él...

Durante la noche de ese mismo sábado, Miki y Graciana estuvieron acomodando el equipaje porque viajarían al día siguiente hacia Lleida. En ese lapso, el teléfono no pararía de sonar.

—Miki, tienes que descansar.

—*No pasa nada, Graciana. Quiero hablar con la gente.*

• • •

Graciana Matone: habrá recibido como 200 llamadas. A todos les decía *«esto no es nada, vamos a salir adelante»*. Tenía muchas fuerzas. ¿Si las 200 llamadas me hubieran llegado a mí? Yo hubiese apagado el móvil. Estaba muy angustiada, triste. Pero él, no. Siempre con buen humor. Siempre con ánimo. Nunca se preguntó «¿por qué a mí, por qué a mí?» Siempre decía *«por algo habrá pasado»*. Y trataba de resaltar lo bueno que le trajo la enfermedad. Yo sí pregunto ¿por qué a él?

Cristina Farré (amiga de Tremp): mi padre y el suyo se conocen desde que tenían cinco años. Yo soy de la misma edad que Miki. Yo recuerdo a Miki desde toda mi vida. Estaba cada día con él, hasta los 12, que él se fue a jugar a Lleida. Me entero de la enfermedad porque su padre vino a mi casa. En el momento que me dijeron que él tenía cáncer, yo quedé muy destruida. Por eso no lo llamé. Cuando salió en la tele, ya hablé con él. Estaba muy tranquilo. A mí me dijo que estaba optimista con el tema. Yo estaba muy nerviosa, pero cuando hablé con él me quedé tranquila. Te quedas más tranquila porque si él estaba bien, también tienes que estarlo tú, supongo. Sabía que él era fuerte. Siempre lo supe, desde chiquitos.

Cerca de las 21.00 horas, su amigo y vecino, Manuel Conde, y Ana María, su esposa, llegaron a la casa de la joven pareja. Miki estaba acostado, aunque despierto. La televisión encendida, y las noticias de que un chico del Betis tenía cáncer era el tema central de varios programas. Él consumía todo, sin quejas, sin una alteración ostensible.

El domingo, antes de marchar hacia Cataluña, el defensor fue a la Ciudad Deportiva del Betis para buscar sus pertenencias. Conde lo acompañó.

—Miki, ¿has recogido todas las cosas?

—*Sí, pero he dejado las botas para cuando venga, y ya tenerlas ahí.*

Se dirigieron luego a la estación de Sevilla. Era el turno de la despedida. Todo parecía muy descabellado. Allí fueron Graciana y Miki, acompañados por Manuel Conde y Ana María, quienes llevaron también a sus pequeños hijos, Christian y Ana. Los seis, juntos, cada uno con su herida rebosante, tratando de no enfatizar lo que ya era complejo.

Antes de partir, ellos optarían por ir a comer, un poco escondidos porque el rostro del jugador aparecía en casi todos los periódicos.

● ● ●

Manuel Conde: yo no podía ni comer por la angustia que tenía. Miki sí que comió. Y encima me decía *«tienes que comer, Conde, que lo voy a pagar yo, no te hagas problema. Come, que no pasa nada, que yo me voy a recuperar y voy a volver».* Él, aquí en Sevilla, dejó sus pertenencias a propósito para volver. A los tres meses, después de la operación, le dije «Miki, tus cosas están aquí. Ya sabes que la enfermedad será dura. ¿Te recojo las cosas y te las mando para allá?» Me respondió: «*No, no Conde. No me las recojas. Déjamelas ahí para saber que tengo que volver*».

El tren partió, y Miki ya no regresaría a la capital de Andalucía. Sin pensar que sería un adiós definitivo, él se despidió con un «hasta luego»: terminó siendo un «hasta siempre».

6

Minuto 26

Él sale a jugar. No importa lo que expresa el reglamento: él sale porque algunas reglas se hicieron para desobedecer. No se fija si el acontecimiento es por la liga española, por un certamen internacional o es un simple amistoso de pretemporada. Da lo mismo que sea en el Benito Villamarín o en cualquier otro estadio donde actúe su Betis. Él sale siempre desde aquel 6 de marzo de 2011. Sale con un plan: relativizar. Sale con una teoría: *«podemos hacer todo aquello que nos propongamos»*. No interesa que sus compañeros ya sean 11 y ninguno se retire del campo para dejarle el lugar, como tampoco influye la opinión del entrenador, el resultado, el poderío del rival o si detienen el juego para que se lleve a cabo el ingreso. Los béticos, desde la tribuna, cierran sus ojos para verlo con la mirada del corazón, mirada sin miopía. Y lo saludan, coreando su nombre, bien fuerte, con un grito entonado que pretende la inmortalidad. Él sale a jugar, sólo un minuto en cada tiempo, para levantar al caído y para explicar que los caminos importan más que las metas. Él está allí, donde está lo más mágico, en ese desconocido trayecto paralelo que nos acompaña. Está para decir que hay que soñar hasta la hora de dormir. Está para recordar que existen otros partidos detrás de un partido.

7
Los goles tristes

1

Las Palmas era el primer rival. Justo Las Palmas, equipo contra el que había debutado una vuelta atrás. Paradoja llamativa: sólo una rueda de diferencia entre una de sus máximas alegrías y una de sus máximas tristezas. La primera, la feliz, se había dado el 9 de octubre de 2010, en las Islas Canarias: en esa jornada, la séptima de la Liga Adelante, Pepe Mel lo llamó para reemplazar en el minuto 39 de la primera etapa al lesionado Roversio. Mal no le fue en aquel estreno, ya que tuvo una participación clave en el segundo gol de su equipo, el de Rubén Castro (finalizaría 2 a 2). Además, esos primeros movimientos le bastaron para ganarse la confianza del míster y acomodarse firme entre los once. En el siguiente juego, de hecho, hasta marcaría el primer tanto en la victoria ante Girona por 2 a 1.

Cinco meses más tarde, los jugadores del Betis debían afrontar otro compromiso contra el conjunto canario, ahora de local, sin Miki Roqué, justo un día después de su conferencia de prensa, todavía sin digerir la noticia y con las pieles erizadas tras oír cómo él mismo comunicaba su padecer frente a los medios de comunicación. La incomprensible fugacidad de la rueda giratoria: en sólo cinco meses, la realidad de la plantilla era completamente distinta. Tenían que aprender a modificar rápido el chip, al menos por 90 minutos. Y tenían también que apoyar, de alguna manera, a su compañero. En esa primera fecha posdiagnóstico, no sólo había que jugar al fútbol: debían asumir una responsabilidad humana y colaborar para aliviarle al defensor el peso de la mochila que tocaba cargar. Que supiera que ellos estarían allí, alentándolo en la trinchera, listos para salir y actuar. Que no lo olvidaban. Que lo esperaban. Ese 6 de marzo, con el cielo sucio, el clima frío y la lluvia intermitente, era obligatorio realizar un esfuerzo extra. El equipo acordó, en primer lugar, salir al campo con una camiseta verde, con la inscripción «ÁNIMO MIKI ROQUÉ» en el pecho y con el 26 en la espalda.

El aficionado bético se sumó incondicionalmente a la causa. Las butacas estaban mojadas y frías, aunque a ellos les interesaba producir calor. Aquí no había trueque; aquí había un sentimiento: corearon el nombre del central catalán durante varios tramos del encuentro, y exhibieron pancartas con frases como «ÁNIMO MIKI», «TODOS SOMOS MIKI» o «TE ESPERAMOS». En Heliópolis, durante esa tarde de paraguas abiertos, la enfermedad eclipsó al fútbol. Incluso, el rival, Unión Deportiva Las Palmas, pidió unas camisetas alusivas al protagonista del día, deseando aportar otra pizca de fuerza, pero no hubo tiempo para confeccionarlas. En ese partido, para empezar a actuar con 12 nombres, desde la tribuna Gol Sur nació el minuto 26.

· · ·

Miguel Ángel Parejo: la gente, ese día, se lo tomó como algo importante, pero a la vez, como diciendo «bueno, tiene eso, cuando se le pase eso, estará otra vez con nosotros». Se lo tomó como una lesión grave.

Desde el aspecto futbolístico, Betis tampoco llegaba de la mejor forma para el enfrentamiento. De los últimos siete encuentros, había perdido cinco, ganado uno y empatado el restante. Las Palmas, encima, había sido un durísimo adversario en la primera parte del campeonato. Los pronósticos, a veces simples argumentos matemáticos, no eran muy favorables para los conducidos por Pepe Mel, quien ya soportaba cuestionamientos sobre su trabajo, y hasta parte de la prensa ponía en duda su continuidad. Sin embargo, confusión mediante, lo que puede pasar no siempre coincide con lo que pasa. No hacen falta marcianos para comprobar que, a la hora de la acción, las razones son más débiles que los latidos porque los que piensan suelen perder peleas contra los que sienten. Aquel día, por sorpresa o no, el conjunto andaluz pasaría por arriba a la visita, superándolo en todas las porciones del campo, y venciendo 4 a 1.

• • •

Beñat: fue extraño. Para mí, él nos ha ayudado mucho a ganar ese partido. Y también nos ha ayudado a ganar otros. Es difícil explicarlo. Sentíamos que teníamos un plus extra. Teníamos que dar más de nuestras posibilidades. Por Miki, porque él también lo estaba haciendo en algo mucho más complicado, como la enfermedad que le tocó. Ese año dimos el 120 o 150% en cada partido. No el 100%, sino que el 120 o 150 porque sabíamos que Miki estaba mirando. Queríamos dedicarle cada triunfo. Queríamos ascender para que, cuando él volviera al equipo, lo hiciera jugando en Primera división. No sé bien cómo decirlo, pero durante ese campeonato tuvimos el espíritu Miki. Una vez que salíamos al campo, lo hacíamos por él: nos inculcaba valentía, ganas de luchar. Cómo no íbamos a luchar si, después de todo, nosotros estábamos luchando por un partido, mientras que él estaba luchando por la vida. No podíamos aflojar, de ninguna manera, porque él estaba luchando por la vida. Y él sí que estaba luchando fuerte. Como que dices «joder, hostia, él está luchando: vamos a luchar nosotros también».

Nacho: teníamos muchas ganas de ganar para Miki. Que viera que todo el mundo estaba con él, que lo apoyaba para lo que hiciera falta. En ese momento, nadie sabía de la dureza de la enfermedad. Era ánimo Miki, recupérate pronto, que aquí te esperamos y ojalá sea lo antes posible.

Pepe Mel: ese momento fue difícil. Nos faltaba él, aunque nosotros siempre tomamos su enfermedad con naturalidad. Y siempre lo tuvimos presente. El mensaje que tanto la psicóloga, Patricia Ramírez, como yo le dábamos a los futbolistas era «vamos a disfrutar de la profesión que tenemos como le gustaría disfrutarla a nuestro compañero que está fuera y que tiene tanta pasión por su trabajo».

La vida parece ser mucho más de lo que se entiende. Ni siquiera el diccionario, amo de las palabras, puede dar una definición exacta. Es como un juego en el que ya se entra perdiendo, una aventura que consiste en aprender a ganar en la derrota segura. Es como un libro en el que ya se conoce el final, un final que no aparece de imprevisto, sino que se inicia cuando empieza la obra. Existe un sinfín de contradicciones que no pueden borrarse porque así se borraría también la propia subsistencia. En ese contexto incoherente e incomprendido, los jugadores del Betis, contra el Las Palmas, sufrieron una victoria o festejaron una derrota. Ellos, esa tarde, hasta se entristecieron con los goles que marcaron. Vivieron la particularidad de sufrir cada vez que enviaron el balón a la portería contraria. Conocieron la tristeza de anotar un tanto a favor. Habían arreglado, antes del pitazo inicial, que el gol o los goles se celebrarían yendo al banco de los suplentes, todos juntos, levantando la camiseta 26 como símbolo de una dedicatoria.

• • •

Salva Sevilla: pasa que cuando estás en el terreno de juego, te olvidas un poco de todo porque estás jugando, estás centrado en lo que tienes que hacer, estás pensando en el partido. Pero, cuando marcamos los goles, vamos por su camiseta y recordamos lo que ha pasado, que no está con nosotros. Ahí fue cuando se hizo difícil, momento difícil de afrontar.

Beñat: es como dice Salva. Era un golpe celebrar así. Celebrar un gol tiene que ser alegría, pero ese día daba pena. Ir a buscar su camiseta y recordar todo lo que estaba viviendo… Tú te das cuenta de la importancia que tienen las cosas. Te hace valorar la vida de otra manera. Nosotros jugábamos sólo un partido de fútbol, y él se estaba jugando lo más importante.

2

No se trata de predicar lo que seremos,
se trata de adivinar lo que somos.

De algunas tormentas se desconoce su origen y engañan al propio
servicio meteorológico. Sólo se sabe que hay que afrontarlas sin
proyectar una consecuencia. Miki lo tenía claro, conocía bien algunas de sus facetas, como la conocían también sus padres. Tal
vez por eso, durante ese domingo 6 de marzo, mientras Betis
jugaba contra Las Palmas en Sevilla, no hubo tantos asombros
cuando la familia Roqué Farrero se reencontró en la estación de
trenes de Lleida. Hubo abrazos, sí, abrazos terapéuticos y gratui-
tos, mejores que cientos de fármacos. Hubo alguna que otra lá-
grima, de esas que curan, de esas que salen sólo para sanar. Y hubo
hambre, claro, porque Miki siempre tenía hambre y siempre quería ir a comer.

Él llegó con Graciana y su perro, *Simón*. Los tres, en el AVE,
manteniendo una visible calma. Durante el viaje, ella miró bastante
su móvil, lo que se empezaba a subir en las redes sociales. Le mostró
a Miki uno de los vídeos, con frases e imágenes, realizado por unas
chicas. Y Miki lloró. Fue la única vez que lloró en el trayecto Sevilla-
Lleida, aunque fue un llanto de emoción porque él no se permitía ser
débil o le costaba que lo vieran débil.

● ● ●

Miquel Roqué: nosotros lo vimos bien. Él, cuando llegó a Lleida,
parecía que venía de vacaciones. Estaba fuerte.

Olga Farrero: yo lo abracé, y él nos dio una paz a todos. Nosotros,
a ese encuentro, fuimos con la pena de vivir lo que nos estaba pasando, no pensando cómo estaría. Yo sabía que él iba a estar bien.
Yo sabía que él llegaría como era, como lo conocía yo. Como siem-

pre, fuerte, diciendo *«vamos, que esto me lo sacaré, que vamos a comer aquí, que la vida continúa...»*

Olga Roqué Farrero: me acuerdo que yo me puse a llorar antes de entrar en la estación, pero me tuve que relajar porque tenía que estar bien cuando me lo encontrara. Lo vimos, nos abrazamos y venga... En ese primer encuentro, lo vi bien, como expresando «bueno, nos ha pasado esto, pero lo vamos a arreglar», como si no fuera más...

Albert Mullol (marido de Olga Roqué Farrero): llegó como quien viene para fiestas de Navidad. Nos dimos un abrazo y subió para Tremp en mi coche, con su novia y con Olga. En ese viaje estaba como siempre, como si no pasara nada. Supongo que estaba todavía a la expectativa de muchas decisiones, tanto médicas como de dónde se iba a hacer todo. En ningún momento dio muestras de preocupación, él quería que todo siguiera siendo normal y no darle tantos rodeos al tema.

Antonio Farrero (tío de Miki): yo, en la estación, sólo sabía que tenía cáncer, pero no sabía la gravedad. Podía pensar hacia peor o hacia mejor, y quise pensar hacia mejor. Cuando él llegó, me dijo *«me tendrán que operar, me tendré que recuperar y volver otra vez».* Y yo pensaba lo mismo, pensaba y lo quería pensar. Tenía la certeza de que sería así. Me decía «esto no puede ser, cómo se va a ir él». Era imposible. Entonces creía que tenía que ser una lesión, que lo operan y ya está, algo así como que me he roto el brazo, me operan y volveré a entrenar. También pensaba «bueno, tiene un cáncer, vale, pero estará con un equipo médico de lo mejor del mundo, tendrá nuestro apoyo y pues nada, operación, rehabilitación y a volver». Él llegó bien a Lleida, siempre con naturalidad. No quería forzar nada. Siempre intentando armonizar. Yo supongo que esto lo hacía sin querer, que le salía de manera natural, porque si esto lo haces queriendo no te sale.

Elena Garay (tía de Miki): en ese primer encuentro, en la estación, él estaba convencido de que tiraba adelante por el carácter que tenía.

Yo fui bastante tocada, me asustó que fuera en el hueso. A él lo vi consciente de lo que llevaba encima, y con ánimos de ponernos las pilas a los demás. Esta fue la impresión que tuve yo. Siempre con la voluntad de decir tiro para delante, y los que están a mi lado que lo pasen lo mejor posible. Eso fue una constante. La gran virtud es que lo de él era todo natural.

Miki no engañaba con su comportamiento: él sentía lo que tenía que hacer. No es que quisiera aparentar forzada fortaleza: él estaba fuerte. No es que minimizaba la enfermedad: él creía que la superaría sin inconvenientes. Miki no actuaba. Había una realidad, y él enseñaba que se podía ver otra, que las realidades son creadas por el propio ser humano, que cada uno puede ser el inventor. Es cierto que todo era nuevo, y el aparato digestivo no estaba tan bien instruido. Había fallas. Atrancadas. Aunque su pretensión era dar vuelta a la tortilla con un mensaje directo: las personas son las que hacen la realidad, y no al revés.

Así era su alma, fusionada con su sangre combativa, tirando a la basura ciertos dogmas que se insertan en cada individuo, teorías que se guardan como si la cabeza se tratara de un disco rígido del ordenador. Rechazaba certidumbres y buscaba guiarse por algo interior, tan extravagante como poderoso, tan abstracto que cuesta definir. Sus sentimientos, después de todo, descartaban una amistad con las definiciones. Su sentir sería su prioridad. Eso, que no tiene tantas palabras, sería el manual de estilo que inculcaría desde el primer momento.

• • •

Esther Farrero (tía de Miki): cuando llegó a Tremp, lo vi y le di un abrazo. Estaba tan valiente, y con tantas esperanzas, con tantas ganas de luchar... Es que él te animaba. Al verlo a él tan luchador y con aquella creencia de que todo iría bien, pues tú también te pusiste en el mismo plan que él. Con la vitalidad que tenía, arrastraba a todo el mundo. Nos llevaba él. Como él era luchador, y miraba para delante, tú te tenías que dejar coger por ese ritmo, por el mismo ritmo que él. Actuamos con el pensamiento de que todo iría bien. Él no quería que lo protegiéramos. Él no quería ni te dejaba. El trato era normal. Lo que salía de mí era lo que él sentía, y él sentía que todo iría bien. No quería ser un enfermo, ni quería demostrar que era un enfermo. Quería luchar.

Jordi Senallé (tío de Miki): no es que engañara. Es que él hacía una vida normal en esa primera semana que estuvo en Tremp. Hablábamos de cosas normales, hacíamos cosas normales. Yo nunca he visto a nadie tan confiado en sus posibilidades. Para todo. Para salir de la enfermedad, para sacarse el carné de conducir, para jugar al fútbol...

Albert Mullol: esa primera semana que estuvo en casa fue una semana como cuando venía por vacaciones. Recuerdo que disfrutó mucho de su sobrino, Gerard, que casi no lo conocía porque sólo se habían visto por navidades. Quiso también ir a la montaña con toda la familia: pasear y hacer una gran comida. Así lo hicimos. Quiso hacerse fotos, ir a comer al restaurante que le gustaba, pasarlo en grande... Parecía que todo lo vivía muy intensamente.

8
El brillo de una luz

1

Gonzalo Rivas era un amigo mayor de Miki, como un consejero que generalmente aparecía cuando había que ajustar algún tornillo con relación al deporte, en general, y al fútbol, en particular. Era también alguien para hablar de temas de los que no se sentía confiado para desarrollar con las amistades de su misma generación. Tenían un vínculo fuerte. Un apego omnipresente. Es que los dos, si bien se habían distanciado físicamente y en los últimos meses ya no hablaban tan seguido, estaban siempre pendientes de sus respectivas actualizaciones. Incluso, el mayor de ellos había ido al Camp Nou, solo, casi escondido, nada más que para ver al menor jugar contra el Barcelona, para ver cómo cumplía su sueño. Por todo eso y algo más, un «algo» tan rico como desconocido, días después de la rueda de prensa en la que se informó sobre la enfermedad, Gonzalo le escribió un formal mensaje de aliento, sin extrañezas, como uno entre los cientos que le escribieron, diciendo que estaría para lo que necesite. Lo más curioso, en esta ocasión, fue que el defensor del Betis no tardó ni cinco minutos en llamarlo.

En esos primeros días en Tremp, más estable, antes del primer contacto con los médicos de Barcelona, Miki Roqué se había propuesto reivindicar el camino, más allá de los supuestos principios y de los supuestos finales. Había comprendido que en el intento, que sería el camino, radica lo más significativo. Tenía que reasumir ese estilo de vida en el que intentar no es fracasar. Quería dedicarse más a esos asuntos de conciencia. Revolver un poco la mente para que el positivismo no sea sólo un dicho bonito. Lo valioso es que deseaba aprender porque no tenía el defecto de querer mostrarse perfecto. Tampoco daba las cosas por sabidas, y eso suele ser el paso más firme para obtener una mayor comprensión. En ese llamado a Gonzalo, Miki le habló directamente sobre el reiki, le contó sus dudas sobre cómo valdría la pena enfocar este proceso y sobre cómo podría administrar mejor sus energías para la ansiada curación.

—Miquel, si tú quieres, yo conozco una gente que me da una enorme confianza con respecto al reiki.

—*¿Cuándo? ¿Cuándo?*

El tiempo, precio casi supremo, parecía apretar el calendario y borrar los tipos de sosiego. La acción debía ser ya porque el futuro, por decreto, quedaba relegado. Miki Roqué quería vencer rápido al dictador del miedo, ese que obliga a vivir de tal manera, un muñeco desdeñoso, sin nacionalidad ni edad, que habrá inventado la formalidad, un consentimiento que se asemeja bastante a una jaula. Gonzalo, entonces, tras cortar telefónicamente con él, contactó enseguida con el Centro Equilibri, ubicado en Barcelona. El arreglo duró pocos segundos. Al día siguiente, los dos ya bajaron desde Tremp hacia la capital catalana.

• • •

Gonzalo Rivas: yo no sabía con qué Miquel me iba a encontrar. Hacía mucho que no lo veía. Quizá esto nacía de una necesidad, de una desesperación. No sabía cómo se iba a relacionar él con lo que íbamos a hacer, si realmente era una desesperación, eso de voy a jugar la última ficha. Pero no… Desde el párking a la entrada del centro, hay una conversación que me deja todo claro sobre cómo es su relación respecto a la enfermedad. Sucede una cosa que trasciende el fútbol. Me dice *«no pasa nada si no vuelvo a jugar, pero si tengo una oportunidad de jugar, voy a muerte con esa posibilidad»*. Empieza a relativizar cosas de la vida. Para él, lo importante son sus padres, su familia.

Miki comenzaba a cambiar sus preguntas. Algunas las continuaba masticando. Otras ya se le olvidaban, dándole espacio al silencio benefactor. Y otras las digería, incorporando una enseñanza. Su actitud no era del todo innovadora. Ya desde pequeño tenía añadida una fuerza interior, una esencia que iría despertando poco a poco. Siempre había asombrado cómo con su juventud quemaba etapas tan rápido. Y no sólo quemarlas, sino que vivía una experiencia y la integraba dentro de sí. Etapa, vivencia e integración absoluta de esa vivencia.

En la adolescencia se había creado el vicio de leer numerosos libros sobre espiritualidad. Incluso, estando en Inglaterra, con sólo 17 años, en el medio del fulgor que significa pertenecer a un club como Liverpool, su madre se sorprendió ante un pedido:

—*Mamá, cómprame una biblia.*

—¿Una biblia? ¿Para qué la quieres?

—*Nada... Es que quiero comparar.*

El tumor pareció acelerar un proceso de aprendizaje que ya se había iniciado con su nacimiento. No resultaba tan chocante porque, al cabo, se aprende muy bien de todo lo que hace muy mal. Convivía también con las dudas: eran sus inquilinas permanentes y encima se reproducían a una velocidad furiosa. Aunque él, a su vez, estaba dándose cuenta de que lo más importante no era conseguir todas las respuestas, que lo que importaban eran las preguntas. Que se crece cambiando de preguntas, como un periodista mejora su oficio con la acumulación de entrevistas. Ahí estaba lo verdaderamente interesante. Ahí vivía el gen educativo, y hasta allí debía ir.

Continuaría leyendo, pero ya queriendo que esos libros sean generadores de inquietudes, no veredictos. ¿Quién era capaz de meterse en su mente para saber lo que sentía? Miki creía que las resoluciones debían ser individuales. Para él, ir dentro mejoraba su calidad de vida.

• • •

Olga Farrero: a veces me decía «*mamá, hay temas que me gustan mucho, pero no hay que buscar algo fuera. Es que lo llevamos todo aquí. Es que todo lo llevamos nosotros dentro*».

Así, conociéndose más, pretendía saltar estorbos. Vida hay una, hasta que se demuestre lo contrario. Y él decía que quería sonreír, dure lo que dure. Más allá de su incomodidad, del cáncer, de sus dolores, de su pronóstico, de sus tristezas, de sus lágrimas, de sus bajones... Más allá de todo, Miki pensaba que acá no se está para sufrir, sino que se está para disfrutar. Y disfrutar sin fechas. Ser feliz y que los demás sean felices, ignorando un poco el desconocido próximo día. Esa era la misión que había que respetar. Centrarse en el presente porque siempre se le presta atención a lo que ya se vivió o a lo que se vivirá. Solía remarcar que cuando se piensa negativo, se arrastra negativo; y cuando se piensa positivo, se arrastra positivo.

● ● ●

Gonzalo Rivas: en esa época, después del reencuentro, nos hablábamos todo. Tenía muchas preguntas existenciales, esto de relativizar absolutamente la vida, y vivir lo que realmente somos, que somos mucho más que carne y hueso. Veía la vida con otros ojos, como si hubiera cambiado las gafas. Y todo eso en una persona que realmente estaba pasando este proceso... Podemos definir que estaba en un proceso negativo, oscuro y, si yo te tuviera que hablar de las experiencias con él, te hablo de amistad, de amor... Durante el proceso, además de haber vivido la amistad en la máxima expresión, hubo humor, gestos hermosos. Cuando relativizas la vida, te das cuenta que realmente es importante vivir. Que nosotros definamos enfermedad, y le pongamos al lado la palabra malo, eso es muy relativo. Porque lo vivido con Miquel fue un regalo para muchos de nosotros. Y para él, que vivió cosas que nunca hubiera vivido sin la enfermedad, y siempre estaba agradecido a ellas.

Ese accionar que destellaba, su accionar, se lo impregnaba también a los que estaban más cerca. Ellos lo miraban y se miraban luego en un espejo. Lo volvían a mirar y se volvían a observar. Ver en perspectiva algo que está sucediendo resulta ser muy complicado, aunque ya tenían suficientes pruebas para guardarse las primeras conclusiones: habría que estudiar mejor la palabra «problema», juntar firmas para que la Real Academia Española brinde una definición más precisa.

2

Montserrat Rumí: el reiki es una terapia energética que se hace a través de la imposición de manos. Lo que hace el terapeuta es concentrarse y captar la energía que hay en el ambiente. Porque todo se basa de energía, en todo hay energía. Entonces se le transmite la energía al paciente. El paciente lo que hace es desbloquear cualquier problema que puede haber. Pensemos que muchas de las enfermedades son provocadas por bloqueos emocionales. La energía va a la raíz de ese problema. No al problema en sí, sino a la raíz, a lo que ya ha provocado ese problema. Sólo es imposición de manos. Sólo pones las manos encima de la persona. Lo que yo tengo que hacer es concentrarme, como si hiciera una especie de meditación para concentrarme y poder captar la energía. Hay unos puntos en nuestro cuerpo por donde entra esa energía.

Montserrat Rumí estaba a cargo del Centro Equilibri, donde Miki Roqué se acercaría para comenzar con su tratamiento. Él buscaba, entre otros objetivos, fortalecer la mente para que la misma lo retribuya y poder estar más aliviado, con mayor autoestima. Confiaba en descubrir más este mundo. El reiki, en su vida, no sería un acto de desesperación: sería un acto de conciencia. No sería un salvavidas: sería como un despertar de esas inquietudes que ya llevaba dentro. Esto de creer en la verdad de la ciencia y la verdad de la conciencia. Eso de entender que la ciencia pierde también batallas contra la creencia. Su alarma sonaría en ese instante.

¿Qué más iría a explorar?

Diversos estudios sostienen que el reiki no cura por sí mismo, aunque vigoriza la capacidad autocurativa que tiene cada individuo. Distintos hospitales del mundo ya practican la terapia, siendo así un tipo de medicina complementaria —no alternativa— a la tradicional. En este ejercicio, la esperanza cultiva esperanza.

• • •

Montserrat Rumí: se está comprobando que a las personas sometidas a quimioterapia, a radioterapia, les ayuda a subir las defensas. Entonces, para trabajar con quimio, con radio, necesitan que el paciente tenga las defensas altas para trabajar mejor. Esta es una de las funciones del reiki, pero también, como va a la raíz del problema, te ayuda a ver las cosas de otra manera. Te ayuda a llevar tu enfermedad con otra mentalidad. A buscar otro significado.

Miki consideraba que esto lo podía ayudar. De alguna manera, la medicina occidental, clásica, necesita la certeza inmediata y es rehén de un mundo objetivo. En la conciencia —pensaba— se puede o se debe permitir romper límites. Ir más allá y no quedarse con lo científicamente comprobado. Amigarse con lo subjetivo. En esa conciencia entraba y salía sólo lo que autorizaba. No había obligaciones. No era como una religión que se quiere imponer y no proponer, que quiere ser poder y no servicio. Siempre había sido muy maduro para comprender y aceptar las dificultades de los trayectos.

• • •

Gonzalo Rivas: era una persona con un alma vieja, como le llaman a esto de la edad. La edad del cuerpo es una y la edad del alma es otra. Él hizo todo. Hizo todo lo que sintió. A veces, él era muy seco. Era tan claro de hacer lo que sentía, que a veces parecía muy seco. Era un tío determinado en eso. Si ahora no quiero beber un vaso de agua, no lo bebo; si no quiero gastar energías ahora para ver a la gente, no la veo. Él decía con quién quería estar, a quién quería ver. Si ahora no tengo ganas de estar con visitas, no estoy con visitas… Por eso a veces decía *«ahora no estoy para llamadas»*. Él transmitía ejemplificando. Las lecciones son ejemplificando. Miquel no convencía a nadie. Tenía una luz interior que simplemente se expresaba. Me hablaba con una entereza de la muerte, sobre cuestiones vitales de la vida… Era increíble.

A la primera sesión de reiki, Miki llegaría expectante porque nunca había realizado algún tipo de meditación. Quería saber de qué se trataba, qué se sentía, cómo reaccionaría. Estaba con esa sensación de respeto que se tiene a lo desconocido. A los pocos minutos, tras acomodarse y conocer mejor el ambiente, empezaría a realizar preguntas.

—*¿Yo qué tengo que hacer?*
—*¿Qué hago yo para ayudarme?*

Montserrat quedaría sorprendida, debido a que la mayoría de sus pacientes no formulaban esos planteos. En esa primera sesión, él no pudo ahorrar las lágrimas.

• • •

Montserrat Rumí: sacó toda esa ansiedad que tenía por haber descubierto ese problema. Sacó esa impotencia, esa rabia que se acumula en esos primeros momentos de saber que tienes esa enfermedad, que es un chaval que tiene toda la vida por delante, que le estaba yendo muy bien. Entonces ahí se dejó ir. Lloró mucho. Por cierto, me pedía perdón porque lloraba. Le dije que eso era normal y hasta positivo porque desbloquea mucho. Fue la única vez que lo vi llorar. En nuestro mundillo, te diríamos que Miki desprendía mucha luz. Era muy diferente a otros pacientes. Me transmitía mucha energía. Era increíble. Era como si fuese un chico que había venido a enseñarnos algo. Era aprender de él. Tenía mucho aplomo. Me llamaba la atención la luz que irradiaba él. Yo se lo comentaba, y él me respondía *«de eso tenemos que hablar, eh, yo quiero trabajar más en eso, y tenemos que hablar cuando esté bien, lo hablaremos porque yo quiero aprender a hacer esto»*. Ahí se reía y teníamos como cachondeo.

3

Quizá sólo se trata de creer que cada uno tiene su diamante, que lo tiene dentro, que a veces sólo hace falta pulirlo. ¿De qué otra manera, entonces, se puede escapar de las penumbras? ¿Con qué otra herramienta, si las sombras son infinitas y están esperando en cada tramo? Si con velocidad no se puede ganar, ¿cómo se hace para huir? Si los puños no sirven porque no lastiman a lo indefinido. Miki Roqué explotaba al máximo su capacidad luminaria. Esa era una de sus virtudes. Brillaba tanto que le alcanzaba para resplandecer a terceros. También, en el mismo juicio, profundizaba su vista. Se daba cuenta de que algunas cositas chiquitas, cuando se miran por un agujerito, se ven enormes.

A través de Internet, en los primeros meses de la enfermedad, conocería a Jacomar Bolaños, otro maestro de reiki, oriundo de Gran Canaria, con quien explotaría más su interior. Con él entablaría una relación que sería diaria y muda. Había una intención de continuar penetrando ciertos temas, de descifrar más noches. Sentía que era otro instrumento para construir su aspiración.

• • •

Jacomar Bolaños: cuando escuché la noticia de Miki, cuando vi en un informativo la rueda de prensa, me dio por contactar con él vía Facebook. Me pasó algo cuando lo vi. Alcancé una conexión distinta, no sé bien cómo explicarlo, y le escribí un mensaje en el que me presentaba. Yo en verdad no sabía si ese era su Facebook verdadero. Pasó un tiempo, y él se puso en contacto conmigo. Todo mediante Facebook. Después por whatsapp. Nosotros nunca hablamos. Nunca le escuché la voz, y eso que durante varios meses tuvimos relación todos los días, varias veces al día. En principio, me agradecía. Me decía cómo le podía echar una mano, si era una persona que no conocía de nada. Él notaba que le hacía bien, que mejoraba la calidad de vida. Yo lo encontraba fuerte, muy abierto a ser ayudado. Tenía muchas ganas. Nos reíamos bastante, también. Tenía las cosas muy claras, muy centrado para su edad. Se dio cuenta de que el fútbol era secundario si lo comparas con la importancia de vivir. Hablábamos de que lo más importante que tenía era la propia vida, que había que valorarla, independientemente de lo que pueda pasar. Hablábamos también de que él tenía que atacar al cáncer: «tú tienes que convertirte en un cáncer para el cáncer. Atacarlo a él, con tu actitud, con tu fuerza».

9

«Nunca caminarás solo»

1

El amor no lleva antifaz. No pretende lucrar. Transita por un espacio sin márgenes. El amor saca astillas del corazón. No es individual. No se vende ni se niega. El amor se ejemplifica, se experimenta o no existe. Es un misterio o es un milagro. Sirve para entender que ser y tener no significa lo mismo. Sirve para eliminar fronteras. Sirve para diferenciar comodidades y felicidades, dos palabras que siempre se las quiere unir, pero son bien antagónicas. El amor debe ser la única verdad que hay en esta vida. No se elige. No se olvida, aunque se pierda la memoria. Es el tesoro con el que se respira, y no cotiza en el mercado. El amor es todo lo que no tenga definición. Nadie quiere estar en el mejor lugar del mundo sin sus fueguitos, sin alguien que lo incendie con una sonrisa, le dé calor con una caricia o lo llene de fuerzas con un abrazo.

2

El mismo viernes de la confirmación del diagnóstico, ese fatídico 4 de marzo, por la noche, la madre de Miki Roqué, Olga Farrero, pensó en Ramón Canal, el jefe de los servicios médicos del Fútbol Club Barcelona. Su cabeza, mientras intentaba ordenarse con la revoltosa noticia, se fue sola para ese lado porque había que empezar a resolver este crucigrama. Había que buscar llaves para abrir la puerta de la solución.

· · ·

Olga Farrero: con Ramón Canal hay un cariño. Es de mi pueblo, La Pobla de Segur, había relación con los padres. Nos conocemos. Miquel me había hablado de los médicos, que le habían dado las opciones de hacerlo aquí, allá, que se lo mirara donde quisiera. Yo tenía el teléfono de Ramón Sostres, quien también es de La Pobla, y es representante de (Carles) Puyol.

—Miquel, a ver, vale, ya se están moviendo, en Sevilla ya se están moviendo, pero podríamos llamar a Sostres para pedirle el teléfono de Ramón Canal...

—*Mamá, ya lo hago yo. Ya lo hago yo.*

· · ·

Olga Farrero: él siempre con tranquilidad. Entonces yo dejé que lo hiciera él. Al cabo de un rato lo llamé porque no me decía nada. Nosotros estábamos mal. Yo trataba de no demostrarlo, pero lo volví a llamar.

—Miquel, ¿has hablado con Ramón Sostres?

—*No, mamá. Lo llamaré más tarde porque no me responde.*

· · ·

Olga Farrero: al decirme esto, yo entonces sí lo llamé. Y me lo cogió enseguida.

—Hola Olga, ¿qué tal? Lo he cogido al ver tu teléfono. He visto que me ha llamado Miki, pero estaba reunido...

De esa manera efímera se había dado el puntapié inicial, algo más que un acto simbólico. Poco a poco, a partir de esta iniciativa materna, se formaría el grupo para subir a una embarcación con destino incierto. No había una ruta clara en este comienzo porque todo estaba muy fresco: la novedad no terminaba todavía de acomodarse en un sitio. Sólo se sabía que el mar no estaría tranquilo, y que la bandera de la cruzada llevaría los colores de la esperanza, ese sentimiento que está arraigado a la vida, ese derecho que le pertenece a la humanidad. Se armaría como un cuartel improvisado para esta pugna. En esta causa, cada uno traería una leña para formar un fuego común. Esa misma noche, sin aplazar su palabra, Ramón Sostres se comunicó con Ramón Canal.

—Me llama Olga diciéndome que Miki tiene un cáncer, que le diagnosticaron un cáncer en la pelvis, pero no saben dónde está exactamente, y andan un poco desorientados. A ver qué se puede hacer por ellos.

Canal, del mismo modo, no permitió que la duda participe en esta obra: le negó el acceso. Se involucró tan enseguida que, inmediatamente, tras escuchar el mensaje de Ramón Sostres, se contactó con Enric Cáceres, uno de los médicos más prestigiosos de España, especialista en dolencias de espalda, quien por ese entonces estaba tratando una hernia discal de Josep Guardiola, entrenador del Barcelona.

• • •

Ramón Canal: Cáceres es traumatólogo y atiende el tema de cáncer, pero no trataba el cáncer en todo el cuerpo, en cuanto a hueso, sino que sólo trabajaba en la zona de columna. En este caso veías que tocaba el tema de hueso, pero todavía no había un diagnóstico exacto. Cáceres me dijo «lo primero que tenemos que saber es exactamente dónde lo tiene para saber cuál es la persona indicada para este tema». Todavía no sabíamos si el jugador quería ir, si los padres querían ir, si esto era una segunda opinión o era sólo enmarcar el tema donde estaba. No había más información por el momento. Con Cáceres quedamos en esto, en que teníamos que recabar más información. Vuelvo a hablar con Ramón Sostres para decirle que «vale, que estamos dispuestos a ayudar, y en este caso lo que debemos hacer es visitar a Miki para obtener más información, para saber exactamente dónde está».

Desde ese «vale, estamos dispuestos a ayudar», desde ese mismo 4 de marzo, el primer día de esta navegación, no sólo Canal se implicaría firmemente en esta historia: el Fútbol Club Barcelona entraría también en algunos capítulos. Lo haría primero aconsejando, acercando a los mejores especialistas, luego alentando y, a la vez, ofreciendo sus instalaciones, sus recursos humanos y profesionales. El propio Canal, como jefe de los servicios médicos del club, lo dejaría bien explícito: «Si algún día, el Fútbol Club Barcelona puede hacer algo para ayudarlo, que esté allí».

3

Por una ley divina que tendría que ser también una ley terrenal, las personas no nacen para caminar solas. Lo importante es la compañía. Las chispas para resplandecer un fuego interior vienen del exterior. Lo fundamental está alrededor: los caminos cambian de color, según quién acompañe durante el itinerario; los lugares pasan de ser lindos a feos o feos a lindos, dependiendo con quién se comparta esa porción de tierra; la lluvia, que es propensa a fastidiar, puede transformarse en agua bendita durante el primer beso de dos enamorados empapados... Los seres que se van cruzando pasan a ser eslabones de una personalidad. Son los que crean la felicidad. Son ellos.

Miki Roqué, en esta etapa, tendría el don de acumular distintas chispitas especiales para terminar armando una fogata inmensa. Y ese don lo tendría desde el inicio, por coincidencia o por búsqueda, destacando por su olfato para hacer una piña sobresaliente y reconfortante.

Para poner en marcha el aspecto sanitario, Ramón Canal acompañaría al jugador y a su familia a la primera reunión con el emblemático doctor Cáceres. Había que analizar, en primer lugar, cuál era la mejor manera de enfocar esta enfermedad desde el punto de vista médico. Las vacilaciones se notaban todavía en el cielo: escuchar, informarse, pensar, volver a escuchar, volver a informarse y seguir pensando. En este tema no querían jugar tanto al azar. Tampoco había que retrasar decisiones durante esta presentación con el personal de la Clínica Dexeus de Barcelona. Por suerte, en ese primer acercamiento, casi de manera natural, el recorrido de la duda encontraría un punto final que sería a la vez un punto de partida. Al ver las imágenes de los estudios, Cáceres expresaría sin más vueltas: «Éste es mío, éste ya me lo quedo».

$$\bullet \;\; \bullet \;\; \bullet$$

Ramón Canal: hablamos entonces con ellos, con la familia, para ver si se querían quedar en Barcelona o en Sevilla, donde también podían tener alternativa terapéutica. Ellos eligieron Barcelona porque se encontraban en una zona más conocida, y estaba el doctor Cáceres que dio influencia para poder tratarse. La Clínica Dexeus era un entorno menos hostil, más cómodo, era donde estaba trabajando el doctor Cáceres. Todo un entorno que nos daba garantía, quirúrgicas, diagnósticas, porque tenía todos los medios. También de hostelería porque tenía habitaciones, allí se estaba bien. Nos daba garantías para que fuera tratado bien. Se puso todo eso en selección. El tema de este cáncer, como el que tenía Miki, era que tampoco había tantos como para poder saber si era regresivo o no. Eso de la manera que nosotros lo mirábamos en ese momento con el doctor Cáceres: él vio dónde estaba, vio la dificultad de dónde estaba, pero tampoco sabíamos cómo iba a evolucionar, cómo se iba a comportar ese tumor...

A continuación, tras la conversación con el doctor Cáceres, la familia se dirigiría a hablar con Gabriel Masfurroll, el director de la clínica que acostumbraba, desde la dirección del centro, visitar a una veintena de pacientes. Se debía definir en esa cumbre cómo se llevaría a cabo este tratamiento, asunto no menor porque se regalaban vaivenes en ese presente. Desde la salida de la oficina del traumatólogo hasta el encuentro con el máximo responsable del hospital surgirían decenas de preguntas que pasearían por ese aire espeso que conlleva malestar: ¿quién se haría cargo del costoso tratamiento? ¿Cuál sería la pauta para la familia? ¿Cuáles serían las pautas para los demás? ¿Cómo lo arreglaría el Betis? ¿El Betis estaría de acuerdo con la elección de la Clínica Dexeus? ¿El Betis, un Betis endeudado, podría pagar? En estas cuestiones, ¿se puede abrazar a la tristeza? Las primeras palabras de Masfurroll, mezcla adecuada de autoridad y dulzura, esfumaron ese viento de duda y quedaron grabadas en los corazones allí presentes.

—Tranquilos, ustedes preocúpense de su hijo que de lo demás nos ocupamos nosotros.

• • •

Gabriel Masfurroll: fue sentarnos con ellos, y ya lo vi... Ya vi que él era un tío especial. Yo estoy muy familiarizado con el mundo del fútbol por la etapa de mi padre como vicepresidente del Barcelona, porque he tenido bastante relación continua con algunos jugadores y exjugadores. Una parte muy relevante de ese romanticismo, de esta mitomanía, cuando accedes a ese jugador-persona, no personaje, para mi gusto se deshace un poco. Mi sed de mitos estaba más que saciada. Pero con Miki, a mí me generó muchísima empatía el hecho de que era un tío joven, con una enfermedad terrible, y luego es que también tengo muy buena relación con Ramón (Canal). Conocía a Miki desde la época del Liverpool, lo conocía por los medios, no personalmente. En esa primera reunión, me dio la sensación de que era una persona muy asustada. Estaba más bien frío. Claro, cómo iba estar. Después se lo dije alguna vez: «Hostia, tenías una pinta de cabreado, macho».

Los directivos de Real Betis Balompié se asombrarían también por el trato que expondría la clínica sobre la mesa: respirarían más aliviados, de cierto modo. Gracias a la colaboración de todas las partes, el proceso de recuperación se encaminaría de la mejor manera. Aquí se hacía cierta esa teoría tan maltratada: el ser humano tiene recursos para crear un mundo mejor.

• • •

José Millán (director del área de salud del Betis): hablamos con ellos, y ahí nos sorprendió mucho la clínica. Todos nos sorprendieron. Masfurroll, todo el equipo de Enric Cáceres... Todos, absolutamente todos. Tuvimos la primera reunión y, sorpresivamente, la clínica nos dice que ellos quieren colaborar, que ellos entendían que tenían parte, que iban a colaborar con todo aquello que fuera de la clínica. Enric Cáceres colaboró con sus manos, él no cobró nada. Ramón Canal coordinó todo. Nos sorprendió mucho aquello.

4

El presente incómodo parecía ser como flotar en el medio del mar, sin rincones para descansar, sin horizontes claros. El barco ya había zarpado. Allá estaban, para allá iban. En esos primeros días en Barcelona, días de cambios e introducciones, Miki Roqué y su familia se alojarían en un hotel de la capital catalana para estar más cerca de la Clínica Dexeus. Hasta allí, hasta ese sitio, se acercaría Carles Puyol junto con su amigo Javi Pérez, ambos nacidos en La Pobla de Segur, el mismo pueblo que Olga Farrero. A pesar de que ya se conocían y habían cruzado mensajes, en ese edificio sucedería el primer contacto íntimo entre los dos futbolistas.

• • •

Carles Puyol: él era mucho más joven que yo. Nosotros conocíamos más a Olga, su hermana, que es más de nuestra edad, un poco más joven. Yo de Pobla marché con 17 años. En el Lleida ya me habían hablado de él. Al final, se fue al Liverpool, y ahí recuerdo que nos mandamos algunos mensajes de suerte. Luego, cuando ya vino a España, hablamos más, pero en ese momento era más que nada mensajes de suerte, de aquí me tienes, de si te puedo ayudar en alguna cosa, pues encantado...

Desde el comienzo del tratamiento, luego de confirmarse el diagnóstico en Barcelona, el histórico capitán blaugrana quiso interiorizarse en el tema. Algo lo llamó: quiso sumergirse en ese círculo de lucha, en el que la pelea nunca cesa porque la figura redonda carece de principio y de final. No hay tantas razones para entender ni tantas razones para explicar por qué decidió implicarse en estos episodios con pronósticos preocupantes. Cada uno tiene derecho a creer lo que siente, y dicen que los que sienten miran más allá. Cada uno puede decidir si confía o ignora lo que dicta el corazón, y dicen que los que confían no deben ir por la vida dando tantas aclaraciones. Lo único concreto es que él, sin más rodeos, se comprometió. Y no sólo con el discurso, sino que también con la acción, como si alguien afirmara que el tiempo no es necesario para forjar una gran relación entre dos individuos, como si alguien expresara que toda teoría se cae en un pozo cuando se habla callando. Allí, en ese hotel catalán, en ese reencuentro, quedaría sellada una amistad que no necesitaría de tantos días para afianzarse, una amistad que no predicaría moralejas televisadas, sino que predicaría algunos ejemplos en voz baja.

• • •

Carles Puyol: yo, a ese primer encuentro, voy tocado, voy a ver cómo están ellos, tanto él como la familia. Es como cuando vas a ver a un niño en el hospital. Uno no está preparado, vas un poco a la expectativa. Nosotros tampoco estamos preparados para dar consejos allí. No sabes qué te vas a encontrar. Cuando lo vi, ya fue distinto: él estaba muy fuerte, riendo, con ganas de luchar y convencido de que iba a ganar la batalla. Así, menos la última semana, todos los mensajes fueron positivos de su parte. El único mensaje que fue menos positivo fue en la última semana. Después hablaba y estaba siempre muy animado, muy fuerte, siempre con ganas de hacer bromas, convencido de que lo iba a superar.

Javi Pérez: lo que recuerdo de ese día, más que nada, es que él estaba superanimado. Yo soy un poco aprensivo, y no sabía cómo lo encontraría a él de ánimo. Al minuto de estar hablando, ya fluyó todo. Al verlo, ya fluyó y no hizo falta nada. En ese hotel lo vi superanimado. Siempre decía de celebrar cuando esté bien.

A partir de ese entonces, el vínculo crecería velozmente, mucho más, porque ya había nacido grande. Lo de dentro con lo de fuera se entrelazaba. Miki Roqué y Carles Puyol huían de las definiciones y evadían el peligro de ser superficiales. Ambos, pese a la diferencia de edad, tenían coincidencias ajenas o cercanas al fútbol: ellos no separaban los sueños de la realidad y tampoco los sentimientos de las consecuencias, por más que a veces todo entra en una enredada confusión que no permite entender las cosas más sencillas. Había que pinchar globos: no se trataba sólo de padecer los inconvenientes personales, había que conocer otros e involucrarse. Los dos defensores comenzarían a comunicarse más seguido, sobre todo a través del teléfono, con llamadas y mensajes por whatsapp. Las conversaciones, casi siempre colmadas de humor, ayudarían tanto de un lado como del otro porque a veces, montones de veces, la palabra puede ser también un remedio casero.

$$\bullet \ \bullet \ \bullet$$

Carles Puyol: primero hablábamos mucho de no decaer, de tener fuerzas, de seguir luchando, que él lo hacía y también lo transmitía así. Luego de bromas, muchas bromas, de hacer esto, lo otro. Y luego un poco de fútbol, de partidos que veía, pero no era el tema principal... Con él, me comporté como me gustaría que se comportaran conmigo. No me ha pasado nunca, ni muchísimo menos. No se puede ni comparar, pero yo, cuando estoy lesionado, también quiero tener mi espacio, mi tranquilidad. Que no sea cada día «¿cómo estás, cómo estás?» Es mejor hablar, que sepas que la persona está allí, que si necesitas algo que levante la mano, pero no que te agobien preguntando cada día «¿cómo va? ¿Y, hoy te duele?»

En esto tienes que dejar espacio. Que él sienta que tú estás, pero no agobiar nunca. De la enfermedad, Ramón Canal me informaba siempre de cómo estaban yendo las cosas. Yo le digo a Canal que, si necesitan cualquier ayuda, aquí estoy. Sabía que estaba en buenas manos.

10

«Ningú com tu»

1

Había asignaturas que no estaban en este programa. Materias que él no las había evaluado al inicio de la fase de recuperación o que las había pasado muy por arriba, sin imaginar o sin creer la importancia de las mismas. Miki Roqué quería arrancar lo antes posible el tratamiento de quimioterapia porque la teoría era muy sencilla: quimio para reducir el tumor, operación, se saca lo malo y se recupera el físico para volver pronto a los campos. *«¿Cuándo empezamos? Vamos, ya, ya... Rápido, rápido»*, le había dicho a uno de los doctores, mostrándose entero, entusiasta y pretendiendo acelerar los procedimientos. Le explicaron que con la quimio podía padecer algunas náuseas, pero no le preocupaban. Lo único que parecía inquietarlo en esas primeras reuniones era su imagen. Siempre fue muy presumido, de esos que se demoran con un peine o les fastidia tener una camisa sin planchar. *«Y escucha, ¿me va a caer el pelo?»*, había preguntado en el hospital, intentando priorizar un poco ese costado estético. Por lo demás, él estaba fuerte. Confiado. Todo parecía estar claro en su cabeza. No mentía ni exageraba cuando le transmitía tranquilidad al mundo que giraba en su periferia: no era de coser verdades con hilos falsos. Sentía que sería así, que no había tanto de qué afligirse. Su esquema estaba controlado, pero, claro, algunas situaciones se ven siempre más fáciles cuando todavía no se viven.

En la primera tanda de quimioterapia, Miki conocería el miedo. No tenía cita con él. No había recibido un aviso. No sabía de dónde venía. El miedo llegaría de improviso, como acostumbra a llegar, porque nunca se le envía una carta de invitación. Entraría sin tocar la puerta y llamaría la atención porque no figuraba en los avances de esta película. Su aparición, sorprendente, causaría confusión, causaría conflicto y causaría replanteos: había que jugar también con otros naipes o barajar nuevamente.

Su cuerpo joven, dinámico, deportista, con apenas 22 veranos, pasaría a ser como el de una persona de 90 años. El contraste sería enorme y furioso. ¿Cómo manejar esos cambios? ¿Cómo reconocerse? Su físico, en otras palabras, se descontroló tras la primera de las tres sesiones de quimio (divididas en tres días cada una) que debió soportar antes de la intervención quirúrgica. Dejó de ser el líder de sus movimientos para convertirse en un sumiso. Y eso se sufría. Se sufría mucho. Y eso alarmaba, bastante más de lo que se suponía, porque cambiaban los pronósticos: habían anunciado nubarrones, no una tormenta. El guión estaba siendo modificado.

—*Mamá, mamá, el corazón, el corazón...*
—Miquel, te pasará, ya te pasará.

Ese miedo que no entiende de indultos empezaría a fastidiar, a escarbar para intentar profundizar una herida que otros proponían cicatrizar. Se agrandaría lo desconocido. Se encogerían las expectativas. Miki quedó asustado luego de esa inaugural tanda de productos químicos. Quedó tendido en una cama del apartamento que la familia había alquilado en Barcelona para abandonar el hotel y para continuar estando cerca de la Clínica Dexeus. Quedó como un niño muy pequeño, indefenso. Su rostro se había puesto rojo como el color de un tomate, y él no entendía bien el motivo. Esto no era lo que había pensado, lo que le habían contado. Buscaba algún reparo, pero no lo hallaba. La quimioterapia era muy fuerte, casi insoportable, y provocaba peores reacciones que unas inocentes náuseas. No se podía despegar del colchón. Su corazón se movía tan rápido, golpeaba tan duro, que esa aceleración parecía ser el presagio menos deseado. Sufría palpitaciones, taquicardias, erupciones, llagas en la boca, vómitos... Sudaba demasiado, como en una sauna, y no hacía calor.

—*Me voy a duchar, me voy a duchar...*

Iría al lavabo. Pudo llegar por su cuenta, caminando despacio, con ese esfuerzo que sólo sale de la raíz del orgullo. Quería mojarse para echar a esa indisposición, pero no resistió la ducha. Se cayó. Estaba tan débil que no aguantó. Su madre lo estaba observando y lo cogió a tiempo, prohibiendo otra desgracia.

—Corre, corre Miquel —le gritó a su marido porque ella sola no podía sostener el peso de su hijo. Miki estaba blanco.

• • •

Olga Farrero: con nosotros, antes de la quimio, no tuvo ningún momento de bajón. La quimio fue muy dura. Y la primera, sobre todo, fue horrible. Muy horrible. Estaba fatal en la cama. Fatal, fatal. Él veía morirse. Me decía todo el tiempo *«mamá, mamá, el corazón».* Su cuerpo notó unos cambios tan grandes, tan bruscos, que él creía morirse. Yo ese día me acuerdo que me tumbé en la cama, abrazándolo, viéndolo rojo. Pobre. Su cuerpo era todo con miedo. Estuve casi como una hora, tumbada, cogiéndolo, diciéndole tranquilo, que ya pasará. Y Miki no era así. Veías que no controlaba la situación. Fue la vez que lo vi con más miedo. No sabía qué le pasaba, no sabía por qué las reacciones de su cuerpo. De estar él fuerte, de pronto, esa quimio que tanto esperaba para iniciar la recuperación, lo dejó fatal. No se podía mover de la cama. Pero ni moverse…

En esos desconcertantes días, además de combatir contra el tumor, Miki iniciaría una lucha interior que, a veces, tan sólo consistía en conquistar una ración de suspiro. Este nuevo enfrentamiento era raro. Primero porque era ajeno, doloroso, incómodo, con picos altos de indomabilidad. Y segundo porque a la mente no se le gana sólo con valentía, con confianza, con trompadas, con positivismo, con músculos o yendo al gimnasio para acumular potencia. ¿Cómo se combate contra algo tan poderoso y tan incierto a la vez?

• • •

José Millán: al ser deportista, con 22 años, la quimio la notas todavía más porque la caída es más fuerte. Te quedas cansado durante los primeros días, como un hombre casi acabado. Es que te hundes. Después te empiezas a recuperar otra vez, a los tres días, pero ya sabes que viene la siguiente sesión. No es fácil.

Miki Roqué empezaba a confirmar que, en esta ocasión, no podía arreglarse solo. No era una isla. Necesitaba la ayuda de su familia, como en su infancia. Vivía contradictorios sentimientos porque, por un lado, no quería que sus padres estuvieran tan pendientes de él, no quería que sufrieran, que desistan de hacer sus tareas para cuidarlo, pero tampoco encontraba otra forma de llevar a cabo esta causa: era imposible suplantarlos. Él deseaba seguir para adelante: ese asunto nunca estuvo en discusión.

• • •

Olga Roqué Farrero: con las quimios lo pasó muy mal, pero durante ese proceso había ilusión de que esto se iba a reducir, lo iban a operar y esto se iba a arreglar. De todas maneras, en el día a día estaba mal. Mis padres se fueron a Barcelona con él. Yo no podía desaparecer de Tremp. Me hubiera gustado estar en Barcelona continuamente. O ayudar más a mis padres. Pero yo no podía. Tenía un niño —Gerard— de 4 meses. Un niño que también me dio problemas al principio. No dormía nada bien, con 14 meses lo operamos. Para mí fue muy duro el hecho de no poder estar todos juntos. Pasé momentos muy malos, que también me los tuve que guardar porque no me podía desahogar con mis padres. Las quimios eran muy duras y Miquel se encontraba muy mal. Yo bajaba todos los fines de semana con Albert y Gerard. Siempre. Era consciente de la alegría que le producía ver al niño. Le gustaba. Le motivaba. Jugaba con el Gerard, con él perdía la noción de todo y estaba feliz. Muchas veces bajábamos y, si había estado en quimio, a lo mejor lo veíamos media hora porque se encontraba mal, estaba en la cama que no podía hacer nada. Fue duro.

Olga Farrero: un fin de semana, que estaba en quimio, estaba mal, sin fuerzas, vinieron a verlo. Miki hizo un gran esfuerzo para estar con su sobrino, estaba feliz de verlo, pero cuando marcharon... Cuando marcharon, él se quedó en la mesa y se puso a llorar.

—¿Qué pasa, Miquel?
—*Ha venido, no he podido estar como quisiera. Estar ahí, no poder estar tirándome al suelo, jugando con él...*

2

Josep María Fernández (amigo de Tremp): después de que se conoció la noticia, él vino a Tremp, y fuimos todos a verle, todo el grupo de amigos. Esto antes de la quimio. Estuvimos todos en su casa. Ahí hacía bromas. Todos éramos positivos. Eran ellos, la familia, los que te transmitían el apoyo, el «venga, que irá todo bien». Eran ellos los que te transmitían la fuerza, y no tanto tú. Yo me quedaba un poco cohibido. Estuvimos hablando un buen rato, haciendo bromas. Ahora, a partir de la quimio, Miki tampoco quiso que el tema se tratase mucho con nosotros. Se reservó bastante. Yo bajaba mucho a Barcelona porque tenía mi novia allí, y le decía «venga, que te vengo a ver». Y él me decía *«más adelante, ¿vale? Más adelante que me encontraré mejor, más adelante, que no tengo ganas».* A lo mejor le escribía cuatro whatsapp y te contestaba tres. Y había semanas que le escribía cuatro whatsapp y no te contestaba ninguno.

¿Cuánto tiempo hace falta para aprender a vivir? Si a nadie se le ocurrió construir una sala de ensayo de la vida, ¿por qué son tan condenados los errores? Si no hay un espacio para practicar, ¿por qué la evaluación es tan estricta? Si no hay siquiera una prueba piloto, ¿por qué habría que convivir con el temor a equivocarse? ¿Quién juzgaría? Las fallas deberían ser imprescindibles. Debería ser obligatorio resbalarse una vez cada tanto para educarse en un alto nivel formativo. Miki parecía saber sobre estas cuestiones pedagógicas o, por lo menos, las practicaba: era un constante explorador, y en esta etapa no renunciaría a esa actitud aventurera. Viviría al límite, como esos surfistas que desean enfrentar la ola, sabiendo que la misma puede elevar o puede hundir. Asumía un compromiso insoslayable: el deporte diario de levitación y abismo. En ese sentido, ilusionado por sus condiciones, había decidido que la manera de plantear su combate era manteniéndose más tiempo en el anonimato, sobre todo durante la quimioterapia. No se quería mostrar sin pelo, más delgado y con otros síntomas visibles de su enfermedad. Trataría de esquivar el continuo «¿cómo estás, cómo estás?» No es que anhelaba fugarse de una posición de la que nadie puede huir. Quería sí permanecer más oculto para centrar sus energías en la recuperación, y no desviar tantas atenciones tentadoras para una cabeza que no deja de ser endeble. Buscar constantes salidas, aun en la noche más oscura, sin una luna que alumbre. Buscarlas en la ofuscación de la búsqueda, y no soportar cuestionamientos que nacen desde un caprichoso formalismo. Si su medida era un acierto o era un error, no presentaba ni un porcentaje mínimo de importancia: el valor más grande era resolver por lo que sentía.

• • •

Ramón Canal: cuando le hicieron los tratamientos de quimioterapia, para ver si éramos capaces de reducir o frenar la evolución, que se demostró al final que no sirvió, ahí perdió todo el pelo. Y en ese sentido no se quería mostrar. Rehuía a la parte pública. Decía *«ya me verán cuando esté bien»*. Su imagen iba cambiando e iba desmejorando en ese sentido, sobre todo si te quedas con la imagen que tenía en el Betis. Pero tú ibas en el día a día. Yo le decía «tú despabila». Y él siempre le mostraba a la familia la parte positiva de la vida, el querer salirse.

Pese a entender esta filosofía y respetar su determinación, su gran amigo Oriol Paredes estaba desesperado por encontrarse con él. Todavía no lo había visto después de la rueda de prensa, no había podido concurrir a esa reunión en Tremp con el resto de las amistades. Se escribían mensajes casi de manera diaria, intentaba verlo con distintas excusas, aunque sea algunos minutos, pero parecía ser un cometido casi imposible. En uno de los descansos que tuvo entre quimio y la operación, Miki viajó hacia Cartagena. El día que volvió, insistencia mediante, se produjo finalmente el encuentro.

—*Cojo el avión para Barcelona, me pillaré un taxi y me iré a casa.*

—No te pilles ningún taxi, que yo tengo el coche aquí, tengo ganas de verte, te voy a buscar al aeropuerto y te llevo a casa.

—*Que no, que no quiero...*

—Que sí, tío...

• • •

Oriol Paredes: y al final fui. Arreglamos encontrarnos en la entrada. Yo lo esperé allí, pero no lo vi pasar. Pasó seguro, pero yo no lo vi. No lo vi o no lo conocí. No lo sé. A mí me pasó por delante. No sé si no me fijé bien, pero no lo vi. Luego me volvió a llamar y me preguntó «*¿dónde estás?*» Le digo «estoy aquí, en la puerta, por donde sale todo el mundo». Y se quedó pensativo, como diciendo «hostia, no me ha conocido, he pasado y no me ha conocido». Era la primera vez que lo iba a ver. Nos encontramos y me acuerdo que me impactó un montón. Iba con la gorra, no tenía pelo, estaba superdelgado. Me acuerdo que le di como un abrazo. Y él también me abrazó, pero con cuidado. Llevaba como una faja. Me acuerdo de tocarle y me impactó un montón. Estuvimos allí, nos cayeron cuatro lágrimas. Siempre, en estos casos, puede haber un poco de tensión, pero ese día no hubo. No por mí, sino por él. Empezamos a hablar de política, llevábamos una conversación normal, sin tensiones. Yo pensaba para mí si hablar de esto o no hablar. Tenía eso de cómo lo voy a encontrar, cómo voy a reaccionar. Cuando lo dejé en su casa, ahí ya me caí. Ahí empecé a llorar. A mí me daba miedo ponerme a llorar delante de él, porque no quería que se sienta mal. Él, todo lo contrario. Hacía gracia. Se quitaba la gorra y me decía «*mira, no tengo ni un pelo*». Me cogía la mano y me decía «*toca, toca...*»

Otra de sus contadas salidas, antes de la operación, se llevaría a cabo un día después de la celebración de Sant Jordi. El 24 de abril de 2011, casi justo un mes después de la primera sesión de quimioterapia (fue el 23 de marzo), el Betis visitaría al Barcelona B en el Mini Estadi, con la intención de seguir sumando puntos para conseguir lo antes posible el boleto de regreso a la Primera división. Miki Roqué, como se sentía un poco mejor, y sabiendo que la plantilla se encontraba en tierras catalanas, aprovecharía la cercanía para ir a saludar a sus compañeros, a quienes no veía desde la ya famosa rueda de prensa. Iría con simpleza porque las cosas que son simples causan también satisfacción, y trataría de no recibir tanto de golpe porque creía que la avalancha de información tiende a enterrar varias resistencias.

Ese día, si era necesario, había que lagrimear para dentro. Era un día de fiesta, de reencuentro y de agradecimiento por el apoyo que le manifestaban en cada partido, dedicándole cada victoria. Ellos, los futbolistas, el cuerpo técnico y la directiva, colaboraban en el rescate de este naufragio. En esa concentración, no había que inflar lo malo: había que resaltar lo bueno. Había que apreciar lo que se tenía y no pensar con demasía en lo que faltaba. Así acabaría siendo: las bromas ganarían por goleada, y Miki aprovecharía esas risas porque había comprobado que la felicidad no suele ser correlativa.

• • •

Pepe Mel: él entra conmigo a la charla, y con Patricia Ramírez, nuestra psicóloga. Entra a la charla que le damos a sus compañeros en el hotel. Estaba bien, pero al fútbol decide no ir. No quiere. A nosotros nos faltaba muy poco para lograr el ascenso.

Jorge Molina: él vino al hotel, y fue la primera vez que lo pudimos ver después de la rueda de prensa. Él demostraba optimismo. Lo vi físicamente peor. No tenía pelo, estaba muy delgado, muy blanquito… Pero él seguía mostrando ese optimismo, esa fuerza. Nos decía que se encontraba mejor. Nosotros nos quedábamos con el optimismo de él, y eso nos tranquilizaba. Tampoco sabíamos exactamente cómo se encontraba. Nos dio alegría cuando lo vimos. Nos decía *«me encuentro mejor, voy a ver si pronto me puedo acercar a Sevilla»*. Ese día, él se mostró como un jugador más. Mostraba normalidad, como que no era preocupante. Es que él nos decía eso, nos decía *«si dentro de poco tiempo, voy a estar mejor y voy a bajar a verlos a Sevilla»*. Sorprendía su vitalidad. La primera imagen te impacta porque físicamente estaba muy cambiado a la última vez. Tú lo recuerdas de una manera y, cuando lo ves pelado, muy delgadito y muy blanquito, te impacta, te impresiona al principio. Pero, después, hablas con él y te da esa vitalidad que tú dices «bueno, lo estará pasando mal, pero lo encara conforme a la única forma que puede salir». Vas y le das un abrazo. Íbamos uno a uno los del equipo. Yo no sabía qué decirle porque tampoco todos le íbamos a preguntar «¿qué, cómo estás?» Ahí intentas transmitirle normalidad, como que sea uno más del equipo. Pero yo, por lo menos, no sabía cómo afrontarlo, qué decirle. En cambio, él, con dos palabras, él mismo te daba aliento, te daba conversación, se hacía todo más fluido, más normal. Ahí pensaba que sí o sí volvía al fútbol. No sé si al final hubiera podido, pero sí pensaba con seguridad que iba a estar entrenando. No sé si a nivel profesional, pero que iba a intentar, a pelearla, estaba convencido. No por el aspecto suyo, porque si me tendría que fijar por el aspecto, quizá sería mucho más negativo. Sí por su actitud, por su manera de ver el futuro.

3

Ja fa mesos que ho intento
Però només ha crescut el que sento
Sé que no tornaràs i encara t'espero

Provo mil maneres d'oblidar,
Busco pels carrers de la ciutat,
Busco entre les pedres i no trobo més
I no trobo més que cares que ensopeguen amb el teu record
Jo només demano un home que m'estimi però sense protestar

I que tingui el teu somriure
I també la teva boca i el teu nas
I que cada dia estigui al meu costat

No sé què puc fer, no sé
Per molt que em diguin sé que mai t'oblidaré

No hi ha ningú com tu
No hi ha ningú com tu
Ningú que decideixi trencar-me la vida
I s'emporti el meu somriure

No hi ha ningú com tu

Em sento sola i tan cansada
De no deixar d'esperar una trucada
El sentiment que guardo mai no s'acaba

Potser serà millor buscar companyia
Algú que vulgui arreglar-me la vida
Però reemplaçar-te sé que no és la sortida

No sé què puc fer, no sé
Per molt que em diguin sé que mai t'oblidaré

No hi ha ningú com tu
No hi ha ningú com tu
Ningú que decideixi trencar-me la vida
I s'emporti el meu somriure

El mundo no creó respuestas para tantas interrogaciones. Se entiende que por eso, a pesar de honradas voluntades, este planeta no pude ser perfecto. Falla el equilibrio. Falla como un acróbata ebrio. Razonar la música, una pintura, una foto, la literatura, una pasión o el amor es como entrar en un laberinto. Sería dar vueltas eternas, vueltas aburridas, sin sortija, carentes de un significado común que aporte serenidad. Sabios anónimos, escondidos en tierras sagradas, cuentan que algunos secretos milenarios son traídos por los vientos, por el sol, por la melodía, por el mar, por el río, por la tierra, por la montaña o por una letra. Dicen que son los únicos que están autorizados para entrar cuando quieran en cada cuerpo y desordenar el interior. Son como enviados especiales, encargados del funcionamiento del correo invisible.

¿Por qué relaja ver el mar, si es infinito y en una tarde no presenta tantos cambios? ¿Por qué una canción, escuchada cien veces, puede modificar el ánimo si se escucha de nuevo?

Entre quimio y quimio, cuando estaba más aliviado, con más fuerzas, Miki subía a veces hasta Tremp para intentar encontrar algo de eso. Procuraba, sobre todo, hallar una calma para que los abismos se achiquen y poder continuar dando pasos cortos. No le alcanzaban sólo las innumerables palabras de aliento que recibía a diario. Sumaban, sí, claro que sumaban, pero no eran suficientes cuando se sumergía en el país de la desolación. Se situaban planteos reflexivos. Veía cómo los que dicen y no hacen tenían siempre la razón, pero nunca la podían comprobar.

Un día, con la finalidad de quitar el enchufe de su presente y ver si conectaba con alguno de esos mensajeros, cogería su coche negro y saldría a dar giros por su pueblo. Iría por una carretera de piedras, sin prisa, aislado, cuidándose de no aparecer por el centro para que no se noten sus rasguños.

• • •

Josep Maria Fernández: con la enfermedad, era lógico que no saliera por el centro del pueblo. Es que aquí, en Tremp, lo conocían todos y lo paraban todos. Antes de la enfermedad, cuando venía durante sus vacaciones, a veces lo acompañaba a caminar y, un camino de tres minutos, con Miki, pasaba a ser de 30 minutos porque todos lo paraban para conversar, para hablar de fútbol, de todo. Y Miki frenaba y le contestaba a cada uno, con paciencia, sin enfadarse por repetir siempre lo mismo. Yo estaba al lado de él y escuchaba siempre las mismas respuestas. No se cansaba, siempre muy educado.

El plan era dar una vuelta con el auto y regresar a su casa. Nada más. Era muy simple. Quería conversar un momento con la soledad porque se sentía vacío, con síntomas de depresión. Estaba necesitado de aire, de algo tan común como el aire, que sólo se valora y se hace fortuna cuando falta o no abunda. Saldría de su hogar con los ojos perdidos, con el corazón arañado, sin imaginarse cómo regresaría, sin creer con tanta certeza que en cualquier recorrido puede ocurrir algo que se llama milagro, según los diccionarios de habla hispana.

—*Me he ido que estaba fatal... Y ahora estoy... He oído una canción que me encantó, que me ha llegado.*

Su reacción, al volver, parecería mágica. Su familia se sorprendió al oírlo y se alegró por partida doble: primero por cómo cambió su estado después del paseo solitario, porque los indicios de tristeza se habían evaporado; segundo, por la manera de expresarlo, detalle bien elocuente. Miki no era de andar diciendo las cosas: él hablaba de otra manera, sin apelar tanto al lenguaje tradicional. Que explicara su sensación con esa canción significaba que lo sucedido tenía realmente una inconmensurable importancia.

Su nuevo resplandor se advertía, sobre todo, por sus ojos que ya dejaban de estar desorientados. Ese era su mejor recurso para exteriorizarse, más allá del catalán, del español o del inglés que hablaba casi cotidianamente. Tenía como un poder para potenciar esos acertijos de la comunicación: dejaba en evidencia que los idiomas presentan a veces una frontera inquebrantable y que en las miradas, curiosamente, las aduanas no existen.

—*Han dicho que era de una tal Lidia Guevara. Me hizo sentir muy bien. Me siento diferente. Tengo como la necesidad de contactarme con esta persona, pero no la conozco de nada.*

No demoró demasiado tiempo en encender el ordenador, en buscar en Internet y en poner la canción para que sus familiares la puedan escuchar.

—*Ja fa mesos que ho intento*

Però només ha crescut el que sento
Sé que no tornaràs i encara t'espero...

Miki no sabía quién era esa chica de tan linda voz que había salido por la radio para hablarle al oído. Nunca había escuchado su nombre. Tampoco era su estilo de música preferido. A él le gustaba U2, principalmente, y en sus gustos priorizaba a otros grupos que cantan en inglés.

¿Quién era entonces esa mujer que había traído paz mientras la guerra aspiraba a ocupar un espacio en este juego? ¿Por qué el «*Ningú com tu*» apareció ese día, a esa hora y en ese lugar? ¿Qué tenía la voz de Lidia Guevara que no tenían otras voces? Un sabor nuevo le abría el apetito: en ocasiones pensaba oraciones, repasaba la palabra o el armado de una frase cuando, en realidad, lo mejor que tenía para transmitir y para recibir era esa cosa invisible y sin calificativo. Sin saber bien el porqué, Miki decidió buscar por Facebook a la cantante. Y la encontró.

—*Quiero decirle simplemente que su canción me ha ayudado, que me hizo sentir bien.*

● ● ●

Olga Roqué Farrero: lo estuvo a punto de hacer, pero luego dijo «*mira cómo estoy: estoy hecho una mierda*». Y no lo hizo. A la mañana siguiente se fue a Barcelona para continuar con el tratamiento...

11
La esperanza

1

—Miquel... A ver, te fuiste muy joven, con 12 años al Lleida... Eso te queda y a veces dicen que las emociones hacen que tu cuerpo... Puede ser que lo hayas pasado muy mal y cosas que quizá, por tu carácter, por tu manera de ser, no hayamos captado, no hemos visto.

—*Mamá, yo he pasado cosas como ha pasado toda la gente. Pero yo he hecho lo que he querido. He sido la persona más feliz del mundo porque he hecho lo que me ha gustado. Y volvería a hacer lo mismo. No te pases por la cabeza nada de tonterías. Nada de arrepentimientos. Lo que he vivido, todo lo que he vivido, es mucho. He hecho lo que me gustaba. ¿Cuánta gente puede decir que hace lo que le gusta? Quítate de la cabeza cualquier tontería que tengas.*

Paso y freno. Paso, paso y freno. El miedo se propaga más rápido que el fuego: reparte vendas por la calle, vendas para los ojos porque le gusta actuar en la oscuridad y se divierte jugando con lo que no se ve o con lo que se ignora. Es el enemigo natural y personal de cada uno. Es el dueño de una jaula que tiene capacidad para todos. Miki Roqué trataba de combatir también en este frente. No quería estar preso por el delito de temer. En todo caso, si iba a estar sometido, él quería ser un esclavo de sus convicciones. Había dado un gran salto tras afrontar la primera sesión de quimioterapia, la más cruel, la más triste, la más dura. El defensor catalán había vivido esa experiencia, la había incorporado y la había hecho suya. A la segunda sesión, buscando dar vuelta a la página de su libro, ya iría pensando que quedaba una menos para la operación, el objetivo primordial. Ya sabía lo que tenía que pasar, sabía que era horrible y doloroso. Ya vio, de alguna manera, que era «normal» lo que le había sucedido, que no se moría en ese momento, que podía aguantar. Reconocía que tenía que bajar hasta el fondo y volvía después a subir. Ya se acomodó con ese indicio y actuó según ese indicio. Hizo una radiografía de la situación: quimio, 5 o 6 días de caída y comienza de nuevo la recuperación. Otra vez, como solía hacer desde pequeño, puso en práctica el plan etapa, vivencia e integración absoluta de esa vivencia. Tenía claro que algunas enseñanzas no presentan fecha de vencimiento.

—*Voy a relajarme cuando esto me pasa. Tenemos que pasar por esto y ya está.*

Entendió y vio las consecuencias. Normalizó una nueva situación extraordinaria, de las que no están en los congresos de aprendizaje. Es cierto que su actitud no dejaba de ser heroica, más allá de esquemas y de experimentos para suavizar cada oleaje. Seguía caminando, gritando su verdad y utilizando una palanca para mover algunas de las piedras que encontraba en su subida. Parecía extraño o parecía excepcional: él era el enfermo y, al mismo tiempo, se había transformado en una especie de ancla para que su embarcación, los suyos, estén más firmes.

• • •

Mari Carmen Mases (madrina de Miki): un día, en la clínica, estábamos su madre, él y yo esperando una visita de un doctor. Y nos hicieron esperar como una hora y pico… Esto era al principio, era para hablar con la oncóloga. Hacía como una hora que estábamos esperando y no nos llamaban. La Olga se ponía nerviosa, pero era más que nada por él, se ponía nerviosa por él. Entonces se levanta y dice «voy a preguntarle a la enfermera a ver si tenemos para mucho rato». Yo también lo hubiese hecho. Pero Miquel la mira serio y le dice *«¿dónde vas?»* Olga le contesta «a preguntar si hay para mucho rato». Y Miquel, de vuelta: *«¿te quieres sentar? ¿Tú qué te crees, que eres la reina de España o qué? Si no nos llaman es que no nos toca. Y ya está.*

Siéntate». Miki controlaba mucho la situación y, con su manera de expresarse, con su carácter y su humor, pero con una medida muy bien combinada, muy bien encontrada, nos manejaba. Era una justa medida. No es que pensaba decirlo así. Era natural. Nosotras, después de lo que dijo, nos quedamos calladas, tranquilas y esperando a que nos llamaran. Nadie chistó...

La intervención quirúrgica aparecía cada vez más cerca. Ya casi que estaba en la sala de espera de la esperanza, cerquita del quirófano. Figuraba contento, por ese lado: el humor y el positivismo estaban arraigados a su naturaleza. Tenía ganas de que sea cuanto antes para despedir lo que estorbaba.

—*Quiero que ya me saquen esto.*

Como protección propia y ajena, con quimio o sin quimio, él prefería continuar refugiado durante esos momentos previos a la operación. Refugiarse de un mundo exterior, sobre todo, a pesar de ser un personaje público, cuestión que complicaba la tarea. Algunos medios de comunicación, con respeto y porque debían cumplir con el derecho de informar, resaltaban que Miki Roqué estaba «dejando todo por su sueño de volver a los campos». Y, si bien el foco de la noticia era verdadero, había un error en el juego de las letras porque casi nadie deja «todo» por un sueño. Dejar «todo» sería dejar la vida. Y Miki, al contrario, por ese amor que tenía a la vida, es que quería vivirla. Iba por ese sueño porque amaba la vida. No dejaba nada. Quería acumular más cosas. Lo de atrás eran experiencias que estaban incorporadas, no se dejaban. Eran experiencias necesarias para formar su ser. Miki no olvidaba a sus seres queridos, a su pueblo, a sus trabajos, a sus amarguras, a sus felicidades, a sus amigos, a sus amores. Decir «dejar todo por un sueño» chocaba porque era como atemorizarse uno mismo, como agregarle una duda al propio sueño. Sólo se deja todo cuando no se emprende la búsqueda de lo que se quiere.

2

El almanaque marcaba el 24 de mayo de 2011. Día de la operación y día de la preocupación. Sonaba la campana y había que ingresar al quirófano, como si lo anterior hubiera sido un preámbulo. Llegaba el día que Miki tanto había deseado, tanto había esperado y tanto había imaginado.

—*Tú tranquilo, haz lo que tengas que hacer. Tú ya sabes cómo lo tienes que hacer.*

Alentaba al doctor Cáceres, en las horas previas. En su condición de paciente, él alentaba al médico: tenía una confianza máxima en sus manos y en sus conocimientos. También alentaba a su esposa, a la doctora Maite Ubierna, integrante del mismo equipo de doctores. En muy poco tiempo, ellos, los tres, habían formado una de esas relaciones de enseñanza mutua, las que son más valederas, en las que el rol de profesor y alumno rota constantemente.

• • •

Enric Cáceres: él siempre ha estado muy animado, muy favorable y muy positivo. Desde el primero al último día. Tenía como un humor irónico. La lección de él es cómo era como persona, cómo era personalmente. Era muy respetuoso, con mucha fuerza. Tenía ganas de vivir, de supervivencia, y eso lo mantuvo hasta el final.

Para el afuera, los minutos, en aquella tarde y en aquella noche del 24 de mayo, se medirían con el termómetro de las angustias. Había que esperar. Respetar esas esperas embusteras que pueden ser eternas o durar tan sólo un segundo. En este caso no había más opciones: ¿cómo no se iba a aguardar, si todo podía cambiar aquel día? La intervención compleja duraría casi nueve horas: empezaría alrededor de las tres de la tarde y finalizaría recién de madrugada, minutos después de las cero horas del día siguiente. El alivio, tras oír el resultado, sería inmenso: todo había salido bien.

• • •

Oriol Paredes: ese día estuvimos en un bar, cerca de la Dexeus. Estuvimos allí hasta que nos dijeron que había acabado la operación. Me acuerdo que fue eterno. Pasaban las horas y decías «esto no puede ser, esto ya tiene que estar». Y cuando nos dijeron «ya está, ha salido todo bien», fue una alegría enorme. Lo que él me había dicho la primera vez que hablamos era verdad. Yo me dije «pues no me ha mentido, se lo quitaron y ya está. Ahora a recuperarse y punto».

Enric Cáceres y su equipo hicieron un trabajo formidable, aunque sus expresiones, dominadas en parte por las sabidurías científicas, debían ser cautelosas y respetar el reloj biológico. No tenían que aislarse tanto de unos conocimientos médicos que alertaban: sabían muy bien que la cruzada no estaba ganada, ni mucho menos, que el combate era largo y había que continuar un trabajo prolijo. Aquí no estaba en juego la vuelta al fútbol, prácticamente descartada por los mismos doctores; aquí estaba en juego la vida. Los cirujanos, de enorme tarea, turnándose por el desgaste que obligaba la metodología de la operación, sólo saldrían relativamente contentos porque, independientemente de la gravedad, pensaban que habían resecado todo. En el aspecto técnico, sólo en el técnico, la nota de ese día había sido un 10.

• • •

Enric Cáceres: es cierto que con esta primera cirugía quedamos relativamente contentos. Sucede que el tipo de cáncer de Miki no es muy común. Es infrecuente, especialmente en gente de su edad. Si haces un análisis estadístico, te darás cuenta que es muy poco frecuente. El problema de los tumores de este tipo es que pueden hacer enfermedad sistémica, es decir, de todo el organismo, independientemente de la zona local, difícil de controlar.

Tomás Calero: ese día entré a la intervención con ellos. Para mí fue también un choque importante porque yo no había visto nunca una intervención de ese calibre, majestuosa, de extirpación de partes óseas tan grandes. A nivel profesional fue muy emocionante. Es verdad que el problema en estos casos es que cuando tú extirpas el tumor, con un margen de seguridad, tú no sabes si alguna célula, antes de ese tumor, ha podido ir hacia otro lado y producir un desencadenante nuevo. En la intervención, no era sólo resecar un hueso, era resecar un sacro, junto con los nervios, y respetarle los nervios. Hubo que reconstruirle todo el hueso que le habían quitado. Le hicieron como una pelvis nueva. Para mí fue sorprendente cuando volvimos a verlo, como dos meses después: él nos recibió andando...

El jefe de los servicios médicos del Betis, considerando factores externos, ingresaría al quirófano con un móvil para escribirle cada tanto a la familia del deportista, informando sobre cómo se desarrollaba la intervención, sobre todo para disminuir un poco, si se puede, el desasosiego evidente y no incubar otros disgustos.

• • •

Tomás Calero: yo les decía «tranquilos que no hemos empezado, tranquilos que ya hemos hecho esto, que la primera fase ha ido bien, que le han cambiado esto».

Durante la operación, aprovechando esa facilidad que permite la tecnología, compañeros de Miki, integrantes de la plantilla del Betis, comenzarían a preguntarle al doctor sobre la evolución. Se había generado una atención y una tensión difícil de llevar.

• • •

Tomás Calero: en un principio, uno me mandaba «oye, ¿cómo va Miki?» Y yo le contestaba. Después otro me preguntaba, y le contestaba también. Entonces se creó el grupo, un grupo de whatsapp, un grupo del Betis. Y ahí entramos alrededor de 20 personas, principalmente jugadores. Ellos sabían que se operaba ese día, pero no sabían bien la hora. Entonces comenzaron a preguntarme. Lo más espeluznante de esto fue que la intervención empezó a las tres y pico de la tarde, y duró nueve horas. Salimos del quirófano, sobre las 12.15 de la noche, y cuando dije «se ha terminado, salió todo bien», me contestaron los 20. Los 20 habían estado presentes hasta la madrugada. Habían estado pendientes hasta el final, no se habían desconectado o ido a dormir. Fueron 20 mensajes de apoyo para Miki.

3

Había fundamentos para darle la bienvenida al tiempo florido. Parecía que, a la mañana siguiente, en una pizarra se dibujaría el futuro soñado. Pero no sería tan así: el 25 de mayo, tras despertar en la Unidad de Cuidados Intensivos (UCI), Miki Roqué exhibiría la segunda gran demostración de miedo desde aquel 4 de marzo. Al abrir los ojos se encontraría con un monitor, con el electrocardiograma, con su tensión, con sus constantes, con suero, con las pegatinas del electro, todo monitorizado, en una unidad cerrada, un sitio que no conocía, que nunca había visto, sin luz exterior, escuchando ruidos en todo momento, escuchando ingresos de pacientes (o eso creía, al menos), sin saber qué hora era, qué día, sin alguien que explicara su situación, sin alguien a quien mirar, asustado y nervioso. Quería saber qué hacía allí, qué significaba este lugar tan extraño para él. ¿Por qué lo habían mandado a esta sala? ¿La operación había salido mal? ¿Por qué nadie le decía algo? ¿Su salud se había complicado? ¿Por qué se sentía tan raro, tan agobiado?

Continuaría despistado durante varios minutos, sin poder unir mensajes tranquilizantes para su interior. Parecía no coordinar sus sensaciones con sus razonamientos. Necesitaba respuestas. Una, aunque sea una, le bastaba para procesar la vivencia e incorporarla como aprendizaje. Requería información. Su vida estaba siendo un constante vértigo, aunque él no le tenía tanto miedo a las alturas: el desconocimiento era lo que provocaba su temor. La aparición de Olga y Albert, hermana y cuñado, traería un poco de paz para esta escena.

• • •

Olga Roqué Farrero: supongo que cuando lo llevaron al quirófano, él daba por hecho que volvería a abrir los ojos en una habitación común, con todos nosotros al lado. Ya en la UCI, cuando nos dijeron que podíamos entrar a verlo, entramos primero Albert y yo. Recuerdo asomarme a la puerta y ver su cara descompuesta, muy asustada. Nunca lo había visto así. Levantó las manos indicándonos que fuéramos hacia él. Ahí se le cayeron las lágrimas, me preguntó angustiado qué hacía allí, por qué no estaba en la habitación, si se estaba muriendo. No entendía nada, no entendía qué hacía allí y por qué nosotros no podíamos entrar cuando queríamos: él no sabía cómo funcionaba la UCI, nos contó que no entendía por qué había tantas máquinas, y eso le hacía pensar que se estaba muriendo. Verlo así me hizo caer las lágrimas, pero enseguida le dije riendo que había salido todo genial, que estaba allí por control, que pronto iría a la habitación. Recuerdo que nos abrazamos como nunca lo habíamos hecho. Ese abrazo no se me va a olvidar nunca. Ese momento me quedó marcado y fue una de las veces que le dije lo mucho que le quería, y él a mí.

Albert Mullol: nosotros no sabíamos en qué box estaba, y fue él quien nos llamó. Nunca lo había visto de esa manera y nunca lo volví a ver así. Sólo de vernos se puso a llorar, pensaba que se moría y no sabía qué estaba pasando. Intentamos calmarlo. Preguntó entonces cómo había salido la operación y, cuando le dijimos que todo había ido bien, lo volvió a preguntar tres o cuatro veces más para asegurarse. Estaba realmente asustado. Mi sensación fue la misma que la que tienes cuando llora un bebé desconsolado y no sabes muy bien cómo tranquilizarlo. Le das el abrazo más sincero que te sale de dentro y ruegas para que él lo sienta.

Gabriel Masfurroll: con la primera UCI estaba muy pesado. Yo le bajé a ver. Era un paciente que no había estado nunca en cuidados intensivos. Son unidades muy aparatosas, mucho equipamiento que además emite sonido. Él salía de una cirugía relevante. Recuerdo que a él le inquietaba mucho saber la verdad en la UCI, de cómo había ido la operación, porque estábamos en una etapa que él tenía expectativas de regresar al mundo del fútbol. Estaba también un poco confuso por el efecto de los mórficos. Era un Miki quizá más agresivo, con más estrés. Miedo por la desorientación y el desconocimiento. Estás en un entorno que desconoces absolutamente, donde el flujo de información es muy reducido, estás sometido a medicación. Ahí aflora el miedo. Quería respuestas, pero en Dexeus había una máxima: «El médico sólo podía hablar de la enfermedad con Miki, y responder sus preguntas». Yo la sabía. Y él muchas veces te abordaba. Yo le decía «mira Miki, es que yo no soy médico». Ahí no le decíamos que no iba a poder volver a jugar al fútbol, pero a la vez se lo decíamos de otra manera: «oye Miki, déjate de fútbol y céntrate en curarte. Si tú quieres llegar al mundo del fútbol, todo pasa porque te sanes». Él era un tío muy inteligente.

Tomás Torres (médico especialista en cuidados intensivos): éstas son cirugías extremadamente dolorosas y, a pesar de que él era fuerte, pues claro, son cirugías que necesitan mucho tratamiento, muchos calmantes, calmantes fuertes, que tienen ciertos efectos secundarios, cierta alteración del nivel de la conciencia. La gente, aquí, se desorienta un poco. Fue una cirugía muy cruenta, con pérdida de sangre, con unos fármacos a los cuales él no estaba acostumbrado, y que no todo el mundo los tolera bien. Lógicamente lo pasó peor, pero lo aguantó muy bien, con mucha dignidad, siempre con mucho ánimo, con ganas de tirar para delante, muy confiado con todo lo que se le hacía y muy agradecido.

4

¿Qué es lo que define a las personas? ¿Sus acciones? ¿Sus antecedentes? ¿La familia? ¿Ese algo más? ¿Quién las define, en todo caso? Luego de la operación, Miki comenzaría a pasar más tiempo en la Clínica Dexeus, a conocer a los directivos, a los médicos, a las enfermeras, a las camareras, a los integrantes del servicio de limpieza, a otros pacientes, a familiares de esos otros pacientes, a los delivery del barrio... Iría conociendo las historias personales de cada uno, metiéndose en esas historias, moviendo sus interiores y viendo cómo podía colaborar con sus modales. No quería que la gente caminara por arriba de él, ni tampoco por abajo. No le gustaba. Buscaba relaciones horizontales, que caminaran junto a él. Había pinchado su burbuja, abriendo la puerta para que otros mundos quepan en su mundo. Se había quitado ese traje de futbolista, ignorando esa norma que tiende a elevar a personajes públicos, obligados a vivir en una esfera superior. Miki, allí dentro, borraba cargos y jerarquías: era la democratización del personal. Valía tanto el director como el practicante de más bajo sueldo. De a ratos, aun cuando estaba ingresado en la UCI, su corazón parecía salirse de su pecho para ir a vagar por otros rincones.

• • •

Tomás Torres: yo lo conocí en la UCI, después de la primera intervención. De entrada, ya estuve hablando con él y me explicó dónde había jugado, me dijo en Inglaterra, en Liverpool, que es un equipo del que yo también soy fan. Estuvimos hablando de cosas en común, básicamente de fútbol. Yo soy muy futbolero. Me gustó mucho la conversación porque conectamos. Él era superamigable, supercordial, jovial, bromista. Con buen humor, a pesar de que se encontraba muy afectado por la enfermedad. Muy afectado desde el punto de vista físico, pero psíquicamente no. Esto fue después de la cirugía, pero hablaba igual, explicaba cosas, cosas interesantes, cosas de fútbol. Cada vez que hablaba con él te reías o te explicaba cosas curiosas. Así conocí a Miki. Yo lo había visto antes por la televisión, pero la verdad es que no lo tenía muy presente. El día que se operó fue cuando lo conocí. Entonces un poco recordé la noticia que había salido un tiempo atrás en los medios.

Miki invadía otras vidas, pero lo hacía de una manera peculiar: invadía como invade el amor. Te atrapaba, te sujetaba fuerte y no te dejaba soltar. Tampoco nadie quería soltarse: estaban a gusto con él. Y eso que tenía su carácter, sus caprichitos y sus enojos.

Las rutinas, con su protagonismo, cambiaban de color o se quitaban el velo de la frente. Todo parecía ser más espontáneo, más divertido, más sincero, más real. Con él, casi nadie pensaba más allá. Con él, se dedicaban todos a vivir el hoy, como que se había llegado a un acuerdo tácito de tapar relojes.

Había interminables matices en el cuadro. El defensor seguía aprendiendo y comprobaba que valía la pena ocuparse para que los demás puedan vivir también un poco mejor. Conocía ese sentido de la igualdad. La utopía de crear una ley para una justa distribución de la felicidad.

• • •

Gabriel Masfurroll: en base a su carisma, él empezó a ganarse a la gente. Tenía un poder de atracción y, de una forma totalmente espontánea, la gente lo iba a visitar. En mi caso, probablemente, un poco por curiosidad, por empatía con él, empecé a ir con frecuencia, entendiendo que el intercambio de palabras que teníamos lo hizo sentir cómodo a él y a mí también. Después, más que una costumbre, una educación, ya empezó a ser un goce, un placer no sólo para mí, sino para todos los que lo íbamos a ver. Miki era un tío muy espontáneo. Yo siempre le decía «macho, tú no procesas nada». Lo que le venía a la cabeza, le salía en nada. Tenía gracia. Era un tío gracioso. Se le había contagiado mucho esa ironía, ese humor del sur de España. La relación de Miki conmigo, y creo que con todo el mundo, fue una relación muy equilibrada. No había jerarquía, ni egoísmo: él daba tanto como recibía. Generalmente, el paciente, pues como está enfermo, recibe mucho más de lo que da, porque se lo está sanando, se lo está curando. Y desde tu estatus de director o de médico, normalmente, tú ayudas a su recuperación y el paciente da muy poco. Pero Miki era un paciente que daba mucho. Mucho, eh.

Ricard Valdés: yo estaba en el departamento de anestesia. Entonces, desde anestesia, el primer contacto que tuve con Miki fue en una de las primeras intervenciones que tuvo para operarlo el doctor Cáceres. Yo como también tengo mucha vinculación con el mundo del fútbol, porque mi hermano Víctor es futbolista profesional, siempre me ha hecho gracia cuando venían deportistas a la clínica, presentarme y conocerlos un poco. En este caso fue así. Estaba en la intervención, conocí a Miki y enseguida tuvo un muy buen vínculo conmigo. Ahí empezó la relación. Era un chaval que con el carácter te ganaba. Es que era muy sincero, muy limpio. Te lo daba todo y te contagiaba. Te aportaba algo diferente. A veces percibes que la gente que tienes al lado tiene buena energía, pues éste era uno de los casos. A mí, por ejemplo, me gustaba por la mañana, antes de entrar al quirófano, ir a verlo, a saludarlo... Miki era muy natural, te soltaba lo que en aquel momento sentía. Miki no contenía, era lo que veías. No era una persona que pensaba una cosa y te la guardaba. Miki te soltaba lo que pensaba. Todo. Entonces, las conversaciones con él eran bonitas por eso. Tenía una facilidad para llegar a la gente que no se la he visto a nadie. Esto era innato. No era un chaval que explicara mil chistes y te estés riendo todo el día con él, era una persona con la que te sentías a gusto y, en ese a gusto, a veces era una persona muy alegre, a veces tenías conversaciones trascendentales, se podía hablar de todo. No era el típico futbolista. Tenía claro sus valores en la vida: su familia... Nunca olvidó de dónde venía. El fútbol era una cosa más: él tenía más valores. A mí había cosas de él que me hacían pensar mucho. La manera de enfocar su vida y de transmitir sus ideas era lo que me enganchaba. Transmitía mucha energía.

Alicia Sánchez Martínez: era imposible no quererlo. Aunque no querías vincularte, terminabas acercándote a él. Yo era la camarera vip en la planta séptima. El trabajo mío era repartir los desayunos, las comidas, las meriendas, las cenas, repasaba los minibares... Él atraía con su forma de ser, era bonito estar con él, era superagradable y te trataba superbién. Con Miki te sentías en paz. Dentro de la enfermedad, él también era una diversión. Me gastaba bromas. Me tomaba el pelo con una facilidad impresionante. Muchas bromas, así en plan de pillarme, para decirme «qué tontita eres». Le gustaba mucho jugar, sabía divertirse, reír: él no perdía el tiempo. Se entretenía con algo. Aprovechaba el tiempo completamente, aprovechaba todo. Era agradable estar con él. Ibas a trabajar y decías «está el Miki, que con él me divierto». Jamás dramatizó su situación conmigo. No sé bien lo que transmitía, pero era un ser especial. Te miraba con unos ojos... Te hacía sentir importante, te hacía sentir única, te hacía sentir bien. Creo que a todo el mundo le hacía sentir igual.

Casi una semana después de la operación, Gabriel Masfurroll padre (exnadador de alta competición, empresario multifacético, exvicepresidente del Fútbol Club Barcelona, fundador de la Fundación Alex, entre otros etcéteras) y Gabriel Masfurroll hijo (director de la Clínica Dexeus) tendrían una conversación telefónica que derivaría en un símbolo de una incipiente relación que se iría forjando con marcas detrás de la piel. Al cabo: más detalles para entender lo que no se debería tratar de entender.

—Oye, no le digas a nadie, pero tengo la copa.

—Hostia, papá, me haría ilusión llevársela a Miki.

—La tengo, ¿quieres que se la llevemos?

—Aguarda un momento.

Esa copa de la que hablaban con perspicacia era la Copa de Europa, ni más ni menos: Barcelona la había ganado el 28 de mayo en París tras vencer a Manchester United 3 a 1. En parte, la idea del director de la Clínica Dexeus era una buena excusa para que ese dar y ese recibir que se respiraba en el ambiente sea aún más equilibrado. Ahora bien: este trámite admirativo, aparentemente fácil de concretar, presentaba un inconveniente que no era minúsculo. Es que Miki, en esos días, no quería recibir tantas visitas. Y él, cuando decía «no», era un «no» fuerte, casi inquebrantable, un «no» gritón. Gabriel Masfurroll (hijo), apelando a métodos más estratégicos, ya había buscado modificar su parecer por las buenas, pero fracasaría en su primera tentativa.

—Miki, ¿qué te parece si viene mi padre?

—*Hostia, no quiero que venga nadie.*

—Coño, déjame que venga...

—*No...*

Descartada la maniobra más correcta, la más delicada, se pondría en marcha la siguiente opción, menos diplomática, más forzosa. Casi que no había dudas en un ítem: la sorpresa tenía que concretarse sí o sí.

• • •

Olga Farrero: él, en ese momento, no quería recibir a gente. Ese día, una enfermera me dijo «dile a Miki que vendrá alguien, que tendrá una visita». Se lo dije y me contestó *«no, mamá... Es que no estoy».* Y la verdad es que no estaba bien. Pero luego, al rato, llamaron a la habitación... Y no tuve más remedio que dejarlos pasar.

—Miki, no te levantes de la cama, pero mira al menos.

Masfurroll padre, Masfurroll hijo, María José Coll, directora de enfermería, y una bolsa para la basura, negra y enorme, habían subido directamente a la planta 7. Tocaron a la puerta, pidieron permiso, entraron y revelaron inmediatamente el secreto que había debajo del improvisado envoltorio.

• • •

Vanesa Ruiz (enfermera): yo estaba allí, estaba poniendo algo de medicación, y entró el padre de Masfurroll con la bolsa. Nadie sabía qué traía. Era una bolsa de basura, negra. Cuando le enseñaron la copa, yo lo vi a Miki que se puso como un niño pequeño. Tenía una cara de alegría...

La emoción de Miki era sincera porque no sabía actuar cuando los sentimientos tenían el papel principal. Reivindicaba los estímulos humanos que salían desde los huecos más lindos del ser y cada vez despreciaba más los estímulos materiales o convenientes. Quería percibir lo que salía desde dentro, diferenciarlo con lo que salía desde otro lado.

Con mucho esfuerzo, ocultando su dolor, se levantaría de la cama para dar las gracias. Hacía pocos días había salido de una intervención quirúrgica grave y estaba casi impedido de realizar movimientos.

• • •

Gabriel Masfurroll (hijo): él era así para agradecer. Antes perder media pierna que quedarse sentado. Otro no se habría levantado, ni lo habría intentado. Le costaba la hostia levantarse. Y se levantó. Miki, al final, usaba sus mecanismos para desestructurar a todo el mundo, para llevar a todo el mundo a su cancha.

Intentaría luego levantar la copa, como un campeón más, pero no lo conseguiría: era pesada y todavía no tenía tantas fuerzas. Al marchar sus invitados de honor, él volvería a su cama y varias lágrimas caminarían por sus mejillas. Ese mismo día, en ese lapso de felicidad, otra protagonista de esta historia haría su presentación e, inmediatamente, salteándose también la hoja de instrucciones sociales que imponen desde el mundo de los tradicionales, ya quedaría impregnada al espíritu Miki. No pasaría mucho tiempo para que el hombre de Tremp la comience a llamar *«la tieta»*.

• • •

María José Coll: normalmente, no veía a los pacientes. Era la directora de enfermería y tenía otras obligaciones. Yo iba a acompañar al gerente, a Gabriel Masfurroll. Siempre que tenía algo, me decía «¿me acompañas?» Y yo iba con él. Subí aquella vez, la primera vez que lo vi, cuando subimos con la copa. Yo no los conocía de nada y me abracé a Olga. Ellos se quedaron con la copa: Miki, su padre, Gabriel y su padre. Y yo me quedé con Olga, la abracé y no la conocía de nada.

5

Tranquilo que estamos bien.
Hoy estamos bien.
Hoy estoy bien.
Mañana, no sabemos.
Aunque tú tampoco sabes cómo estarás mañana.
Así que estamos iguales en esta danza.

El andar de Miki era como una bicicleta: si se detenía, se caía, perdía la estabilidad. Podía ir más despacio, podía no pedalear en algunos tramos o dar reiteradas vueltas, aunque trataba siempre de ir avanzando, siempre con esa actitud de igualdad, de no sentirse enfermo. Los hilos eran manejados por sus sueños.

En el proceso posoperatorio, una comitiva del Betis integrada por el presidente del club, Rafael Gordillo, el entrenador del primer equipo, Pepe Mel, y los dos capitanes de la plantilla, Arzu y Goitia, viajaría desde Sevilla hacia Barcelona para apoyar al futbolista catalán. Era un nuevo encuentro entre el defensor y el mundo del fútbol. La nostalgia, otra vez la nostalgia, daría un paseo chiquito por este vecindario. Desde Andalucía, la delegación bética llegaría a la Clínica Dexeus soportando tanto miedo a quedarse mudos como a hablar demasiado. No comprendían bien cuál era el punto medio o el punto indicado…

• • •

Rafael Gordillo: cuando llegamos ahí, estábamos todos con la sensación de como no queriendo entrar porque no sabíamos con qué nos íbamos a encontrar, qué le vas a decir, qué vas a hacer, cómo estará, si nos vamos a sorprender, si vamos a llorar… Teníamos una intranquilidad… Porque además, antes de entrar a su habitación, nos llevamos el palo gordo: nos dijeron que la operación había salido bien, pero se habían encontrado un panorama peor. Impotencia nos dejó eso.

Pepe Mel: los médicos nos llaman antes de entrar a verlo para avisarnos que la operación que ha tenido es tremenda. Nos ponen la radiografía para que veamos la cremallera que tiene, los clavos, todo lo que le han quitado, que es tremendo. Hacía poco había tenido esa operación. Por lo tanto, nosotros esperamos a alguien imposibilitado de levantarse, imposibilitado de moverse, extremadamente delgado, una persona fatal. Nosotros vamos preparados para eso. Nosotros vamos a verle y él nos espera, sentado en el sillón.

Impresiones y suposiciones al margen de la página, Miki Roqué daría en aquella ocasión otra muestra de valentía y se distanciaría de esos síntomas compungidos, a pesar de resistir un físico extenuado. La mezquindad no participaba en sus actos.

• • •

Pepe Mel: la madre y el padre nos abren la puerta, y él nos espera sentado. Tú la impresión que tienes es que es una persona enferma, que es normal porque acaba de salir de una tremenda operación. Pero él está sentado, está bien. Muy animoso, como siempre, diciendo *«que voy a ir al gimnasio del Barça»*. Ese día, lo que nos impacta a todos es que él, cuando nosotros nos tenemos que ir al aeropuerto para tomar el avión, él se apoya en el brazo de su padre, se pone de pie y nos acompaña hasta la puerta, dando pasos pequeños, para decirnos adiós. Fue increíble. La voluntad que puso, las ganas de luchar por salir adelante.

Rafael Gordillo: eso nos sorprendió mucho. Te decía *«mira cómo ando»*, y fue del sillón hasta nosotros, y nos dio la mano. También nos decía *«en cualquier momento ya estoy con ustedes, cuando termine con esto vuelvo a entrenar»*.

12
El éxito

Sucedió el 28 de mayo de 2011. Nadie lo informó. Nadie supo o nadie quiso transmitirlo en los medios de comunicación. Falló el periodismo, un oficio que no es tan sencillo si se practica con honestidad. Ni siquiera el cronista más preparado de esta tierra hizo una mención del triunfo tan atípico en estos tiempos de mundos virtuales. Fue lógico, en cierto punto: las palabras de afecto, cuando se repiten tanto, desfilan con el riesgo de transformarse en simples decoraciones. La prensa internacional resaltó que el Barcelona obtuvo su cuarta Copa de Europa, y utilizó sus recursos innumerables para mostrar detalle por detalle, minuto por minuto, la victoria contra Manchester United por 3 a 1. Algunos meticulosos publicaron notas sobre el gesto de un capitán con la inscripción «ÀNIMS MIKI» en su camiseta, creyendo aproximarse erróneamente a la primicia. Nadie, sin embargo, nadie entre los cientos de profesionales acreditados en Wembley, valoró el éxito más importante de aquella final. Nadie, ni siquiera en un acto de vaguedad, comunicó que los tres verbos más distanciados de este siglo se volvieron a juntar esa noche ante miles de presentes y millones de televidentes. Nadie festejó esa proeza sin rating. Nadie dijo que un señor, llamado Carles, con la adrenalina a tope, tuvo ese día su propia conquista: unió el decir, el sentir y el hacer.

13

«Hay hombres que luchan un día y son buenos. Hay otros que luchan un año y son mejores. Hay quienes luchan muchos años y son muy buenos. Pero hay quienes luchan toda la vida: esos son los imprescindibles.»

BERTOLT BRECHT

1

—*Papá, ¿tú crees que volveré a jugar allí?*

—Depende de ti.

Desde una de las ventanas de la planta 7 del Hospital Dexeus, padre e hijo observaban el Camp Nou. Los dos se morían de ganas por darse un abrazo, pero no lo harían ese día. Se mantendrían estoicos para el afuera, reflexivos, algo frívolos, tratando de ver el horizonte del destino a través del enorme estadio. Estaban allí, respirando un poco más tranquilos, en un presente inhóspito que recordaba el pasado para imaginar el futuro, luego de la complicada intervención quirúrgica. Querían creer que lo peor había quedado enterrado: se mostraban relajados, con ese carácter tan parecido que los identificaba. Los dos se asemejaban bastante en ciertas autenticidades: compartían un lenguaje similar a la hora de exteriorizar sentimientos. Siempre habían vibrado del mismo modo. Algunas veces hasta parecían aplicar casi a la perfección ese dicho que diferencia algunos decires con algunos procederes: «muchos dicen que me aman, y yo desconfío de esos muchos; tú nunca me lo dijiste, aunque de ti no desconfío». Si bien elegían escapar de diversos gestos afectuosos, el corazón de ambos salía por otros poros. Ni los más premiados actores serían capaces de disfrazar ese amor que los envolvía. Era tan grande que lo veían los ciegos y lo escuchaban los sordos. En eso, al menos, los dos Miquel Roqué eran similares. Cuando hablaban entre ellos o cuando uno se refería al otro, el sonido de la voz salía de un hueco del alma.

Esa escueta pregunta del hijo al padre, con la ventana como testigo, no era una más que se esfumaba en el aire o se perdía en un vacío. Era una interrogación necesaria. Allí, en esas pocas palabras, residía la chispa de una ilusión que se transformaría en fuego tras la respuesta paternal. Allí, también, se reafirmaba una convicción que ya se encontraba instalada: a las ilusiones, sean del color que sean, hay que obedecerlas. El teorema estaba entendido: había que apostar sin mirar favoritismos, encuestas o porcentajes. Había que ir por el regreso a los estadios. La operación, para ese entonces, ya había quedado atrás, y el cáncer, si bien no estaba vencido, se suponía que había desaparecido. No era escaso lo conseguido. En una de sus tantas lecciones, Miki Roqué había aprendido a llevar una mochila de dolor, pero no vivía pendiente de ese equipaje.

Quería volver pronto a los campos, esa era su realidad, con la que proyectaba borrar otras realidades. Es más, en el medio de esta vorágine, hasta había barajado la posibilidad de viajar en enero a Sevilla para volver a colocarse las botas que había dejado allí. No era una parodia porque él partía de una base: sabía que todo se puede intentar, que las derrotas, las verdaderas derrotas, son para los que abandonan la lucha, los sueños, las búsquedas y los amores. ¿Por qué no probar, mientras tanto? ¿Por qué negarse? En cualquier rincón podía estar esa salida: no existía justificación para mantenerse atado. ¿A qué debía tenerle miedo? Seleccionaba su itinerario: no había que vivir temblándole a todo, si el final, más próximo o más lejano, sería el mismo. Había que encontrar, buscar y volver a encontrar porque eso significaba seguir caminando en una parcela donde los inicios, después de todo, son consecuencias de los finales. Su filosofía no se enredaría con páginas de relleno: volver a empezar era una actitud que deseaba pregonar cada mañana.

Así, sin tantas paradas, llevaría su creencia a la práctica para ser consecuente consigo mismo. Es cierto que el defensor catalán, en ese entonces, desconocía o quería desconocer las muy pocas posibilidades concretas que tenía de ser otra vez futbolista. Tan cierto como que dejaba poco espacio para el costado negativo porque, en este cuento, había invitado a la irrealidad para que tenga su participación.

—*Me tengo que poner mejor de lo que estaba. Si no tengo glúteo, ya lo haré. Me voy a poner mucho más fuerte.*

• • •

Miquel Roqué: yo, de volver a jugar, tenía mis dudas, pero él no tenía ninguna. Estaba muy convencido.

Olga Roqué Farrero: a nosotros nos dijeron que fue una operación compleja, muy fuerte, muy larga. Nos dijeron que la operación había salido bien, pero los médicos fueron claros: «el tema de jugar al fútbol es casi imposible». Miki no lo supo en ese entonces. Miki dijo que volvería a jugar al fútbol.

Olga Farrero: y lo hubiera hecho. Después se puso mejor, y algunos alucinaron que podía volver. Él estaba tan convencido, y transmitía tanto ese convencimiento, que parecía imposible que fallara.

El panorama, desde el ojo clínico, mostraba más sombras que luces. O, directamente, en esta rama se descartaba cualquier opción de regresar al fútbol profesional. Hay una parte de la ciencia que no valora las sensaciones o los sentimientos: se basa más en exactitudes. Y esas puntualidades pintaban otro escenario más dramático. La cirugía practicada había sido de una gran envergadura por tratarse de un tumor que dañaba a la articulación sacro-ilíaca y, además, por requerir de un injerto del banco de huesos. Sí es verdad que, en un primer momento, con las primeras pruebas en las manos, los doctores se habían propuesto el objetivo de curar al paciente y que pueda volver a jugar, aun sabiendo que las posibilidades eran mínimas. Sin embargo, en la operación, cuando se abrió y se vio de cerca el problema, se conoció la real magnitud de la enfermedad: aquello estaba peor de lo que todos creían.

● ● ●

Enric Cáceres: en esta fase inicial, podía más o menos pensarse en poder volver a practicar deporte, no a nivel profesional. Yo creo que, aunque él dijera o explicara en algunas situaciones el sentimiento de volver a practicar deporte, la situación era clara para todo el mundo, de que esto no era posible. No suscitaba mucha discusión. Hablaba más del cada día, del dolor, de cómo tratar, de cómo iba la herida, de cómo evolucionaba, de cómo comía, de aspectos básicos.

José Millán: los profesionales sabíamos que la vuelta al fútbol era ficticia, pero siempre puedes pensar que tú eres la excepción. Eso no te lo puede quitar nadie. Es la esperanza, si no no tiene sentido la vida. Él piensa que era la excepción. Me decía *«que ya me queda poco, que esta espalda está fenomenal»*. Yo le decía «que sí, claro». Y lo alentaba. En esa etapa, se ilusiona todo el mundo. Incluso, los que sabíamos que estaba mal, también nos ilusionamos, pero bueno… Es una ilusión distinta.

Tomás Calero: también, en la vida, nunca puedes saber lo que es posible o imposible, pero en este caso estábamos hablando de un factor milagro.

Ramón Canal: la primera intervención, que fue muy compleja, como todas las que se hicieron en él, se saca todo un bloque. Si bien fue exitosa, se percibió que estábamos en una situación grave. Ahí se ve la extensión, vemos que la cosa va a ser grave… Pero uno ve hasta aquí. No mira hacia más adelante, ni de manera regresiva. La primera intervención que se realiza es para que él pueda mantener movimientos. Puede pasar que el tumor no vuelva a salir, y no vaya a distancia, metástasis. Hay veces que las intervenciones quirúrgicas son curativas, en el sentido de que lo has sacado, no se reproduce, no pasa nada más… Hay veces que puede ser. Cada caso es cada caso. Siempre te quedas con la esperanza. Después sí, cuando miras de lejos, ves que los porcentajes son muy bajos.

2

A través de la generosidad de Ramón Canal, Miki Roqué empezaría a realizar, poco a poco, un proceso de rehabilitación en la Ciudad Deportiva del Fútbol Club Barcelona, ubicada en Sant Joan Despí, utilizando el prestigioso centro médico de la institución. A muy pocos metros de allí, en Sant Feliú, había alquilado un piso con balcón desde donde, si quería, podía ver los entrenamientos de la exitosa plantilla. Sin embargo, él trataría de esquivar la mayoría de los contactos con el fútbol profesional. Lo mismo sucedía cuando ingresaba en el complejo deportivo: no quería pasar cerca de la práctica o del vestuario del primer equipo, a pesar de que tenía amistades como Carles Puyol, Gerard Piqué o Sergio Busquets.

● ● ●

Ramón Canal: a veces le decía «ve a mirar cómo entrenan». Y él me contestaba *«yo no puedo ir a verlos»*. No quería. Nunca quiso. *«No puedo ni oler la hierba. Es que me pondría con ellos»*, me aclaraba. No quiso ver ningún entreno. A veces hasta pasábamos por delante del campo de entrenamiento y le insistía «vamos a ver, para pasar el rato», para no hacer sólo la parte de fisio, que había días que hacía doble sesión, por la mañana y por la tarde. Y él, de vuelta, *«no quiero ir, no quiero ir»*. Le dolía verlos. Se veía como ellos y se podía fastidiar.

La nostalgia no debería tener concesiones. Aunque, de un modo u otro, en este partido, ingresaba a jugar de a ratos. Entraba sin autorización, por supuesto, y era inevitable porque el disco rígido del cerebro no se puede formatear por completo. El esfuerzo de Miki no se negociaba, la desgana no existía, pero sus ánimos, a veces, se entretenían como en un tobogán, subiendo y bajando continuamente. ¿Cómo controlar esos cambios tan súbitos? ¿A quién responsabilizar?

En algunos de estos altibajos, la nostalgia solía ser la principal sospechosa. No se sabe bien de qué, pero siempre es sospechosa de cualquier culpabilidad. Ella juega con el recuerdo y juega con trampa: suele magnificar lo bueno del pasado, llevándolo a un espacio superlativo, y suele achicar lo malo, llevándolo hasta el cajón del olvido. Miki tenía que convivir con ese cóctel de añoranza con melancolía, aunque no sabía si era negativo o si tenía sus partes buenas para recobrar más resistencias y volver a ser. Dudas lógicas. A la nostalgia, tal vez, habría que matarla, y cada tanto resucitarla. Hallar lo más parecido a una moderación. ¿Quién tendrá la llave de la verdad absoluta?

El centro médico blaugrana, con Ramón Canal a la cabeza, siendo el jefe de los servicios, estaba muy cerca de la casa que estaba alquilando, a no más de 350 metros: llegaba por el ingreso principal del establecimiento denominado Joan Gamper, cruzaba el primer puente, doblaba a la derecha y ya la primera puerta correspondía al mundo de los doctores. Hasta allí podía ir caminando, debido a la cercanía, pero él prefería dirigirse con su BMW negro, aparcarlo con cuidado, pasar desapercibido y soslayar el pelotón de periodistas que cubría la actualidad del conjunto catalán.

En la Ciudad Deportiva del Fútbol Club Barcelona, los planes de recuperación eran todos inciertos, de alguna manera. Había que ir quemando etapas, y analizando cómo las iba quemando. En este centro médico se respetaba siempre una misma constitución: primero la persona, después que pueda practicar algo de deporte, luego que pueda practicar fútbol y, recién en el último paso, que pueda ser futbolista profesional. Para Miki, en primer lugar, sería el turno de la parte de fisioterapia, de camilla, de volver a andar, de coger la marcha que le había quedado mermada, de educar esa marcha y de sacar el dolor que todavía padecía.

• • •

Ramón Canal: la parte de fisioterapia la hizo perfecto, con su lucha, con sus dolores y con su voluntad. El fisioterapeuta se llamaba Fernán Arnedo, él le hizo toda esa primera fase, que es la parte de corrientes, sistemas de calor, de volver a hacer ejercicios...

Una vez que educó la marcha y los dolores disminuyeron, el defensor comenzó haciendo ejercicios de tren superior, todavía en la fase 1 de su recuperación, instancia que llegaría a cumplir de forma excepcional.

Sorprendía gratamente con su progreso, maravillando a los profesionales, agregando un capítulo más a los libros universitarios: la capacidad de autosuperación. Ya en la fase 2 buscaría la correcta marcha, y también lo lograría, pasando a la fase 3, que correspondía a la parte de recuperación de campo: la haría donde se entrenaba el Barça B, terreno que estaba más alejado de la entrada principal, y donde estaba jugando su gran amigo y compañero en Cartagena, Carlos Carmona.

Durante esos días recreativos, Miki había hecho como una zanja para esconder todo lo que le resultaba dañino. Se salía de su película de terror para meterse en otra más romántica. Claro que su semblante no era de piedra, ni mucho menos: a veces se quejaba («*es que no tengo culo*», decía), aunque, minutos después, seguía para delante, sacando a relucir su potencial y eliminando cualquier tipo de deserción. Era sorprendente: parecía que sólo se detenía para cargar combustible. Nada más. El físico, para entonces, comenzaría a mostrar una mejoría envidiable que rompería algunos tímidos pronósticos. Presentaba una actitud fabulosa: Miki emitía tanta irradiación que era capaz de calentar a los demás con su propio ardor.

• • •

Carles Puyol: nunca pareció estar enfermo. Nunca vimos a Miki como un enfermo: él no se hacía ver como un enfermo. Estaba más él animando a todo el mundo que nosotros animándolo a él. Sabía que estaba eso ahí, porque es inevitable. Lo único por lo que podías decir que estaba mal es porque no quería salir en algunos casos. Yo le decía si quería ir a los partidos, y él decía que no. Por lo demás, cuando tú hablabas con él, estaba superpositivo, alegre, con muchísima fuerza. Sabíamos todos que era difícil que vuelva a jugar al fútbol, pero él tenía la esperanza de volver a jugar. Siempre hablaba de eso. Decía de volver. Siempre de celebrarlo, de hacer fiesta. Cuando lo veías a él, decías «éste puede».

No había techo que resista sus apetitos para continuar escalando. También durante el verano, en Tremp, Miki había salido a caminar con su amigo Gonzalo Rivas: respirar aire puro, ver paisajes, tener contacto con la naturaleza, acumular otras energías... La tarea no resultaba engorrosa. Todo lo contrario. Ambos, a su vez, concurrirían a un gimnasio de la Academia General Básica de Suboficiales. Allí nadie lo conocía, podía trabajar tranquilo y buscar una mejor recuperación: los dos empezaron a marcar unas sesiones de musculación de todo el tronco superior.

• • •

Gonzalo Rivas: yo estaba cada mañana con él. El Miquel, con miedo a que de esto no sale, no existe. Había ejercicios que yo no levantaba más que él. Se había puesto... A veces yo le decía «tranquilo, tranquilo». Él quería hacer más. Se encontraba tan bien que le tenía que decir «no cargues tanto, tío, no cargues tanto». No puedo imaginar que el Miquel pensara que no tenía posibilidades. Eso es imposible. No me cabe en la cabeza. La palabra «Miki» y «abandono» es imposible unirlas. Yo fui muy prudente con él, pero ahí pensaba que volvía. En ese momento, si yo me lo hubiera preguntado allí, en el gimnasio, hubiera dicho que sí. Una persona que te estire como él me estiraba a mí... Era increíble. Ahora, la otra gran virtud de Miquel es que, en todo momento, no había un futuro y no había un pasado. Había un presente. Absolutamente se entregaba en el presente.

Jordi Senallé (tío de Miki): yo fui a verlo entrenar al gimnasio de la academia militar. Hablamos de la recuperación, nunca de la enfermedad. A mí me dijo unas palabras que las tengo muy presente: «*Estoy* *bien, estoy fuerte, estoy cada vez más fuerte».* Cuando fui a verlo, él estaba todo empapado de sudor. Una voluntad enorme. En ese momento todo iba bien, todo era lo que desde un principio habíamos imaginado, que todo iría para delante.

Albert Mullol: el tío empezó a entrenar a tope. Tras la operación, al cabo de tres meses, un día nos fuimos a caminar con Olga y su padre. Fuimos a subir un monte, y no podíamos seguir su ritmo. A nosotros nos habían dicho que el fútbol había terminado para él. Pero allí, subiendo ese monte, pensé «este tío vuelve».

Mariona Subirá (prima de Olga Farrero): cuando estaba en la Ciudad Deportiva de Barcelona, yo le preguntaba «¿tanto tienes que hacer cada día?» Y me decía *«sí, sí, porque tengo que poner las piernas fuertes»,* que esto, que lo otro. Ahí lo veía muy bien. Luis, mi marido, no lo había visto todavía desde el comienzo de la enfermedad. Me acuerdo que un día bajábamos de Pobla, entramos por Sant Joan Despí a dejarle algo que me había dado la abuela para él, lo vimos ahí en la entrada del piso y Luis me dijo «pero si está perfecto».

3

Miki Roqué convertía en un viaje a esta etapa de recuperación. Tampoco sabía bien cómo explicarse o transmitir la ambigüedad del mensaje. No quería ponderar ciertos temas, algunos por ser tabú y otros porque la repetición de conceptos puede transformarse en la anulación de la enseñanza. Era dificultoso caminar por una cuerda movediza: a veces, de tanto hablar, se vulgarizaban percepciones atractivas. Sin embargo, en esta fase de mejoras, él sentía que viajaba por la simple razón de que, cuando se viaja, uno se conoce. Viajar es encontrarse, y Miki se estaba encontrando. Eso lo fortalecía para resistir avalanchas. Así se lo había dado a entender a Esther Farrero, su tía, un día que dieron vueltas y vueltas en un coche, recorriendo Tremp y los pueblos cercanos: «Él era muy claro, y me decía que se había dado cuenta de muchas cosas a partir de todo esto, de las ganas que tenía de tirar para adelante, de la importancia que tenían otras cosas, que a veces se le dan importancia a cosas que no la tienen tanto...»

Con su amigo Oriol Paredes, por ejemplo, casi nunca había hablado tan profundamente sobre la filosofía terrenal. Miki comenzaría, despacio, a sacar de dentro algunos temas. Quería dejar algo sobre la mesa, lo agarre quién lo agarre.

● ● ●

Oriol Paredes: me acuerdo un día en su casa, en Sant Feliú, que estábamos en el balcón. Él se puso una sudadera con capucha para salir al balcón. Ahí, en teoría, ya había pasado todo. Yo le decía «¿pero nunca has tenido miedo?» Y él me respondía: «*a ver... Al principio sí que piensas por qué a mí, por qué... Ahora, yo salgo a la calle y veo a un chico que va en silla de ruedas, y luego pienso ¿por qué a él, también? Yo creo que es algo que me ha tocado, y tengo que pasarlo*». Ese día se tocarían varios temas, él iba diciendo frases que decías «hostia». Por ejemplo, después, estábamos hablando de lo que creíamos y no creíamos, hasta que él me dijo: «*tú puedes creer en lo que quieras, pero si crees en algo, sé consecuente con eso*». También me hablaba del amor por sus padres, de lo que se apenaba por ellos: «*la naturaleza está hecha para que se te mueran los padres, sabes... Pero la naturaleza no está hecha para que se te muera tu hijo*».

Roger Vives Rubinat, con quien había jugado dos años en el juvenil de Lleida, compartiendo además la misma habitación en el hogar y el mismo pupitre en la escuela, sería otro testigo de aquellos meses, posoperatorios, en los que todo era subida, en lo que todo parecía ser un buen augurio de la curación.

Se encontrarían en la casa de Tremp y se fundirían en un gran abrazo. Miki lo recibiría con una esbozada sonrisa, le mostraría su cicatriz en la espalda y le enseñaría luego el hogar, sus camisetas, sus fotos, sus botas... Recordarían viejas épocas, cuando les gritaban Zipi y Zape, o cuando Miki, un poco despistado en el colegio, lo llamaba el domingo para saber si había deberes. En esa tarde-noche, entre charla y charla, se detendrían en el balcón, los dos solos, viendo hacia la montaña, prestando atención en un hombre de más de seis décadas. Allí, un silencio sería cortado por el anfitrión:

—*Qué suerte este hombre que ha vivido toda una vida, quién tuviera esa suerte...*

• • •

Roger Vives Rubinat: fue un pensamiento que yo nunca había tenido observando a un hombre mayor. Él me decía también que no se podía quejar, que había gente que estaba peor que él. Decía que no le faltaba nada, que estaba en casa, con la familia, que estaba bien, tenía buenos amigos, qué más podía pedir. Yo no podía entender que no se quejara de nada viniendo de lo que venía. Me decía que todo se lo debía a sus padres, que se arrepentía de no haber pasado más tiempo con ellos. Quería a su familia con mucha locura. Me decía que lo que estaba viviendo era un regalo, que después de la operación no sabía si iba a vivir mucho o poco, pero que lo iba a disfrutar al máximo, que la vida está para disfrutarla. Me dijo *«lo que me toque vivir, lo disfrutaré al máximo»*. Me enseñó a ver la vida de otra manera, me cambió el pensar. Él adoraba la vida. Me transmitía eso de valorar la vida. Tenía muchas ganas de hacer cosas. Yo salí de ahí diciendo «no me puedo quejar de nada». Me transmitió un montón. Cuando hablaba se lo tenía que escuchar porque transmitía convicción y mucha seguridad. Tenía mucha seguridad de sí mismo. Era un poco cabezudo, cuando se le ponía algo en la cabeza no paraba hasta conseguirlo. Por eso, yo me fui de Tremp convencido de que se recuperaría. En 4 o 5 horas que estuvimos hablando, me marcó para siempre. Salí de allí y me cambió la mentalidad. Quería estar más cerca de mi familia, disfrutar de mi familia.

4

Para ese entonces, la intención era estirar el verano feliz, luego de una primavera esperanzadora y un invierno horrible. Miki estaba ganando su competencia, estaba siendo más fuerte. La vía que conducía hacia la desidia se había bloqueado y sólo tenía la opción de dirigirse hacia la vía de la fortaleza. No concebía muchas más carreteras para elegir. En esta autopista, situaciones cotidianas adquirían un enorme atractivo cuando las repasaba con sus nuevas gafas. La definición de cada objeto dependía de la representación de cada sujeto. Podrían existir tantas interpretaciones como número de personas.

El nuevo chip, para el futbolista de Tremp, no llegaba en solitario: aparecía con una nueva valorización de cada una de las cosas. Eso lo hacía sentirse mejor. Con más ganas. Se sentía tan a gusto que el 27 de octubre saldría de sus escondites para ir a visitar a sus compañeros del Betis, quienes estaban alojados en un hotel de Barcelona, preparándose para enfrentar más tarde al Espanyol, y concentrándose para no agregar otro eslabón a la cadena de derrotas (llevaban cuatro consecutivas).

Miki Roqué aparecería en esa concentración para alentar a la plantilla, para darle impulsos, para opinar que la racha negativa era mentirosa porque el equipo había mostrado un mejor juego (había ganado los primeros cuatro partidos del torneo), para decir que el campeonato de Primera división llevaba pocas fechas y todo se podía revertir, para pedir que no se caigan, y para hablar mucho de ellos y no tanto de él.

• • •

Beñat: es que hablamos casi todo de fútbol, sobre cómo habíamos jugado el anterior partido, cómo teníamos que jugar el siguiente, vaya gol este, vaya gol aquel… Y él nos daba ánimos. Él nos decía de no aflojar en el campeonato. Y nosotros nos quedábamos como diciendo «bastante tienes como para preocuparte por nosotros». Pero él se preocupaba. Era un luchador nato. Estaba dispuesto a ayudar, incluso con la enfermedad. Así también era como jugador. No daba nada por perdido, jugaba siempre al límite, concentrado. Nunca lo vi tirar la toalla: él no luchó hasta el minuto 90, luchó hasta el 95.

Salva Sevilla: de las tres veces que nos visitó, fue la que mejor lo vimos. Bien de aspecto y bromeaba con nosotros porque él era muy bromista. Estaba supertranquilo, superconfiado. Llevábamos tiempo sin verle y había mejorado mucho. Incluso decía que había pasado un momento difícil, por el tratamiento y esto, pero que las cosas iban mejorando. Nos decía que estaba haciendo gimnasia, que estaba fortaleciendo… Nos quedamos con una sensación muy positiva. Yo ahí decía «éste vuelve».

Nacho: las charlas con él siempre eran de risa. Le decíamos qué cara la comida ecológica porque él se había empezado a cuidar con las comidas, le hacíamos bromas por el pelo… Lo tratábamos normal, que nadie fuese a pensar más allá. Era como alguien que hace tiempo no ves. En ese momento, él tenía la mentalidad de que volvía a jugar al fútbol.

Tomás Calero: lo vimos espectacular. Decía que ya iba a estar en Sevilla para enero, que quería estar para jugar con nosotros. No cojeaba, iba con unos vaqueros y no te dabas cuenta de que había tenido algo. Nos quedamos todos asombrados. Fue una cosa muy bonita. Siempre tenía fuerzas. Siempre para delante.

Ese día, nuevamente, chocarían la verdad de la ciencia contra la verdad de la creencia. Y las dos, cuando se estrellaban, solían generar esas preguntas tan incómodas y tan hermosas por carecer de respuestas. A diferencia de los futbolistas, a quienes se trató de maquillar la información, los médicos, el cuerpo técnico y los principales directivos del Real Betis Balompié conocían esa realidad que hacía ficticia cualquier vuelta del 26 a los campos de fútbol. La sabían con detalles, la conocían de memoria e intentaban disimularla o esconderla. Ahora, con las vicisitudes presentes en esta cita, ellos, los instruidos, se llevarían a su hogar una fascinación. El propio Miki crearía confusiones porque sus mismas fibras hacían crecer el porcentaje de la esperanza.

• • •

Rafael Gordillo: después de la operación, nos informaron de la gravedad del asunto, que todo era preocupante, que tenía un cáncer muy agresivo, que era muy complicado y que podía pasar lo que pasó. Pero en esa concentración lo vi tan bien, pero tan bien... Te hablaba con unas ganas que, aunque yo lo supiera, parecía que no iba a poder ser. Yo, aunque sabía bien la información, me decía «este tío es capaz de salir de ésta». Me ilusioné. Cuando tú ves que comienza a entrenar, que esto, que lo otro, yo también me aferré a la esperanza. Él seguía entrenando, pese a las molestias. Que tengo que jugar, que tengo que volver, que tengo que hacer esto. Y lo hacía. Entonces yo también me ilusioné. Un milagro o algo podía pasar, viéndolo a él cómo actuaba. No vi un tío derrotado. Tenía mucha juventud, mucho poderío y unas ansias por jugar al fútbol. Él te daba ánimos a ti, te ilusionaba. Yo decía «este tío es capaz».

Había como un viento susurrante que permitía eliminar las opresiones. En ese hotel se respiraría un clima ameno y reluciente. Tranquilizador y positivo. Luego de pasar a saludar por la concentración, Miguel Guillén (hacía poco tiempo había asumido como presidente del club), el administrador judicial de la institución, José Antonio Bosch, el director del área de salud, José Millán, Miki Roqué y su familia saldrían juntos, contentos, casi en caravana, para ir a comer al puerto deportivo de Barcelona. Allí se reforzaría el concepto de milagro.

• • •

Miguel Guillén: ese día lo vi fenomenal. Los médicos que conocen esta enfermedad son los que realmente saben que puedes tener periodos de mejora, pero también que en cualquier momento empeora y pega un giro de 180 grados. Nosotros, viéndolo a él, viendo el optimismo que transmitía, viendo cómo hablaba, viendo el magnífico aspecto que tenía, las ganas, la ilusión... Al ver todo eso, yo casi que lo daba por recuperado. En aquella comida se veía tan bien, tan espectacular... Te daba la sensación de que estabas hablando con un jugador que, a lo mejor, lo que le hacía falta era volver a tener el ritmo de competición. Aquella comida fue de lo más agradable que recuerdo yo en el club: charlamos, nos reímos... Hablamos de cómo volvería al Betis, cuándo quería volver, cómo quería presentarse ante la afición. Él me decía *«me gustaría presentarme ante la afición con una rueda de prensa o algo para darles las gracias, sobre todo por el apoyo continuo que me están dando, y que sepan que yo los escucho, que los siento, que lo vivo todos los días, por los minutos 26... No quiero aparecer de cualquier manera»*. Primero quería saludar a la afición del Betis, que lo había tenido tan presente. Todo esto en un clima muy distendido, muy agradable. Al final, en esos momentos tan complicados, no te quedas con las conversaciones, te quedas con las sensaciones. Cada vez que hablaba con él, siempre me quedaba con optimismo y con alegría. Es verdad que, a nosotros, los médicos nos dijeron que después de la operación era muy difícil que pueda volver a jugar al fútbol. Pero bueno... Siempre te queda la fe. Éramos conscientes de eso, pero no queríamos asumirlo. Y viendo al chaval decías «¿por qué, no?» Se creó un clima de optimismo porque lo tenía el jugador y nos contagió a todos. Todos quisimos mantener el «¿por qué, no?»

José Millán: en esa comida, había un señor, por la zona del puerto, que tenía una guitarra. Un hombre bajito, mayor. Entonces, yo salí un momento, lo vi ahí afuera y le digo que entre, que era el cumpleaños del señor canoso que estaba ahí. El canoso era Miguel Guillén. Entro y se lo digo a Miki: «espérate que ahora va a venir, y vas a ver cómo se va a quedar el Guillén». Nos reíamos muchísimo porque el otro llegó con el «cumpleaños feliz», diciendo «feliz cumpleaños, presidente». Guillén decía «que no es mi cumpleaños». Y Miki *«que sí, que lo es»*. Con él siempre estábamos de bromas. Yo se lo decía a Olga, su madre: «cada vez que hablo con él, salgo más fortalecido». Y eso que él no era muy comunicativo, no era como yo, que hablo más de lo que debo. Era parco, pero transmitía unas fuerzas. Siempre valiente. Era un hombre fácil de sentimientos. Te daba energías.

Su fuego, al parecer, seguía extendiéndose. Seguía quemando y encendiendo otros fuegos. Nadie lo quería apagar. Nadie estaba en condiciones.

5

Marc Vilanova (amigo de Tremp): él, en esa época, no se dejaba ver. Nosotros sabíamos que a veces estaba en Tremp, pero él no quería que lo vieran. Yo lo crucé de casualidad, durante los primeros días de julio. Iba entrenando con mi bicicleta, y él iba con su padre hacia Barcelona. Iba en la misma dirección. Fue una conversación de cinco, diez segundos. Muy breve. Pero ya sólo con verlo, ya irradiaba esa vitalidad, esa sonrisa. Contagiaba. Siempre es lo que ha querido mostrar de cara a los demás. Eso de *«si me preguntáis por mí, estoy bien»*. Yo siempre me he quedado con esa imagen de cuando lo vi en el coche, que iba con el gorrito, para taparse la cabeza. Es como se dice: una imagen vale más que mil palabras. Lo vi con aquella sonrisa. Lo vi como lo había visto siempre. En aquellos cinco segundos hasta me hizo una broma.

Amanecía después de cada madrugada. Miki Roqué no quería cambiar el mundo. O sí, tal vez. Sí podía luchar para cambiar pequeños mundos, y esa era una manera para hacer la revolución, para evitar que la desvalorización del ser humano crezca por la valorización de otros factores más banales. El cambio era de abajo hacia arriba, como tiene que ser, de menor a mayor, como una torre que no se puede construir empezando por el último escalón. Él quería ser un obrero en este compromiso. Dejar su aporte y contribuir con sus sentidos, tratando de ser siempre horizontal: entendía que había que dar mensajes, pero no órdenes. Que cada uno debía hacer su propia interpretación porque cada uno llevaba su propia respuesta.

Buscaría, por todos los medios, transmitir un perfil positivo. Por eso, cuando estaba mal, no se quería mostrar: ya lo tenía pensado y asumido, sin casualidades. Se refugiaba y llamaba a su compañera (a veces enemiga) «soledad». Por eso, también, del otro lado de la escena, la mayoría de las personas que veía en esos meses de gimnasio en Tremp o de ejercicios en la Ciudad Deportiva de Barcelona se quedaban embarazadas de tanta satisfacción.

• • •

Joel Lara: yo llegué a pensar que volvía. Después de la intervención quirúrgica, después de saber que era casi imposible, después de hablar con médicos, yo me llegué a pensar que volvía. Tras la operación, fuimos a buscar ropa deportiva porque él quiso entrenar. Y se entrenó. Y se puso fuerte. A mí me hablaba normal. Me decía *«me voy a volver a poner bien. Yo creo que en enero ya estaré muy bien. Ahora estoy fuerte, en el gimnasio».* Me hablaba como el representante. Si bien sabía la otra parte, yo pensaba que volvía. Yo me dije «a lo mejor, no sé a qué nivel puede llegar, pero que puede practicar el fútbol, sí que podrá». Y él creía que sí. Yo, viéndolo a él, después no me creía lo que decían los médicos. No me lo quería creer. En esos días todo era muy contradictorio. Aquella vez, cuando lo acompañé por la ropa, él te daba tranquilidad.

También viviría en esa etapa situaciones graciosas, de mucho humor, olvidándose y haciendo olvidar lo que había llevado dentro, lo que le habían quitado, ese «ciudadano», como llamaba Ramón Canal al tumor. Con Carlos Carmona, compañero en Cartagena, comenzaría a verse más seguido para compartir horas muy agradables: primero se encontrarían en la Ciudad Deportiva de Barcelona, debido a que el centrocampista se desempeñaba en el Barça B; después, además, se verían en otros sitios, ya que el mallorquín vivía a 400 metros del piso que Miki y su familia habían alquilado en Sant Feliú.

• • •

Carlos Carmona: al principio de todo, cuando nos reencontramos en el gimnasio del Barça, su imagen me impactó un poco. Lo vi cambiado. Había perdido peso y pelo. Pero, enseguida, él te hacía una broma. Te hablaba y, a los dos segundos, ya no pensabas que estaba enfermo. Yo, a los encuentros con él, iba con mucho cuidado. Iba pensando «a ver si lo encuentro mal, tengo que ser fuerte». Pero, al segundo, él se quitaba la gorra y me hacía bromas. Me hacía sentir muy bien. Me hacía ver otra realidad. Si hablábamos 30 minutos, 28 eran para bromear.

—*Mira el pelo... Ahora se usa el rapado, eh. Bah, da igual que esté peladito, si con la carita que tengo me queda todo bien.*

En uno de esos días de humor, los dos amigos se dirigirían al cine para revivir los buenos tiempos en Cartagena, cuando iban hasta dos veces por semana.

• • •

Carlos Carmona: ya con la película, vi que intentaba cambiar varias veces su posición. Lo estaba pasando mal, pero quería aguantar para que yo no esté mal, para no hacerme ir del cine. Movía bastante el pie. Me dijo que le entraba un dolor por debajo del talón. Le dije «Miki, vámonos que veo que estás sufriendo, vas a casa y descansas». Me contestó *«esto no es nada. En casa me va a doler igual»*. Insistí dos o tres veces más. Y nos fuimos. Él estaba aguantando, pero, al final, el dolor era mucho. Yo me preocupé, pero él me hizo ver de vuelta otra realidad. Enseguida nos empezamos a reír por sus bromas: *«es que tengo que tomar la medicación cuando tengo el dolor. Y hoy no la he tomado. Me dan una medicación tan fuerte, pero tan fuerte, que no se me levanta. Ya le he dicho al médico que no se me levanta, que no la quería tomar»*. Me lo decía todo de cachondeo, para reírnos, y no pensar en lo otro.

14
El mundo al revés

1

Ramón tenía 25 años, era licenciado en psicología, ejercía como terapeuta en un centro público de salud, seguía estudiando, perfeccionando su profesión, colaboraba en tratamientos de drogodependencia y amaba el baloncesto, deporte que había jugado hasta los 18. Ramón quería vivir, principalmente, dedicarse a vivir, sólo eso, algo tan simple y tan complicado. Vivir y no sobrevivir como los que esperan un no sé qué. Vivir más allá de los sellos y las definiciones que llevaba pegadas en su cuerpo: él creía, después de todo, que las etiquetas eran despegables, que ninguna presentaba un pegamento tan fuerte para persuadirse y dejar de ser. Era del grupo de los heroicos, de aquellos que bucean para modificar partes de un sistema que venera la repetición de cultos: buscaba pelearle con sus formas (convencionales o no), con sus enojos (agresivos o más suaves), con su rebeldía (productiva, educativa, peligrosa o fastidiosa). Deseaba combatir contra la parte de esa cárcel que está tan radicada: plantarse con responsabilidad y engalanarse con ejemplos. No registraba esa porción del estatuto hiriente que ordena que las personas se deben levantar todos los días de su cama para ganarse la vida, sin darse cuenta que la vida ya está ganada. Había preguntas que se instalaban y giraban como un carrusel: ¿qué gracia tiene sufrir y penar, ganándose la vida para poder morir? ¿Qué gracia tiene sólo sobrevivir? ¿No habría que levantarse con otra finalidad? ¿Cómo se mide el espíritu humano, si no existen límites, si no hay una máquina electrónica que arroje un resultado exacto?

Con un cáncer de huesos, ya diagnosticado con metástasis, y con su salud muy delicada, Ramón había ingresado en marzo de 2011 a la planta séptima del Hospital Dexeus. Allí pelearía con sus armas por sus objetivos. Y allí, en ese piso en el que las sonrisas se fusionaban a veces con los dolores, se enteraría un día sobre la llegada de un chico que tenía casi su misma edad, un jugador de fútbol profesional, famoso que aparecía en las páginas deportivas, llamado Miki Roqué.

Los dos se conocerían rápidamente, sin mediar ritos separatistas disfrazados con el traje de lo habitual. La amistad florecía sin mirar el reloj que parece prohibir quererse en tan poco tiempo. Juntos, desde el principio, comenzarían a apoyarse mutuamente y harían sordas algunas amenazas de la tempestad. Ejemplificarían la solidaridad llevada casi al extremo: de a ratos se olvidaban completamente del problema propio para volcarse con ímpetu en el ajeno. ¿Cómo se hace para repartir cuando se debe recibir? ¿O si se reparte también se recibe? ¿Cómo funciona este ciclo? Parecía que uno le daba fuerzas como deportista y el otro se las devolvía como terapeuta. Se entendían porque sí, sin otra doctrina que investigar. Se intercambiaban esperanzas, mensajes de lucha, de fortaleza. Miki, en la etapa que iría de junio a octubre de 2011, no tendría ingresos tan duraderos en el hospital. Ramón, en cambio, sí requería una atención casi permanente. Esos desencuentros, de todos modos, no serían impedimentos para que la unión sea cada vez más animosa. Cuando no se veían personalmente, la relación continuaba a través de la tecnología: se llamaban seguido, conversando hasta una hora por teléfono, y se enviaban además decenas de textos por día, a través del whatsapp. Los dos eran diferentes, almas distintas, aunque se unían en un punto: los dos luchaban por ese amor a la humanidad, luchaban con muestras concretas que se trasladaban y servían de movilización. El espejo de ambos advertía que no hay que vivir sólo porque es un hábito que se impone.

• • •

Vanesa Ruiz (enfermera): esto es de personas muy valientes, muy fuertes y con muchas ganas de vivir. Sobre Ramón, yo me decía «cómo puede ser que, con todo lo que tiene, con el dolor que debe estar pasando, tenga ganas de seguir viviendo y de luchar hasta el último momento». Me sorprendía. Ya sabíamos que tenía metástasis, que ya estaba bastante mal, y él, aun así, se anotó en un máster para seguir estudiando, estaba supercontento, estaba además con la novia... Se iba a su curso con la máquina puesta. En ese punto, Miki y Ramón se parecían, eso de querer seguir viviendo, de querer seguir haciendo cosas. Cada uno con sus metas. Se tenían simpatía entre ellos, tenían muchas cosas en común. Miki, por la personalidad, ya se juntaba con todo el mundo. Y Ramón también, porque al Ramón le gustaba hablar, te explicaba cosas...

María Caballero (supervisora de la planta 7): Ramón se nos escapaba cada dos por tres. Se iba a la universidad porque empezó a estudiar. En la última etapa de su vida se apuntó en una universidad, y se nos iba. Venía hasta el control, con su silla de ruedas, con su gorra y nos decía «que me voy a la universidad». Nosotras le decíamos «pero espérate, ¿tienes permiso?» «Sí, sí, que tengo», contestaba. Chequeábamos y sí, tenía el permiso. Estamos hablando de dos personas jóvenes, de la misma edad, más o menos. También es curioso: Ramón y Miki estaban casi con la misma patología y las mismas ganas de vivir.

Formarían una amistad intensa, y la intensidad, a veces, no puede calcular si es breve o si es larga. La intensidad no sabe mucho sobre minutos, sobre días o semanas porque rechaza todos los calendarios. Miki quería apoyar a Ramón, internarse en sus inconvenientes, y eso era lo que cotizaba. Le apetecía estar a su lado, achicando los surcos. Sentía que su fervorosa causa le pertenecía también. Admiraba su coraje, cómo su nuevo amigo continuaba yendo a estudiar, cómo continuaba haciendo el doctorado de psicología, cómo iba a las clases con la silla de ruedas y en la ambulancia, siendo consciente de su enfermedad y de sus peligros.

· · ·

Gonzalo Rivas: Miquel no se creía enfermo. Cuando estaba con Ramón, su intención era entregarse completamente. Miquel, cuando te lo explicaba, explicaba la fuerza de esa persona. Él lo ayudaba, salía de allí y, a los pocos segundos, te explicaba la fuerza de esa persona. Miquel no te hablaba como un enfermo.

Mientras más se caminaba por la cornisa de la muerte, más se hablaba de la vida. Miki, cuando se encontraba mejor, parecía que sólo iba al hospital para ayudar a los demás. Consideraba que tenía que ser así porque decía que necesitaba mostrar lo que llevaba dentro, y que no había cosa más importante que lo que sentía. Manifestaba que estaba bien y reconocía que había otros que estaban teniendo problemas: él quería explorar terrenos, ayudar a esas personas necesitadas que irían cruzándose en su camino. No era sólo un compromiso de palabrería: era involucrarse para ser parte de la solución.

Un sábado de octubre de 2011, el defensor del Betis estaba tan cómodo con su físico y tan alegre con sus ganas que decidiría subir solo a Tremp, manejando su propio coche, para regresar el domingo a Barcelona y seguir con su recuperación. Ese fin de semana, antes de marchar hacia su pueblo natal, le mandaría un mensaje a Ramón para saber cómo había amanecido, porque siempre estaba pendiente de él, y para preguntarle si tomaban un café antes de viajar. Ya no habría respuesta.

· · ·

Olga Farrero: el padre de Ramón vio el mensaje de Miki. Entonces me llamó y me dijo: «Ramón ya se ha ido». Me supo muy mal. Me dijo otras cosas, pero no me enteré de mucho, me había quedado helada, casi sin reacción. Yo no sabía cómo darle la noticia a Miki, no sabía qué decirle cuando llegara a casa…

—Miquel, ¿tú le enviaste un mensaje a Ramón?

—*Sí, le he enviado un whatsapp para ir a tomar algo, pero no debía estar muy bien, no me ha cogido el teléfono...*

Su madre, sin más recursos que la verdad, le informaría sobre el fallecimiento.

—*Pero no se tenía que morir, ¿qué ha pasado? Si hablé el otro día con él, ¿cuándo ha pasado?*

Miki tenía otras razones menos exteriores para sostener que no podía haber sucedido este desenlace, que no podía ser cierto, si su amigo tenía las fuerzas suficientes. Casi 48 horas antes del fallecimiento, Ramón le había pedido a su padre que lo acompañara a ver un partido de baloncesto, que jugaba el Barcelona en el Palau Blaugrana. Había tenido el coraje para ir en silla de ruedas, con la morfina, con todas sus medicinas, con esas molestias casi insoportables que sólo le permitirían ver la primera parte porque los dolores lo harían volver al hospital, ubicado muy cerca del estadio. ¿Por qué el destino jugaba de esa manera?

● ● ●

Santiago Viteri (oncólogo): fueron los dos casos parecidos, los dos pasaron mucho dolor. Ramón estaba allí con sus padres y con su novia. Tenía otro tipo de sarcoma, que era del fémur, pero cuando llegó a nosotros ya tenía metástasis. Hubo una época que coincidieron porque estaban ingresados. Lo que pasa es que cuando Miki estaba bastante bien, estaba entrenando y demás, fue cuando Ramón empeoró y murió. Ramón y Miki hablaban mucho. Los padres se habían apoyado unos a los otros. Siempre me preocupó bastante cómo le iba a influir a Miki la muerte de Ramón. Me acuerdo que hablamos un poquito. Le apenó mucho, y yo creo que también, de alguna manera, le dio a él una información que, si bien él no llegó a expresar nunca el miedo, es como que «si a Ramón le ha pasado esto...»

Miki, al comprender la noticia, tras digerir la primera negación, subiría a su habitación y bajaría con información: había averiguado el lugar de Barcelona dónde se llevaría a cabo la ceremonia del adiós.

—*Vamos a ir, mamá.*

—Miquel...

—*Sí, mamá, que vamos a ir. Que tengo que ir, tenemos que ir.*

Sus impulsos ganaban la mayoría de las oportunidades y pocas veces regulaba su marcha tras una decisión: se dirigirían finalmente hacia el tanatorio. Allí, aguantando sus sentimientos para no quebrarse, conteniendo su dolor para no evidenciarlo, Miki se pondría tenso durante el acto de despedida. En su estómago se tejerían nudos: una aguja hiriente cosía deprisa para unir cada una de sus congojas. Él no quería llorar, pero tampoco podía domar lo que quería salir: aquí no existe el botón que permite la pausa. Su madre, a su lado, sin despegarse un segundo, le alcanzaría un pañuelo, le pediría que llore y que no se reprima más.

Pere, padre de Ramón, al ver a Miki entre tantos amigos y tantos familiares, se acercaría a él y buscaría verbalizar sus emociones:

—Hay gente aquí, pero a la persona que más le agradezco que esté aquí, es a ti.

Con la voz que le quedaba, esa que sale cortada porque se habla más con el corazón que con las cuerdas vocales, el defensor soltaría su respuesta: «*ahora sí que sé que Ramón me va a ayudar; sé que por Ramón, yo voy a volver a jugar, yo sé que él me ayudará*».

Tan extraña será la vida que nadie logra aclarar cómo una persona, aun en la más absoluta ausencia, es capaz de permanecer muy presente.

2

El 30 de noviembre de 2011, en la planta séptima del Hospital Dexeus, ingresaría otra paciente, de nombre María. Una historia enorme, única e irrepetible, dentro de millones de historias enormes, únicas e irrepetibles. Ella presentaba un cáncer terminal y había aceptado su enfermedad. Estaba acompañada por su esposo, Rafael, y por su hijo, Miguel, de apenas 11 años, quienes habían arreglado dormir también en la clínica, en una habitación anexa, durante el tiempo que llevara la internación, procurando asimilar el desenlace. No se entiende muy bien el porqué, pero allí, en ese piso siete, casi todo lo que se movía parecía juntarse. Había como un aura anónima que obligaba a la unión. Era como un minimundo donde el presente del verbo dar se conjugaba completo: yo doy, tú das, usted da, nosotros damos, vosotros dais y ustedes dan. Miki Roqué, con algunos dolores, acostado en su cama y a pocos pasos de los nuevos vecinos, se empezaría a relacionar sobre todo con el niño. Notaba algo especial en él. Valoraba su entereza, su madurez para comprender un escenario que se alejaba kilómetros y kilómetros del ideal. Miki percibía que recibía bastante de aquel pequeño, que aprendía a su lado, y buscaría también la manera de dejarle su recompensa. ¿Cómo hacer para que ese niño pueda sonreír un poco durante este tramo del camino que le había tocado? El futbolista catalán se informaría bien sobre la situación de la madre y se volcaría entero en la situación del hijo. Como sucedió con Ramón, como sucedió con sus compañeros del Betis, como sucedió con su familia y como sucedió con sus amigos, el mundo se volvía a dar vuelta: el enfermo se convertía en enfermero.

• • •

Daniela Mota (enfermera): Miki preguntaba por María, pero yo tampoco quería decirle mucho, no quería contarle que estaba muy mal. No era bueno para él enterarse, no era positivo. Él tenía que conocer casos positivos para tirar para delante. Yo sólo le contaba un poquito.

Transformar el dolor en belleza. Miki luchaba por ese objetivo, aun entendiendo que la lucha era muy despareja. En cada paso, los mismos planteos se anteponían como el mejor defensa central: ¿qué es lo correcto y qué es lo incorrecto? ¿Existe una verdad o existen varias verdades? Los análisis eran efímeros porque se chocaban cotidianamente contra una idéntica conclusión: lo correcto es lo que se siente, dejando de azotarse tanto con las consecuencias. Sin pausas prolongadas, Miki agarraba su corazón, lo arrancaba de su cuerpo y lo apoyaba donde quería o sentía conveniente. No lo decía, no lo esbozaba ni en voz baja, porque nadie es capaz de confesar que perdió su corazón. Salía todo de manera natural: él lo daba a entender con luces y mensajes ignotos que nada tienen que ver con las palabras. Se iba de su cuento para protagonizar otros.

• • •

Miguel Cárdenas Martín: yo, en ese momento, estaba... Bueno, estaba como estaría cualquier niño de 11 años. Tenía esa edad cuando murió mi madre. A mí, Miki me daba ánimos. En ese tiempo fue como un hermano, porque yo soy hijo único. La verdad es que tuve conversaciones como si fuera un hermano, que cómo iba en el colegio y otras cosas... Me animaba para todo. En diciembre empecé la relación con él, dos o tres semanas después de que ingresara mi madre. Yo vi un cartel que ponía «NO ENTRAR SIN PERMISO DE LA ENFERMERA». Entonces me dije «bueno, aquí debe haber alguien importante, ¿no?» Yo fui a preguntar qué pasaba en esa habitación, y me dijeron «hay un jugador del Betis». Empecé a hacer memoria, pero no se me venía el nombre de Miki Roqué. Sí que lo había visto jugar, a mí me gustaba mucho. Era un defensa que a mí me gustaba. Le pregunté a una enfermera si podía entrar, y acabé entrando y lo vi, y dije «vale, ya sé quién es éste: Miki Roqué». Lo reconocí por la cara. Vi que estaba rodeado por un ambiente muy familiar, él era muy familiar. Después nos dejaron solos, y empezamos a hablar: cómo me llamaba, por qué estaba aquí, a qué colegio iba, lo que me había pasado en mi vida... A mí me hizo gracia conocer a un jugador de fútbol. Yo soy muy futbolero, veo cada partido de liga y puedo decir la alineación de cualquier equipo. Entonces, yo me ilusioné, ya presumí en el colegio que había conocido a un jugador del Betis. Me sentía orgulloso. Día a día nos empezamos a conocer más. Yo entraba cada día a su habitación, a lo mejor media hora por la mañana y media hora por la tarde, o una hora. Su madre fue a visitar a mi madre, como que hacíamos intercambio: la madre de Miki estaba cuidando a mi madre y yo estaba cuidando a Miki. Yo también le intentaba hacer compañía

156

para que no se sintiera solo. Y él me apoyaba con la enfermedad de mi mamá.

Había una clara conexión entre ellos que se acentuaba cada vez que se miraban. Las conversaciones entre Miguel y Miki, las preguntas y las respuestas, se estirarían con frecuencia y se repetirían más a menudo. Siempre mantenían el mismo foco: no había que olvidar lo que era ser feliz.

—Si vuelves a jugar, ¿tú pensarías que puede reaparecer el cáncer, que podrías jugar así?

—*Yo no pensaría en eso. Pensaría sólo en disfrutar.*

Bajo un mismo cielo había que buscar otros alicientes para sonreír, sacar a relucir otros estímulos, pese a las penurias que los dos estaban padeciendo. Para estas fechas, diciembre ya estaba tachado casi por completo del almanaque. Se acercaba la Navidad y, para Miguel, quien cursaba sexto de primaria, se aproximaban también los exámenes.

• • •

Miguel Cárdenas Martín: con el tiempo nos hicimos más amigos, pero llegó un día que le dije «mira Miki, a lo mejor será uno de los últimos días que esté aquí porque tendré que empezar a estudiar». Me dijo *«bueno, vale»*, nos dimos la mano, nos dimos un abrazo y cuando me estaba yendo me habló de nuevo.

—*Ven aquí un momento, Miguel.*

—¿Qué pasa, Miki?

—*¿A ti te gustaría conocer a un jugador de fútbol?*

—Sí...

—*¿Sabes quién es Puyol?*

—Sí, claro, claro...

—*Pues mira, mañana vendrá, y yo te avisaré cuando venga, ¿vale?*

• • •

Miguel Cárdenas Martín: esa noche, yo no dormí. Yo me imaginaba que sería uno de los jugadores del Betis, pero me dijo Puyol, y ya no dormí. Me puse la alarma, a las 7 de la mañana me despertaba, pero no dormí. A la mañana siguiente hice mi rutina: levantarme, lavarme los dientes, vestirme, hablar con mi madre, recibir a los familiares... La clínica era mi segunda casa. Después presumí en el colegio que iba a conocer a Puyol. Salí del colegio, volví a la clínica y me llegaba la hora. Cuando lo vi dije «hostia». No me lo podía creer. Lo miré como pensando «¿éste es Puyol, sí o no?» No me creía que lo tenía delante. Empezamos a hablar y estuvimos hablando una hora, hora y media. En este tiempo faltaba poco para que se jugara el Barça-Betis, y los dos me invitaron al estadio, pero yo pensé «a ver si va a coincidir con los últimos días de mi madre», y efectivamente coincidió. Por eso no fui, agradecí pero no fui. La familia es lo primero. Después me hice fotografías con ellos dos, y le pedí a Puyol que me dedicara un gol. Me respondió: «yo no creo que marque muchos goles porque soy defensa, pero ya se lo diré a Messi».

Carles Puyol: Miki no pedía nada. A mí, él nunca me pidió algo. Esa fue la única vez, pero no lo pidió para él, lo pidió por el chico, para animarlo porque estaba pasando una situación muy difícil. Ese día fui al hospital, y él me dijo *«oye, ¿te importa que haga pasar a un chico que le gusta el fútbol?»* Recuerdo que el niño era supermaduro. Estuvimos hablando un rato. Es duro cómo afrontan ellos estas situaciones. Cada persona es diferente, pero creo que en situaciones difíciles te superas y te haces más fuerte. Me sorprendió muchísimo cómo el niño hablaba de esta enfermedad, y cómo lo estaba llevando. Estaba muy consciente, pero muy triste. Estaba muy consciente de que la madre estaba muy mal. Se notaba que estaba sufriendo muchísimo, y él lo explicaba, pero lo explicaba muy bajo. Por lo menos, esa fue mi impresión. Puede ser también que estuviese nervioso porque creo que era del Madrid.

Miguel había aprovechado su tiempo para sonreír. El propósito estaba cumplido.

3

La conversión de enfermo a enfermero se daría también con el personal de la clínica. La incongruencia, de a ratos, era mayúscula y daba vuelta cualquier costumbre: Miki Roqué, paciente oncológico, se transformaría en terapeuta de sus médicos, impregnando su espíritu, teniendo el pasaporte para ingresar a los corazones y haciendo uso de sus sencillos procedimientos.

• • •

Juan Pablo Oglio (anestesista): Miki tenía algo. Tenía luz. Yo soy de sentarme al borde de la cama. Mi madre siempre me dijo «vos siempre tocá al paciente, siempre tacto». Pero con Miki terminábamos a los abrazos y a los besos. Ya entrabas, te saludabas, te sentabas a su lado, «¿qué hacés, Miki? ¿Cómo andás?» Iba a verlo más veces de lo que lo tenía que ir a ver. Siempre que tenía que subir a la planta, yo pasaba por la habitación. En mi caso, soy de terminar de trabajar y pasar a ver a mis pacientes, a ver cómo están, dignificar mi profesión... Pero con Miki fue un extremo. Ya cuando alguien deja de ser un paciente y pasa a ser un amigo, y vos estás en la guardia sin mucho trabajo, por así decirlo, o estás tranquilo, yo prefería estar charlando con Miki, que me podía contar anécdotas futbolísticas suyas o le contaba yo mis penas, y él me contaba las suyas y las comparábamos. O nos poníamos a hablar de coches, de la vida. Teníamos una relación de amistad. A veces buscas ese punto de alguien que no te juzgue porque no te conoce «desde hace años». Y entablas una relación más pura, como diciendo «empezamos de cero», sin tener prejuicios de nada. Contame tu vida y yo te cuento mi vida. Miki tenía algo especial, y entre todos lo potenciamos.

Ricard Valdés (anestesista y psiquiatra): lo que yo he aprendido con Miki, no se puede aprender en una carrera. Eso te pasa o no te pasa en la vida. A mí como médico me ha enriquecido mucho, pero más como persona. A mí me ha enseñado en la vida. A mí me gustaría en la vida mantener los valores de Miki: amistad por encima de todo, la sencillez y el amor por las personas. Porque Miki quería, y se notaba que amaba a las personas de verdad. Miki tenía aura. Tenía una personalidad que arrastra. Era como un imán que te atrae, y no quieres decir que no porque te encuentras bien a su lado. Yo tenía un magnetismo con Miki, me encontraba muy a gusto. Tengo claro que Miki hubiera sido uno de los mejores amigos de mi vida. Seguro. Hemos tenido una relación en el hospital, hemos pasado algunos meses, pero yo, como amigo, le hubiera dado todo. Es una persona que me ha ayudado mucho a comprender muchas cosas de la vida. Yo ahora le doy importancia a cosas que, quizá, antes no le daba tanta. Le doy mucha importancia a ser sincero con los míos, a intentar disfrutar un poco el día a día, claro que cada uno puede disfrutarlo a su manera, porque hay obligaciones que no te dejan. Luego, hay una cosa que comparto con Miki, que eso yo también ya lo tenía muy claro, que es el amor por mis padres. Llegué a tener un grado de confianza con Miki que yo con él podía hablar de cualquier cosa. A él llegué a explicarle problemas míos personales, los más íntimos. En algún momento tuve la sensación de que él me ayudaba a mí, en cosas mías, en momentos míos de bajón, de mucho trabajo, de problemas. Él llegó a conocer mis problemas, él llegó a conocerme bien. Como él se brindaba en todo, yo tuve confianza para explicarle mis cosas. Era una relación recíproca: él se vació conmigo y yo me vacié con él. Era una terapia de grupo. Encontré en él algo que no encontré en otras personas. Él me daba consejos, yo le daba consejos. Teníamos una relación de muy buenos amigos, y no habíamos pisado la calle nunca. Sólo lo vi en el hospital.

Alicia Sánchez Martínez (camarera): hablábamos de todo con él. Me acuerdo que un día estaba supertriste, me puse a llorar en su habitación, y él me consolaba a mí. Luego se lo dije a su madre: «vaya tela, en vez de consolar yo al Miki, me consuela él a mí». Una amiga psicóloga me dijo: «pero eso es superbonito, superbueno para él, porque se olvida del problema que tiene». Yo no sé, pero todo eso surgía. El

Miki era tan espiritual… Me hablaba de una manera que una persona normal no te lo dice…

Vanesa Ruiz (enfermera): había confianza, y eso hacía que te unas más. También descargaba con él mis problemas personales. Yo no soy de llegar y soltarte mis problemas, y menos con un paciente, pero él te veía la cara y te decía *«hoy no estás bien»*. Entonces, ya le contabas, le decías «joder, Miki, es que me ha pasado esto…» Él veía que nosotras somos enfermeras, pero también somos personas, que tenemos problemas. Él te daba fuerzas a ti.

Gabriel Masfurroll (director de la clínica): Miki fue un halo de luz en ese sentido. Era una persona que tenía muchísima facilidad para desgranar los problemas y, desde su ángulo, de persona impedida, y con un problema muy serio, todo le era muy relativo. Además tenía mucha facilidad para verbalizar eso. Y claro, cuando tienes una relación muy íntima con una persona como él, le terminarás contando tus problemas. Actuó un poco como terapeuta. Era un poco como el mundo al revés. Era un tío con un problema tan heavy, y el que te acababa ayudando era él. Es que no era sólo conmigo. Era así con todo el mundo. Era una persona que, entre otras virtudes, le gustaba y sabía hacer sentir bien a la gente. El enfermo, generalmente, tiende a ser desagradable porque no tiene ganas de hablar con la gente y, si habla, habla de sí mismo. El enfermo es un personaje muy egoísta, lógicamente, porque está en una situación de inferioridad. Miki no: él, cuando peor estaba, siempre preguntaba por los demás. Y con una memoria… No sé cuántas personas veía por día. Y te decía *«oye, ¿cómo te fue en aquella reunión?»* Le respondía «¿qué reunión? ¿De qué me estás hablando?» *«Sí, que me dijiste que la última…»* Yo ya no me acordaba, y él sí. El tío tenía un guión. Era una persona interesada en el resto de la gente. En su mundo y en mi mundo había muchos paralelismos, y el tío me daba terapia a mí, él siempre ofrecía eso. Supongo que para él también era muy terapéutico porque desconectaba.

María José Coll (directora de enfermería): yo lo iba a ver y me cambiaba la cara. Mejoraba mi día. Te conquistaba por cómo te hablaba, cómo te miraba. Cuando me enfadaba con una enfermera o tenía un día apretado, decía «me voy un rato a ver a Miki que se me pasa todo». Era un tío que enseguida se hacía contigo. Entraba a trabajar, iba al despacho, miraba a las supervisoras, cómo estaba el hospital y lo siguiente era ir a ver a Miki. Cada día así. El despacho quedaba en el segundo piso y tenía que subir hasta el séptimo. Para él, su máximo era que sus padres disfrutaran, que no les faltara nada. Como hijo era un 10. A él le gustaba que ellos lo pasaran bien, que se distrajeran, que su madre tuviera amigas... Daba ánimos a toda su familia.

15

El mensaje

«Mamá... Está muy bien ganar dinero, el Liverpool, jugar al fútbol, pasarlo bien, hacer viajes, disfrutar de la vida, pero... Pero todo esto, sin hacer nada por los demás, ¿qué sentido tiene la vida? No tiene ningún sentido... Vosotros, que sois los que más quiero, me gustaría que algún día pudierais sentir lo que yo siento ahora.»

MIKI ROQUÉ, a los 17 años, en Inglaterra, cenando con sus padres.

16
El último futbolista

1

Pepe Mel: yo lo llamaba, y él casi nunca cogía el teléfono. Rara vez cogía el teléfono. Lo que hacía era que luego te llamaba a ti. Yo le dejaba mensajes o él me dejaba mensajes a mí. No atendía porque quizá estaba hecho polvo, pero luego te llamaba, a lo mejor tres días después. De esa manera nos comunicábamos. Recuerdo la época que nosotros tenemos una racha fatal de resultados, en Primera división (10 partidos sin ganar, con 9 derrotas, desde el 22 de septiembre hasta el 10 de diciembre de 2011). Un día, yo lo llamo para saber cómo está, para interesarme por él. Lo llamo y no me lo coge. Me llamó dos días después, como siempre hacía. Lo curioso de este caso es que, cuando yo cuelgo, me doy cuenta que él había estado toda la conversación dándome ánimos a mí, *«que vamos a salir de esto, vamos a ganar, que el equipo está bien, que no te preocupes»*. Todo lo que me dijo fue para darme ánimos a mí en un momento que la prensa decía que me iban a echar. Cuando él se estaba jugando la vida y yo me estaba jugando un puesto de trabajo, que sea él, el que sin dejarme hablar, me anime a que luche... Me decía *«venga míster, que yo estoy desde aquí dando fuerzas, que vamos a conseguirlo...»* Él veía todo positivo, era alegría. A mí me dio una lección tremenda. La fuerza de voluntad que ha demostrado fue tremenda. Si no lo hubiera vivido en primera persona, no llegaría a entender, no llegaría a ver el foco de todo. Pensaría que ha sido valiente y tal, pero no llegaría a comprender todo...

2

El 14 de enero de 2012, Miki Roqué haría su primera y última aparición pública tras la rueda de prensa ofrecida el 5 de marzo de 2011. Iría hacia Terrassa para reencontrarse con sus compañeros del Betis, quienes se concentraban para visitar el día siguiente al Barcelona en el Camp Nou por el torneo de Primera división. Llegaría allí sabiendo que tendría un contacto con la prensa y que habría una sesión de fotos, debido a que desde el club se había organizado un homenaje para los profesionales que encabezaban su proceso de recuperación. Llegaría también de la manera que no quería: él, en los primeros meses de esta reyerta, había pronosticado y soñado estar para estas fechas en Sevilla, comenzando a colocarse las botas, cerca de Helió-polis, e imaginando cómo sería el recibimiento en el Benito Villamarín. Todo eso se había ido por un río hacia una desembocadura aún desconocida pero alarmante. Sus dolores, que habían reaparecido hacía algunas semanas, que crecían sin descanso y hasta habían apretado el freno de los ejercicios que realizaba tanto en la Ciudad Deportiva del Barça como en el gimnasio de Tremp, le empezaban a suministrar vagas advertencias. Miki hacía su propia lectura y comprendía esos mensajes. No los reconocía abiertamente, pero los comprendía. En su cabeza, no en su corazón, ya estaba descartada una posible vuelta al fútbol. Aceptaba el juego de su vida, sin exponer tanto sus tedios: de sus penas, él se defendía con una sonrisa.

• • •

Miguel Guillén: en esa concentración lo vi más deteriorado, se cansaba, se tenía que sentar. Estaba un poquito más tocado, lo vi más delgadillo, le costaba un poquito más moverse y no podía estar mucho tiempo parado. Esa es la imagen visual. Por la otra imagen, él seguía positivo y transmitiendo positividad. Seguía sonriendo. Era un luchador incansable. Después de la comida de octubre de 2011, salí encantado. Después de la concentración de enero de 2012, salí más consciente de que esto había cambiado, a pesar de que su actitud seguía siendo la misma, su manera de encarar, de saludar a todo el mundo, y los abrazos a sus compañeros. Esa fue la última vez que lo vi.

Nacho: lo de volver al terreno de juego, ya se había hecho la idea de que no se podría dar, como que ya se da cuenta de que no sería posible. Nuestra mentalidad también cambia. Decimos «bueno, que no vuelva a jugar, pero por lo menos que se salve, que haga una vida medianamente normal».

Salva Sevilla: ese día ya nos comentó que hubo una recaída, que había retrocedido un poco, que tuvo que dejar el gimnasio porque no se encontraba muy bien. Pero bueno... También sostuvo que los médicos le dijeron que podía pasar, que podía ser normal. Sí que estaba un poco peor, pero no pensábamos en el desenlace que ocurrió. Nunca lo dramatizó con nosotros. Nunca pensamos que podía pasar. Él seguía con bromas, siempre muy bien. Incluso estaba más fuerte. Nosotros lo veíamos y nos angustiábamos porque lo estaba pasando mal, y él nos alentaba. Mucho carácter, mucha fuerza, y te la transmitía. Era muy bromista, nos saludaba y bromeaba.

Con los medios de comunicación, siempre con su cordialidad, hablaría lo justo y necesario, sin dar demasiados sermones, sin encogerse de hombros y sin permitir que se escarbe tanto en un tratamiento que prefería continuar manteniendo en la más absoluta privacidad. Allí, en Terrassa, ante los grabadores, aprovecharía para romper ese silencio hermético, para soltar sus últimas declaraciones públicas, y para enviarle un saludo y un agradecimiento a la afición de su club.

—*Tengo muchas ganas de volver a Sevilla y poder agradecer a toda la afición del Betis sus muestras de cariño, que tan importantes han sido durante esta etapa de mi vida. Ver los partidos y oíros en el minuto 26 me ha dado muchas fuerzas en momentos muy difíciles, y me las siguen dando en este proceso de recuperación... Sabía que esta afición era muy grande, pero por lo que he vivido y todo lo que me han dado me demuestran que es la mejor del mundo. He pasado por momentos muy duros y es también muy bonito llorar de alegría… Quiero agradecer a la Clínica Dexeus, y a todos sus trabajadores, por el cariño y el gran trato recibido. En especial, al doctor Enric Cáceres y al director gerente, Gaby Masfurroll, además del jefe de los servicios médicos del Fútbol Club Barcelona, Ramón Canal… En cuanto pueda estaré en Sevilla para agradecer personalmente todas las muestras de cariño. Viva el Betis.*

Prólogos y epílogos se leían a cada momento, sin poder diferenciar. La principal excusa para el reencuentro entre Miki Roqué y el beticismo había sido homenajear justamente a Cáceres, a Masfurroll y a Canal. Por esa justificación merecida y planificada, y considerando el pretexto como ideal, el trempolín se reuniría por última vez con jugadores, cuerpo técnico y directivos béticos. Habían encontrado una feliz excusa para volverse a ver. Y las excusas no dejan de ser esos envites para realizar lo que se quiere: son bienvenidas porque el humano parece tan ridículamente ordenado que procura buscar siempre un motivo para comunicarse, encontrarse o relacionarse. La pregunta, aquí, surgía también cada tanto: ¿habría que inventar más excusas o habría que ser más informales para apiñarse sin depender de las razones? El objetivo seguía siendo desenredar esas ataduras que están impuestas sin necesidad.

• • •

Gabriel Masfurroll: estuvimos allí en Terrassa y al tío se le contagiaba el acento andaluz. A mí me hacía ilusión verle con sus iguales porque me había hablado muchas veces del Betis, de esto, de lo otro. Me apetecía. También tenía una obligación de representación de la institución. Fuimos allí. Ahí, Miki ya tenía muchos dolores. No podía caminar muy bien. Eso fue un punto de inflexión porque él volvía a lo que había sido su mundo, y volvía en las condiciones que él no quería volver. Para él era como una presentación en sociedad, se encontraba incluso con el mundo de la prensa. Y no estaba bien, y eso lo incomodaba muchísimo. Todo el mundo le preguntaba lo que él no quería oír, el «bueno, ¿cómo estás?» Y él se pasó todo el tiempo diciendo *«estoy bien, estoy bien, en breve, míster, vuelvo a entrenar».* Era una situación muy contradictoria: él estaba diciendo lo que le gustaría, pero sabía que eso no era verdad. Sabía perfectamente que ese dolor era el dolor de origen. Sabía lo digo yo: él no sé si sabía o presumía. Si yo tuviese que apostar, yo creo que él sabía que eso no iba bien.

Enric Cáceres: de aquel día recuerdo el cariño de todo el mundo con él, con nosotros, con la familia. Fue una situación vivida con sentimiento. Pero así como él y la gente que participaba lo veía como un acto de cariño, como médico siempre piensas «bueno, el tema no está solucionado, a ver qué va a pasar mañana». Eso lo llevas en la cabeza, lo llevas siempre siendo médico, porque siempre habíamos hablado de plazos: «si en dos años no recidiva, y si en cinco podemos darlo por curado...»

Después de un breve agasajo, de un cóctel para borrar nerviosismos e inducir bienestar, se escucharía en el salón el «bueno, ahora la foto». Cada uno de los tres homenajeados debía desplegar y posar con la camiseta del Betis que habían recibido de regalo: cada una llevaba el nombre pertinente y el 26 en la espalda. En la fotografía saldrían también Tomás Calero, Miguel Guillén, Rafael Gordillo, José Millán y, por supuesto, el propio Miki. Todos sonrientes. Todos disfrutando. Todos agradeciendo. Y el flash a punto de salir cuando...

—*Me cago en la puta... Joder, ¿quién ha sido el de la camiseta? Joder, que está mal escrito el nombre, coño. Pero si se los puse...*

A la camiseta de Masfurroll le faltaba una «s».

• • •

Gabriel Masfurroll: yo me había dado cuenta del error, pero no iba a decir ahí «hostia, mi camiseta está mal». Aparte, es muy habitual que la gente escriba mal mi nombre. Yo no le di ninguna importancia. Miki se dio cuenta y empezó a gritar, un chascarrillo, de manera graciosa, como era él. Y después dijo *«que le traigan una».* Me mira y me dice *«ésta no te la voy a firmar».* Le contesté «bueno, yo me la llevo, y cuando me traigas una, te la devolveré».

3

¿Cuántas cosas se habrán dicho sobre el amor?
Desde el primero de los siglos se habla sobre el amor.
Y, sin embargo, el tema despierta siempre unas cosquillas que, por mucho que se hable, nadie sabe explicar...

Enric Cáceres invitaría a Miki al estadio del Barcelona para presenciar el encuentro contra el Betis (jugado el 15 de enero). El defensor no quería ir. Y tenía sus argumentos para rechazar el ofrecimiento: en esta contienda, prolongada contienda, elegía no destapar tantos orificios para que ingrese la melancolía. Creía que era un error esto de ver tan a menudo la cara de «lo que fue y ya no será», debido a que, todavía con sus reducidas posibilidades, buscaba amenizar sus funciones y resguardarse de episodios propensos a bajar el porcentaje de energías. Tenía, por si fuera poco, algunos dolores físicos y algunas dificultades que hacían cojear su marcha, mostrándose defectuoso en un escenario con miles de espectadores y miles de cámaras de fotos. Y se sabía, claro, que Miki era también especial con su estética, ya desde adolescente, cuando intentaba acomodarse constantemente su melena o tardaba en vestirse el doble de tiempo que sus compañeros de Lleida, sólo por cumplir el objetivo de combinar bien todas sus prendas. De todas maneras, aun teniendo sus justificaciones claras para no aceptar la invitación al Camp Nou, aun con su propósito sin rasgos titubeantes, el futbolista catalán terminaría cambiando el «no» por el «sí» tras la insistencia de su doctor. No lo haría por él mismo: lo haría por su médico. Una vez más se anteponía el esfuerzo para agradecer: la verosimilitud de su mensaje estaba acompañada por la acción. Ese «sí» se leía únicamente como un agradecimiento: para Miki era un *«gracias por todo lo que estás haciendo».*

• • •

Enric Cáceres: estuvimos entre el público, fuimos a la zona presidencial porque tenemos acceso a esta parte. Él tuvo un comportamiento normal y correcto...

Como un magnetismo irresistible, tanto Cáceres como su esposa, la doctora Maite Ubierna, se acercaban cada vez más a Miki, y Miki se acercaba cada vez más a ellos, al punto de intercambiar números telefónicos. Había un cariño muy visible por mucho que se intentara disimular. Curioso modo de aproximación: curioso por el ambiente, por el tiempo y por lo poderoso. Esa triple comunión, mirada con ojos abiertos, no era normal. Esa triple comunión, mirada con los ojos cerrados, podía entenderse un poco más. Raros y sinceros sentimientos se fusionaban en la Clínica Dexeus. En este trozo de papel, la letra no estaba siendo tan legible, y las cosas que más quedaban eran las que no se veían. Lo efímero pasaba a ser lo inolvidable. ¿Cómo una relación, en tan corto tiempo, en un hospital, podía suscitar tanta adhesión? ¿Cuándo un paciente deja de ser paciente en medio de un tratamiento? Existía el convencimiento de creer que un rostro que relumbra puede hacer brillar también a los que están más próximos.

• • •

Maite Ubierna: el gran mérito de Miki es Miki. Resaltaba por su personalidad y por lo que fue capaz de transmitir en una situación extrema como estaba. Uno no se pregunta cómo se consiguió pasar esa barrera de médico-paciente. Esto es como tú te haces amigo de una persona. ¿Por qué te haces amigo de una persona? Porque te haces, no hay un porqué. Y eso es mérito de Miki, de cómo era él.

Al día siguiente del encuentro entre el equipo catalán y el equipo andaluz, Miguel Angel Parejo, quien había llegado a Barcelona para realizar su tarea como fotógrafo del club verdiblanco, iría hasta la casa

171

que alquilaba la familia Roqué en Sant Feliú para encontrarse con el jugador trempolín.

• • •

Miguel Angel Parejo: yo quería verlo, no para darle ánimos, sí para decir te veo y sé que estás vivo, sé que estás luchando, sé que estás peleando para salir de ahí. Yo ya sabía que no iba a jugar más al fútbol, pero quería ver que estaba bien...

No se veían desde la rueda de prensa, hacía ya 10 meses, y, en el estadio blaugrana, el objetivo de localizarse no había podido ser posible, principalmente porque prensa tenía que ingresar un rato antes y marcharse un rato después.

• • •

Miguel Angel Parejo: cuando lo vi, él estaba canijo, como sin masa muscular, un poco hinchado y bien de ánimo. Me acuerdo que se tumbaba en el sofá, subía los pies y jugaba con Gerard, su sobrino. No lo veía hundido. El equipo ya había vuelto a Sevilla, pero yo a él lo quería ver solo, por eso había decidido volver un día después. Fui entonces a su casa. Estuve un rato con ellos. La sorpresa mía de aquel día fue que él decide luego llevarme al aeropuerto. Le digo «no, Miki» porque él estaba tocado, no estaba bien. A la madre tampoco le gustó la idea. Claro, cómo le iba a gustar, si Miki no estaba bien....

—*Que sí, que yo te llevo al aeropuerto.*

—Que no, Miki, que cojo un taxi allí abajo o un autobús o lo que me lleve.

—*Que no, que no, que yo te llevo.*

• • •

Miguel Angel Parejo: y me llevó al aeropuerto. Eso demuestra la calidad humana que él tenía. Yo no quería porque lo veía y sabía que estaba tocado, que tenía dolores. Cuando él se despidió de mí en el aeropuerto, dijo *«nos vemos en Sevilla»*. Yo se lo creí todo. Era consciente de lo que pasaba, pero no lo quería ver. Él me convencía...

17
«El mundo a sus pies»

1

—*Mamá, ven.*

Miki estaba acostado en el sofá. Le dolía un poco la pierna y tenía los auriculares en sus oídos, buscando que la música, además de ser una distracción, se convierta en un transporte para viajar a esos lugares sin mapa. Entre tanto futuro previsible y tanto futuro imprevisible, él había comprobado que las letras, cuando se visten de poesía, son capaces de cambiar el mundo.

—Miquel, qué canción bonita. Me suena de algo.

—*Claro que te suena, mamá. ¿Te acuerdas ese día que, entre quimio y quimio, habíamos ido a Tremp y me fui a dar una vuelta con el coche? Ese día había escuchado esta canción que me gustó, que te hice escuchar después. ¿No te acuerdas? Me puse en Internet para intentar encontrar a esta persona. Vi que era alguien que estaba empezando y quería decirle que no lo dejara, que se animara, que valía mucho, que me había hecho sentir, que tirara para delante. Quería darle las gracias, pero cuando la encontré… Cuando la encontré, ya estaba para escribirle, pero… Pero después vi cómo estaba yo, y me dije no mando nada, no mando nada.*

2

Gabriel Guevara era un héroe anónimo, de esos que viajan, cumplen misiones y siguen viajando. Tenía los superpoderes que, comúnmente, son superinvisibles si no se pinchan las burbujas. Su heroicidad, en otros tiempos, hubiera servido para abolir esclavitudes, conquistar más libertades o pelear por ese mundo mejor. Él era capaz de bailar la mejor pieza de vals con el destino, aunque ya todo esté perdido. Era capaz de mirar al miedo, de mirarlo bien a los ojos, y decirle «¿qué te pasa?» Era sabio para transmitir que no es lo mismo morir muriendo que morir viviendo. Era otro de los guerreros que combaten en la vanguardia.

No tuvo una tarea sencilla para estampar su huella. El 3 de agosto de 2011, día de santa Lidia, le detectaron un cáncer de huesos. El tumor estaba en su columna, en una de las cervicales. El lenguaje médico diagnosticó un sarcoma de Ewing, una enfermedad que es prima hermana del osteosarcoma. El pronóstico, desde el principio, fue llenado con tintes dramáticos. Gabriel y su entorno comenzaron a hablar de quimioterapia, una palabra que se pronuncia fácil, pero que conlleva un dolor cruel para el paciente, en primer lugar, y para la familia, en segundo, debido a que se siente y se ve cómo se está destrozando un cuerpo. Además, al inicio de su tratamiento, los doctores tuvieron que trepanar su cráneo, con cuatro puntos, y colocarle como una corona de espinas, unos tornillos, unos hierros y un chaleco que mantuvo durante los seis meses que duró su sufrimiento. Ese chaleco rígido casi no le permitía dormir porque no podía estirarse. Los tornillos se infectaban. El pelo se caía. Sus defensas eran bajas y cogía rápido cualquier infección. Era el centro de atención cada vez que iba por la calle. Recibía miradas extrañas por los aparatos que llevaba encima, miradas que lastiman, y él devolvía sonrisas, luces siderales. Tenía 33 años, en ese entonces. Habría que tener mil vidas, mil corazones y mil mentes para entender qué padeció y cómo luchó.

• • •

Lidia Guevara: era mi único hermano, un chico sano, no fumaba, no bebía, era deportista. Yo, durante su tratamiento, paralelamente, me iba informando cada noche, no dormía. Hice como un máster privado para saber bien qué era lo que tenía mi hermano. Y a medida que más leía, más me enteraba, más me hundía en la miseria porque me daba cuenta que el cáncer, donde lo tenía, era la zona de riesgo. Era muy raro que a una persona de 33 años le saliera este tipo de cáncer. Es por eso que los médicos se desconcertaron un poco.

Gabriel era futbolero y un historiador del arte. Una persona culta, como se dice en la esquina del resumen. Una persona que quería volar alto, pero que cada vez tenía más síntomas para estar al ras del suelo. Por su estado, que iba de mal a peor, debía cambiar rituales. Sí o sí. Lo tenía que hacer forzadamente para intentar apaciguar el presente impetuoso que le había tocado. Luchaba con determinación para ganar un minuto confortable, para gritar de júbilo y no de dolor. En él se mezclaba la tibieza de su físico con la rudeza de su esencia. Presentaba incomodidades hasta para leer.

Un día, sin embargo, por desconocida razón y desconocido sentimiento, tomó un diario. Ese día, y no otro, quiso informarse. A esa hora, y no a otra, quiso leer. Y lo hizo delante de su hermana. Quizá haya sido un instinto rutilante o una mera casualidad. No se sabe. La nitidez, en estos casos, se esconde debajo de una cama. No hay respuestas para este cuestionario. Y está bien que así sea. ¿Por qué tendría que aparecer una contestación? Las casualidades pueden llegar a estar en ese ranking ficticio de las cosas más importantes de esta tierra.

—Mira Lidia… Este chico de aquí, Miki Roqué. Es del Betis… Hostia, este chico me parece que tiene lo mismo que yo. Hostia, qué chaval, la pelvis… Puede que tenga lo mismo que yo.

—A ver… Dame el diario.

Lidia cogió el papel y se apuntó el nombre: Miki Roqué. Ella no era futbolera, ni siquiera era capaz de explicar la ley del fuera de juego. Sí, en cambio, era muy esperanzadora. Quería buscar excusas, algo providencial, hallar optimismos que permitan cambiar las gafas. Ese día tuvo como un golpe energético. Quería saber cómo estaba ese chico que no conocía. Encontrar señales positivas y amontonarlas para quitarle peso a la mochila del desencanto. Su reflexión era casi como un ejercicio erróneo de matemática: «quizá, si ese chico está bien, mi hermano también podría estar mejor. Si a este chico le va bien...»

Cuando volvió a su casa, sin demorar demasiado, se propuso averiguar cuál era el estado del futbolista bético. Lo encontró por Facebook y le envió un mensaje privado:

«Hola Miki, perdona mi intromisión. No pienses que soy una persona entrometida, ni grosera. Sólo quiero saber cómo estás y desearte mucha fuerza. Mi hermano está pasando por lo mismo. Creo que debes tener un sarcoma por la característica de la zona. Te deseo lo mejor. Eres un deportista, igual que mi hermano. Sé fuerte, vas a superarlo. Un beso.»

• • •

Lidia Guevara: cada uno es un mundo, pero yo, en ese momento, buscaba fe, buscaba razones para creer. No sé bien por qué le escribí. Fue como un instinto que aún no me explico por qué lo hice, porque tampoco va conmigo entrometerme en la vida de las personas. Creo que somos algo más que cuerpos. De hecho, la ciencia no sabe dar explicación a lo más importante, que es el amor, que es lo que mueve el mundo. Y no saben por qué. No son conexiones neuronales.

Tres días más tarde, Miki Roqué entró a su Facebook, vio el mensaje y le contestó:

—*¿Me puedes dar tu teléfono?*

Lidia aceptó el pedido y esperó la llamada.

—*Hola, soy Miki. ¿Quién eres? ¿Eres Lidia?*

—Sí, hola Miki. ¿Qué tal? ¿Cómo estás?

—*¿Seguro que eres Lidia?*

—Sí, Miki.

—*¿Lidia Guevara?*

—Sí.

El diálogo tuvo una pequeña e imprevista pausa. Miki empezó a llorar. Y él sólo sabía llorar con el corazón. Jamás podría haberse dedicado al teatro, al cine o a cualquier tipo de trabajo que tenga relación con la actuación: él no podía inventar un sentimiento. Tal vez, en otro planeta, los malos actores sean los mejores porque no pueden improvisar una emoción. Allí, esos artistas de mala calidad serían merecedores de algún Oscar u otro premio de esos relevantes. En España, al menos, Miki no podría haber sido un actor exitoso: él expresaba sólo lo que sentía.

—¿Qué pasa, Miki? No llores. Perdona, ¿te he molestado con el mensaje? ¿Te he afectado?

—*No, no... Es que no te lo vas a creer. Es que pensaba que habían sido mis amigos, que querían darme ánimos y fuerzas, que se habían hecho pasar por ti... Porque tu música y mi enfermedad son un pack.*

—¿Eh?

—*Conducía mi coche, puse la radio... Yo no era mucho de escuchar música, música de tu estilo. La verdad es que no la escuchaba. Pero salió «Ningú com tu» y sentí alegría, no sé. Como que tu voz me daba paz.*

—Pero... ¿Cómo esa canción te ha gustado oírla? Si es triste... Es una balada, lenta, que habla de la pérdida del amor.

—*No sé. A mí no me dio tristeza. A mí me dio alegría. No te lo sé explicar. Y nunca me ha gustado ese estilo de música, pero tuve la necesidad de investigarte. En mi Facebook colgué ese día un vídeo tuyo. Me vi todos tus vídeos. Cuando te escuché, pensé «esta tía tiene que ser la cantante número 1 de Cataluña». Qué fuerte todo esto...*

• • •

Gonzalo Rivas: con Miki habíamos hablado de las coincidencias. Cuando pasó lo de Lidia, el tío me llamó flipando. En algo malo, negativo como puede ser una enfermedad como ésta, no deja de haber muchas apariciones de luz espectaculares. Tú creas tu realidad. Nada es casualidad. Incluso su enfermedad tiene un sentido, lo entendamos o no lo entendamos. No es casualidad que se encontrara con Lidia. No es casualidad que él sintiera una canción, que estaba redactando un correo para esta chica, lo borra y, meses más tarde, resulta que esta chica se contacta con él. Yo estaba en una terraza, y Miquel me llamó asombrado. No por ella, sino por la gracia divina, como diciendo *«realmente hay algo, sino es imposible»*. De la coincidencia me decía *«hay algo más»*. Lo habló como un poder interno que él tenía, que yo tenía, que todos tenemos. Cogía esta coincidencia como una belleza de la vida.

Olga Farrero: él me decía *«las casualidades no existen. Cuando una cosa la sientes de corazón, cuando la pides mucho, cuando las cosas se sienten de verdad, surgen. Tenía que pasar».*

Sin más enredos, anulando las entrometidas costumbres, Lidia y Miki sacaron el tapón del organismo para que se contacte todo con el afuera. Nunca habían hablado, pero era como si hubieran hablado siempre. En la solitaria oscuridad de los párpados, ellos hasta parecían verse.

—Bueno, ¿qué tal? ¿Y cómo te encuentras?

—*Bueno, pues… La verdad es que ahora me siento un poco desanimado. Últimamente lo había superado. No daban ni un duro por mi recuperación. Me decían que seguramente no iba a poder jugar al fútbol. Pero yo soy muy obcecado, muy luchador. Estaba haciendo rehabilitación en la Ciudad Deportiva del Barcelona. Lo estaba superando, yo veía que iba a volver, pero me ha empezado a doler de nuevo…*

Rápidamente, sin tiempo que perder, arreglaron para encontrarse dos días después en Plaza España, casi a los pies de Montjuic. Tenían ganas de verse. Miki podía todavía conducir su coche. Lo hacía con cierta dificultad, andaba muy cojo, le costaba, aunque lo quería hacer de todos modos.

• • •

Lidia Guevara: me subí a su coche, nos miramos y ahí hubo una situación a nivel cósmico, mágica. Sentí que nos conocíamos de otras vidas. Luego lo hablamos y nos preguntamos «¿a ti te pasó lo mismo?»

Cuando nos vimos, no sabíamos de dónde, pero sentíamos que nos conocíamos. Fue mágico.

Fueron a comer a un restaurante, en Paseo de Gracia. Ir a comer, en realidad, fue la excusa porque casi no comieron.

• • •

Lidia Guevara: es que no podíamos parar de hablar. Nos tuvieron que echar del restaurante. Recuerdo que hasta con el camarero hizo bromas: *«esta chica, esta chica es la mejor cantante que hay»*. Fue un momento muy divertido. Había como una chispa, una relación de almas, de almas que se necesitaban una a la otra. En un momento dijimos «vamos a brindar que nos hemos reencontrado». Dijimos esa palabra: «reencuentro». Y no sabíamos por qué. La sensación era que éramos amigos de otras vidas.

Quedaron impregnados, inseparables como el mago y su hechizo, como el poeta y su musa. Era diciembre y era de noche. Las luces de Navidad ya estaban encendidas. *«Esto es lo primero que hago en Navidad. Ahora me siento en Navidad. Ahora estoy viviendo la Navidad»*, le dijo Miki a Lidia, mientras sus ojos apuntaban hacia el infinito. Los dos estaban viviendo su invierno más duro. Eso sí: cuando se miraban, parecían lindar con otro territorio, lindaban con un fuego.

3

El amor parece ser también así, medio salvaje. Debe ser lo único indomesticable del ser humano. Es como un viento fuerte que sopla cuando quiere y que rompe casi todo lo que se interponga. Es un poco violento porque avasalla y porque, de otro modo, no sería amor. Lidia Guevara y Miki Roqué comenzarían a contactarse mucho a través del whatsapp. Tendrían conversaciones muy graciosas y muy profundas. Se complementaban casi de memoria, como una dupla de atacantes del mejor equipo del país. Así lo hicieron desde su encuentro o reencuentro, desde el segundo uno, para testificar que algunas verdades no son tan verdades y para entender que no habría que morir sin antes averiguar lo que es vivir.

—*Dile a tu hermano que, cuando estemos bien, nos vamos a ir al fútbol.*

Los dos, a su vez, parecían formar otra teoría para confirmar la relatividad del tiempo, para decir que pocas horas pueden ser más que 10 años, para comprobar que el almanaque presenta desiguales valores: un mes puede pasar velozmente o puede ir lento; cinco años de confianza pueden ser menos que cinco minutos. ¿La naturaleza se guiará por el calendario? Ellos, juntos, tenían vida, mucha vida, a pesar de sus particulares historias y de sus presentes plagados de lágrimas. Los dos compartían lecciones sobre espiritualidad y ostentaban tener esa condición de los poetas que no encuentran vulgaridades, sino que a todo le dan un sentido.

—*Dile a tu hermano que lo tengo que conocer.*

Pasarían días muy conectados. Muy pendientes, uno del otro. En una ocasión, Lidia llegaría al hospital con su guitarra. Miki se lo había pedido. Ella apareció en Dexeus y le cantó *Ningú com tu*, la versión en catalán de «Nadie como tú», que figura en el disco Memoria del Elefante, el primero de la cantautora. Él se emocionó. Escuchó su voz y no aguantó su firmeza. Él no quería mostrarse frágil delante de ella, prefería ocultar sus debilidades.

—Miki, permítete ser débil.

Esa era la canción especial que había escuchado aquella vez en Tremp, mientras daba vueltas con su coche. La melodía, la letra, la voz y ese algo más que estaba invisible sabían conmoverlo. No era el único de los temas de Lidia que ingresaba a su interior para agitar sus sentidos. Había otra canción que lograba despertar sus emociones, tan así que una partecita de la misma la llevaba en su estado de whatsapp: «Clara tiene tanto que ver, tiene tantas calles por recorrer. Clara nunca jamás tuvo nada, sólo el mundo a sus pies».

• • •

Lidia Guevara: Clara es una chica que lo ha pasado muy mal en la vida. A él le gustaba mucho porque, a pesar de todo, sabía que tenía mucho por recorrer. Que no tiene nada, pero tiene el mundo a sus pies. Está encima de la bola terráquea. Es muy visual. Imagínate en el globo de la tierra, y tú pisándolo y diciendo «no tengo nada». Mira lo que tienes debajo. Puedes hacer lo que quieras porque tienes el mundo a tus pies. Estás vivo. A él le llegó mucho esa canción.

Juntos se potenciaban para viajar tras sus objetivos. Había que cruzar ese mar repleto de miedos, conscientes de que el naufragio era una de las posibilidades. Había que dejar de ser monótonos. Había que vivir, que no es lo mismo que transcurrir.

—*Dile a tu hermano que lo quiero conocer.*

Los encuentros entre ambos serían cada vez más frecuentes. Harían algunas locuras, justamente con el propósito de disfrutar sin medir tantas consecuencias. Iban por el sendero que empieza en el dicho y que termina en el ejemplo, un tramo pequeño pero lleno de dificultades. En el interior y en el exterior, ya no había tanto de qué extrañarse: habría que brindar más seguido por los locos, ya que los cuerdos deben sufrir también en esta clase de mundo.

• • •

Lidia Guevara: me acuerdo de otro día que fui a verlo al hospital. Me presentaba a los médicos y trataba a las enfermeras como si fueran hermanas. Una vez pedimos una pizza. Jugaba el Betis. Llegó el minuto 26 y él se emocionó. Me miraba y los ojos le brillaban mucho, pero no quería llorar. Él, allí, estaba como en su casa. Se empezó a adaptar a la vida en el hospital. Decía *«éste es como mi pisito, esto es un lujo, tengo una suerte».* No pensaba en el lado negativo de las cosas. Le daba valor a las cosas. Yo le contaba que en el hospital donde estaba mi hermano había tenido muchos problemas, y él me decía *«me sabe mal que tu hermano esté allí y yo aquí, que tenga que estar en esa clínica y yo tenga que estar en ésta que me tratan tan bien. No es justo. Debería tener el mismo trato que yo».* Él se mostraba con una sonrisa, te daba ejemplos y, cuando te quejabas de algo, era como que te daba un toque de atención, como un «alto, date cuenta de que te estás quejando de cosas sin importancia». Un día me dijo: *«Lidia... Es que yo pienso, me asomo a la ventana, miro a toda la gente que pasa por la calle y pienso que todas esas personas deben estar sufriendo, deben tener historias que pueden ser peores que las mías».* Siempre sabía ver el lado positivo de las cosas. Siempre decíamos «todo pasa por algo».

—Dile a tu hermano que yo le voy a conseguir las camisetas de los que quiera...

Gabriel Guevara falleció el 6 de febrero de 2012. No llegó a conocer a Miki y nunca habló con él. Su tarea, quizá, ya estaba cumplida.

18

La puerta giratoria

1

Las sospechas por los dolores se cosían casi en silencio, se contaban sin contar y se escuchaban sin escuchar. Al principio, en esta baraja con más cartas que las permitidas, existía un pensamiento reforzado por un deseo: se creía que esas molestias podían ser secuelas de la operación, tal vez algún mal gesto posterior, alguna lesión desubicada o algún exceso en la recuperación. *«Tú no te enteras, yo siempre he tenido pubalgia, que me he machacado demasiado en el gimnasio»*, le explicaba Miki Roqué a Enric Cáceres, hablando de tú a tú, como dos viejos amigos de una misma edad y de un mismo barrio. Las ansias del defensor revolvían su inconsciencia tratando de hallar una posibilidad que descarte una sucesión de tristes secuencias. Esa búsqueda, que obedecía a sus latidos, se desarrollaba de manera natural. Su mejor antídoto era natural, y lo exhibía cada tanto a través del don de la espontaneidad: él estaba acostumbrado a indagar más allá de la línea ortodoxa, y a creer que con la mano se puede tapar el sol porque sólo es una cuestión de perspectiva. Nadie, por otra parte, nadie en esta embarcación sin puerto quería nombrar la palabra «reproducción». Se convivía, de cierto modo, en un ambiente implícito, colocando a veces algunos remiendos: nadie la nombraba, pero ninguno la negaba en su cerebro, ni tampoco la borraba cuando apoyaba la cabeza en la almohada durante la soledad del último pensamiento consciente. La recidiva había estado siempre volando por el aire, pendiente de lograr aterrizar.

Se sabía que el tumor podía reaparecer meses después de la intervención quirúrgica de mayo de 2011, al menos era una de las opciones manejadas —nunca descartada— por los profesionales, quienes ya habían evaluado otras experiencias. Por eso, con los antecedentes sobre la mesa, con esas estadísticas que se miran de reojo, cualquier murmullo se envolvía con la capa del miedo y crecía paralelamente con los sufrimientos físicos del jugador. Había una conclusión esclarecedora: los dolores de Miki eran avisos para iniciar una catarata de análisis y abrir una catarata de complicaciones. Aquellos puñales eran señales. El contexto, marchando despacio, se iría asemejando al de un preso que espera su condena, que no sabe si quiere escucharla de una vez por todas o aguardar que el juez, con una sentencia definida, se dilate un poco más.

• • •

Santiago Viteri (oncólogo): se empezaron a hacer pruebas y pruebas, se hacían resonancias… Ninguno, ni el traumatólogo Enric Cáceres, quien le tenía mucho cariño a Miki, y ningún otro quería creer que pudiera tener una recaída… Le hacían pruebas y más pruebas para intentar estar seguros. La sospecha siempre estaba. Al final se comprobó que había una reproducción del tumor en la misma zona donde lo habían operado. Entonces ahí evaluamos distintas opciones, si se podía hacer radioterapia o si se podía hacer una operación más agresiva. Esa operación, inevitablemente, iba a injerir bastante en el día a día. Explicarle a Miki eso… Mucho lo hizo el traumatólogo. Había que explicarle que, a pesar de todos los esfuerzos, de la operación, de quimioterapia y tal, la enfermedad se había reproducido en la misma zona, que lo más seguro era que lo iban a tener que operar otra vez, y que de esa operación quedaría con secuelas importantes, con distintas dificultades…

Enric Cáceres: en esa segunda evolución sí que nos dimos cuenta que era un caso grave. Sí porque creció muy rápido y muy agresivamente. Teníamos que hacer una cirugía muy radical, muy importante, con la esperanza de que le dejáramos libre de enfermedad…

Maite Ubierna: para nosotros, son diagnósticos malignos, que quiere decir que el porcentaje de supervivencia nunca es el 100 por 100, pero tampoco es el 0 por ciento. Por lo tanto, aunque los pronósticos no son buenos, cuando tenemos que ir con esto, siempre existen unos porcentajes de supervivencia y hay que luchar por ellos. Y cuando tienes delante un paciente joven, como Miki, pues es lo que hay que hacer, y médicamente hay que hacerlo. Y se hace siempre. En un cáncer siempre tienes que intentarlo, mientras el porcentaje sea bajo, pero no sea cero. Hay que hacerlo en un paciente joven...

El asunto, con letras de la medicina, se había vuelto más espinoso y agrietaba un espacio para que sea invadido por esa rabia que trae la impotencia. El doctor Cáceres, comandante principal del tratamiento llevado a cabo por la Clínica Dexeus, comprendía que, en primer lugar, no tenía más remedio que reunir a Miki y a sus padres, a los tres juntos en un rincón del hospital, para informar que el cáncer estaba otra vez molestando, y que había regresado más violento. El comunicado, por supuesto, no revestía de facilidad porque aquí ya no valía tanto que la profesión conviva con la cotidianidad de trasladar malas noticias: el cariño había crecido en proporciones inimaginables entre el trío traumatólogo-paciente-familiares del paciente. También es cierto, por otro lado, que la rutina de esta área nunca llega a borrar completamente el «¿cómo voy, cómo me expreso y qué digo?»

—Miki... Parece que la cosa vuelve a estar aquí. Hay algo aquí otra vez...

—*Para delante. En tus manos, doctor. Adelante... Toda la confianza en ti.*

· · ·

Olga Farrero: estuvimos ahí los tres, con Cáceres. Y fue Miki el que habló, él fue el primero en hablar, el que sacó enseguida la cara para hablar con el médico. Eso nos dio seguridad a nosotros, confort, y confort al médico también. Miki reaccionó muy bien, muy valiente.

Yo me quedé con el sentimiento de decir «qué fuerte está Miki». Y eso que fue un palo grandioso. No fue como el primero. El primero fue un dolor tan grande... Ese sinvivir de los primeros días es algo que no se puede aguantar, que luego lo vas asimilando de la mejor manera posible, vas viendo que tu marido, tu hija, que Miki lo van llevando con fuerza, siendo positivos... En cambio, en los días de la reproducción, cuando nos daban una noticia mala, y estábamos juntos, tú tenías que estar sereno porque veías su serenidad y te la transmitía. Miki tenía una serenidad y decía *«bueno, hay que hacer esto, vamos a hacerlo»*.

Maite Ubierna: nosotros siempre decimos que los hijos son a imagen y semejanza de los padres. Y en este caso fue así. Miki era una persona excelente porque Miki tenía unos padres excelentes. Nosotros cuando nos vimos en la obligación de comunicar o informar contenidos muy poco agradables, no sólo al paciente en sí, que a veces no eres tan explícito, no engañas pero no eres tan explícito, la ayuda que tuvimos de sus padres también fue total. El papel de comprensión, el papel que han hecho sus padres con el médico y el papel que han hecho sus padres con el hijo es intachable. A veces lo hemos comentado, yo no sé si sabría hacer lo mismo con mi hijo, no sé si sabría hacer lo mismo que ellos, cómo se han comportado ellos con Miki.

Santiago Viteri: ese momento fue duro, y él se lo tomó mejor de lo que te imaginarías. Quizá parecía que nosotros sí estábamos más preocupados, como diciendo «joder, no vas a poder jugar y tal», porque lo veíamos superentregado al fútbol, muy apasionado. Él fue como que dijo «yo lo que quiero hacer es curarme y vivir, y si no puedo jugar, no puedo jugar». Él lo que quería era vivir. Tenía muy claro que lo importante era lo importante. Nunca perdió el ánimo, la confianza y, en ningún momento, al menos conmigo, se desesperó. En ningún momento me dio esa sensación de que había tirado la toalla. Confiaba plenamente en lo que se le estaba haciendo, y él ponía todo de su parte. Hay pacientes que ven a los médicos como personas que trabajan para ti y ya está. Pero él se preocupaba por la gente, si te veía cansado, si esto, si lo otro, me preguntaba si me gustaba el fútbol, si era del Madrid o del Barça... Buscaba complicidad. Hay pacientes que también te ponen las cosas muy difíciles. Hay gente que tiene mucho miedo, que desconfía mucho. Miki te ponía las cosas muy fáciles. Y su madre, también. Era muy ameno hablar con ellos. Lo entendían todo, lo aceptaban todo bien. Él lo llevaba todo con muchísima entereza, y eso que los tratamientos son pesados. Lo veía muy maduro para lo joven que era. Algunas personas cuando están enfermas actúan un poco como aniñados, se quieren dejar cuidar, incluso personas adultas. Hay un pequeño proceso de decir «bueno, estoy enfermito, me tienen que cuidar». A Miki no lo veía así. Lo veía muy echado para delante, en el sentido de decir «bueno, hay esto, me operan, me tienen que dar una quimioterapia o lo que sea, pero yo quiero recuperarme del todo». No se le veía frágil. Se le veía responsable de su situación, quería hacerse cargo, quería poner mucho de su parte para recuperarse. Una persona de trato muy transparente.

Tomás Torres (médico especialista en cuidados intensivos): él tampoco daba la impresión de sentirse enfermo, ni desesperado, ni desgraciado... Siempre daba la impresión de que él pensaba que lo iba a superar todo, que él podría con todo. Pero claro, el dolor iba aumentando, y necesitaba cada vez más tratamientos... A pesar de eso, él estaba consciente, respiraba bien, miraba la tele, miraba sus películas, el fútbol, estaba alerta de todo, del caso de todos. Era simpático con todo el mundo. Realmente subías allí, a su habitación, y daba la impresión de que te llevabas una lección de vida.

Una de sus principales funciones parecía ser armonizar cada una de las situaciones que le tocaba atravesar: el anhelo de vivir en armonía consigo mismo y con los que estaban cerca. Siempre había sido así, no sólo en su periodo en el hospital, donde la faceta quedaría más en evidencia. En su niñez y en su adolescencia ya se distinguía también por la misma iniciativa, a pesar de que era menester una mayor atención para darse cuenta. Tenía sencillez, y la sencillez es una virtud, una cualidad que sobresale por culpa de los mecanismos que utiliza el hombre contra el hombre. Miki facilitaba tareas y desataba nudos con su corazón pegando brincos, con su capacidad para transformar un calabozo comprimido en un parque con más espacio para el esparcimiento. Tenía a veces la naturalidad de pensar primero en el otro y después acordarse de él mismo, toda una rareza terrenal, tenía ese algo que guardaba dentro, que era innato, que no planificaba y que sólo se dedicaba a emitir. Su carácter, en este tiempo de sufrimiento, se revelaría cada día, quedando muy expuesto para los que estaban en su orilla. Un ejemplo, entre cientos, se daría tras la comunicación de la recidiva, tras confirmar que el fútbol ya no sería posible, tras enterarse que sería sometido a otra larga operación, tras darse cuenta que la enfermedad se le escurría por los dedos y tras comprender que su vida corría serio peligro. Tras todo ese golpe feroz, Miki, sin derrumbarse y manteniéndose estoico, masticaría vidrios pensando primero en la emoción ajena:

—*Pobre doctor Cáceres, vaya marrón que le he metido, vaya marrón que tiene conmigo.*

Sus prioridades alteraban cualquier tipo de orden: donde tendría que decir «yo», decía «tú».

• • •

Maite Ubierna: a nosotros también nos decía *«vaya marrón que tienen conmigo».* Es que él se había dado cuenta de que el caso era muy difícil para nosotros. Es un caso médicamente difícil. El cáncer no es en todos iguales. Y en algunos, la lucha es desigual. El cáncer siempre va por delante nuestro porque, si es muy agresivo el comportamiento de la célula, por más que hagas cosas, te coge por derecha, te coge por izquierda. Si la célula es muy agresiva, te sale por delante, por detrás, por arriba. Entonces, por más que tú luches, la lucha es desigual. Y él se dio cuenta de que, por más que nosotros poníamos mil intentos, y consultábamos y analizábamos traer al mejor cirujano que nos podía ayudar, él se dio cuenta de que las cosas eran difíciles.

2

El abrazo...
Como abrigo.
Como analgésico.
Como coraza.

• • •

Ricard Valdés (anestesista y psiquiatra): Miki, por supuesto, tenía altibajos y lloraba, como es lógico, porque lo necesitaba. Ahora, al día siguiente, entrabas a su habitación y él te animaba, él era el que te animaba. Yo no te puedo diagnosticar una depresión en Miki. Tenía un cuadro adaptativo, que se da cuando las personas en su vida se ven sometidas a muchos estresantes. Miki es normal que desarrollara clínica ansioso-depresiva, pero en ese contexto, de estar con una enfermedad, en un hospital, durante mucho tiempo. Dentro de estos altibajos, me acuerdo que hubo un día que su madre me dice «¿por qué no subes hoy un ratito a verlo porque está mal anímicamente?, lo veo mal, está irritable, no duerme bien». Yo recién llegaba al hospital. Entonces, a eso de las 11 de la mañana, o algo así, subí. Cuando yo subo, la madre y el padre se van para dejarnos solos, y empezamos a hablar. Hay un momento en el que él rompe a llorar, primero porque lo necesitaba, también se da cuenta de que no va a volver a jugar al fútbol, pero yo veo un poco entrelíneas que él se empieza a dar cuenta de que hay algo más, de que su vida peligra. Y él rompe a llorar y me pide que lo abrace. Entonces, claro, yo ya estaba con los pelos de punta. Él me pide que lo abrace y yo, como médico, anestesista, psiquiatra, llego a perder cuál es mi función porque como el vínculo era ya tan estrecho... Yo ya iba a visitar a Miki como un amigo, sólo que trabajaba en el mismo hospital, y luego cuando tenía que hacer mi función de médico, la hacía. Fui a verlo más como amigo que como médico. Ese día que me pide un abrazo, yo le di un abrazo. Pero claro, le di un abrazo a una persona que está estirada en la cama, con lo que al final, no sé cómo ocurrió, pero yo me veo tumbado en la cama con él, abrazado. Hay un momento que yo me agacho, él me coge fuerte y yo me emociono, me emociono y no puedo cortarlo. Y lloro. Lloro con él. Él ya estaba llorando, y yo lloro con él. Me acuerdo perfectamente que me dijo «*necesitaba un abrazo tuyo*». Después tuve que salir de la habitación. Eso no me pasó nunca. El abrazo me dejó todo el día temblando. Todo el día. Yo no sabía contener todo eso emocionalmente, y me dejaba temblando. Primero soy persona. Me tuve que ir de la habitación. Cuando nos volvimos a ver, me dijo «*a mí me sirvió mucho ese abrazo*». Y yo le dije «a mí también me sirvió».

Olga Roqué Farrero: él estuvo algunos días en casa, en Sant Feliú, pero casi no se podía mover. Yo procuraba no estar mal delante de él, pero un día sí que me costó. Ya era para la segunda operación. Yo, en esta segunda vez, sí que seguía teniendo esperanzas, pero había muchos momentos que pensabas «joder, esto no sé...» Me acuerdo que él estaba en la cama y le dije «mira, lo necesito», y me eché a su lado. Se lo pedí yo: «necesito abrazarte». Y me dijo *«abrázame, ven».* Nosotros no éramos mucho de expresiones, pero el abrazo nos sirvió a los dos para transmitir al otro lo que sentíamos. Me tiré en la cama, y lo abracé. Estuve allí un rato. Fue un poco raro al principio, y luego me sentí superbién. Él no dijo nada. Y yo no dije nada. Cuando pasó un rato, le digo «bueno, Miquel, pues para delante». Me contestó *«y tanto».*

Olga Farrero: tengo presente otro día que estaba con Miki en la habitación, que me cogió y me dijo *«llama a papá que quiero abrazarlo».* Miki no me soltaba. Miquel, mi marido, estaba en la suite, ya estaba con los ojos llenos de lágrimas. Aquella vez terminamos los tres abrazados, nos fundimos los tres en la cama...

3

—Estás fuerte. Tú has jugado al fútbol, eh. Tienes buen cuádriceps.

• • •

Ricard Valdés: continuamente, cuando iba a verlo, él me hacía bromas, me tocaba las piernas y apretaba...

—Tío, no toques. ¿Qué pasa? ¿Te van los tíos o qué?
    —Que no, que no...
    —Tú tienes que muscular algo, eh, que se nos está fastidiando el músculo.
    —Sí, sí... Pero tú porque no me has visto de pie a mí, eh. Tú a mí no me has visto de pie.
    —Bueno, eres un tío de 1,85...
    —No, no, no... Yo soy más alto que 1,85. Soy más alto que tú, eh.

• • •

Ricard Valdés: él tenía eso de que yo lo veía en la cama. Y hay un momento, justo en el que él está mal, está con un catéter en la espalda, delgadito, antes de la operación de febrero, justo en ese momento, él se levanta para ir al baño, me mira por encima del hombro y me dice *«te das cuenta que soy más alto que tú, qué te pensabas, que sólo eres tú alto o qué»*, como queriéndome decir «todavía aquí está Miki». A mí eso me hizo pensar, me dio a entender que él continuaba pensando salir adelante, pelearla, y se agarraba a cualquier argumento. También mantenía su grado de chulería, él no quería aceptar que se estaba deteriorando. Siempre hablábamos de que él jugaba de central y de que yo jugaba de central, de cómo jugaba cada uno...

—Hostia, cuando salga de aquí tenemos que jugar un partido.

—Te voy a meter dos palos que vas a ver.

—Te los voy a meter yo a ti.

4

El húngaro Peter Paul Varga era, probablemente, la persona con más experiencia en el mundo para realizar cirugías en la zona sacroilíaca. Tras una evaluación y un esfuerzo desmedido, Enric Cáceres y su equipo conseguirían que el especialista, un número 1 en su profesión, viaje hacia Barcelona para realizar, conjuntamente con los médicos de la Clínica Dexeus, la operación diagramada para el 1 de febrero de 2012. Era a todo o nada, sin medios, sin conformismos, sin perezas, sin dudas. La lucha, desigual o no, debía continuar sin plazos porque la causa de uno ya le pertenecía a todos, porque todavía había esperanza, y a la esperanza había que respetarla, a la esperanza había que aferrarse con las dos manos y con los dos pies. No se podían bajar los brazos porque el paciente, el que más sufría, era el que más luchaba para vivir, abriendo sus alas para volar y enterrar cualquier fantasma. Miki Roqué peleaba porque así era su esencia, y la esencia no desaparece ni se esconde en la oscuridad. Aquí se empezaba a estar pendiente de los detalles más mínimos porque en este tramo ya se caminaba sobre una cornisa: desde el lado de la medicina, se habían jugado todas las fichas para salvar la vida del catalán.

• • •

Enric Cáceres: en esta segunda cirugía, se puede decir que el sacro lo eliminamos completamente. La cirugía fue exitosa, desde el punto de vista técnico, pasa que el gran problema del cáncer, en algunos casos, es que aunque localmente consigas el control, a nivel global puede dar metástasis. Sí que pensábamos, de todas maneras, que con la cirugía que habíamos diseñado podíamos a lo mejor controlar la enfermedad. Sí que lo pensamos. Luego resultó que no. Pero sí que lo pensamos, si no no hubiéramos hecho una cirugía tan agresiva.

Juan Pablo Oglio (anestesista): se buscaba que fuera curativo. Es evidente que si te sacan parte de tu columna, no es para darte una calidad de dos meses de vida. Es para que sea curativo. Si traen un cirujano desde Hungría, especializado en esto, para hacer esto, evidentemente se pretendía que sea curativo. Si te metés en este tipo de intervenciones es para salir adelante. Cuando tenés a alguien joven, y podés hacer algo curativo, aunque sea agresivo, pasás por todas. Es más, después de esto, Miki llegó a salir un tiempo del hospital.

Santiago Viteri: había una intención de quitarle todo el sacro para que no hubiera posibilidad de que quedara ningún resquicio del tumor. Esa operación no se hace casi nunca. Tuvo que venir un superespecialista de otro sitio. Hicieron un tipo de operación que es única prácticamente.

Miki se emocionaría una y otra vez, con lágrimas dulces, al ver cómo el personal del hospital se esforzaba en la misma trinchera y al sentir cómo todos soplaban un aire aliviador en este peregrinar. Quería agradecer, uno por uno, una y mil veces, para que no haya puntos finales en esta historia. Ellos, para él, dejaban de estar vestidos con la ropa de trabajo: ellos, vistos por los ojos de él, pasaban a estar vestidos con la ropa de la amistad, demostrando que aun en el peor de los casos los valores pueden impregnarse.

En la UCI, luego de la complicada intervención quirúrgica, recibiría la visita del cirujano Varga, quien ingresaría acompañado por su colega Cáceres. El trempolín, con esa agüita recorriendo sus mejillas y con su vocabulario en inglés, tendría la necesidad de expresarse ante el doctor húngaro: en todo este tratamiento, en toda esta enseñanza, había comprobado que no hay que dejar tantas palabras dentro del corazón.

—*Muchas gracias por venir. Cuando esté bien, iré a tu país para agradecer lo que has hecho. Cuando yo esté bien, tú tendrás una visita mía...*

A partir de ese entonces, en los primeros días posteriores a la operación, el principal impulso físico y psicológico del exjugador del Betis sería para poder caminar. El cometido, claro está, era casi imposible o directamente irracional: ¿cómo alguien podría caminar fácilmente sin su sacro? De todas maneras, él quería intentarlo, abrir las ventanas de su propia celda, creyendo que existía un error en el concepto imposible. Confiaba en su brillo, sin importar la salida o la puesta del sol. Volvía a pensar que en el intento, en la iniciativa, está lo más importante.

· · ·

Marc García (compañero y amigo en Lleida): cuando hablábamos, el tema era «una vez superada la enfermedad...» Él nunca me dijo «si salgo de ésta, iremos a tal lado»: él decía *«tú tranquilo que, cuando me recupere, ya iremos a hacer una paellita, nos iremos de fiesta».* No contemplaba que se quedaría ahí. A partir de esa segunda operación, ya me hablaba de otra manera, ya me dijo que dejaba el fútbol, me dijo *«para que te des una idea, estoy luchando para caminar».* Entonces ahí ya vi que se había complicado el tema. Cuando me hablaba, había algo que no me cuadraba: él me animaba a mí. Tú le hacías preguntas directas, pero él nunca te contestaba directo. Nunca te iba a decir «me han sacado el sacro entero, estoy así, y si salgo de ésta, gracias». Él decía *«voy a salir de ésta, voy a acabar andando y tú tranquilo».* Te lo decía de una manera... Todo para que estemos tranquilos.

Ramón Canal: yo lo picaba siempre, le decía «venga, andando». Con la familia, él era más exigente. Yo le pegaba bronca en ese sentido: «bueno, despabila tú, que te vas a volver a levantar, despabila...» Le metía arengas, como que los padres me decían «tú ves que le metes caña y te hace caso». En ese momento, él ve que no seguirá jugando al fútbol y que empieza también a tener riesgos. Y aquí hay dos riesgos: uno que pueda perder la movilidad y después él ve que, si se va reproduciendo, puede perder la vida.

—*Coño, y si vuelve a salir, ¿qué va a pasar?*
—Te lo volveremos a sacar.
—*¿Y si vuelve a salir otra vez?*
—Te lo volveremos a sacar —le repetía Canal, con otro tono, más paterno, más suave, más bajo, indicando seguridad y cariño.
—*¿Y cómo vamos a sacarlo?*
—Sacándolo.
—*¿Cómo?*
—Lo vamos a sacar, le vamos a meter química para que no pueda vivir ahí dentro, le vamos a hacer la vida imposible para que se vaya.

Caminar era un milagro desde la óptica médica. El problema era que el manual de Miki no contemplaba rendirse antes de la derrota. No importaba el cansancio de girar para encontrase siempre en la misma altura: le diría a Cáceres, en más de una ocasión, que quería probar levantarse y probar andar, aunque sea con pasos cortos, que quería intentarlo sí o sí. Si perdía, que sea por orden de la vida: él no aceptaba perder por no haber arriesgado. Valía la pena el sacrificio: aun sabiendo el posible impedimento, valía la pena para contagiar ejemplos.

• • •

Ricard Valdés: yo recuerdo el día en el hospital que se levantó y caminó. Yo recuerdo esa mañana cuando él se levanta y te aseguro que tuve que salir de la habitación porque me emocioné mucho al ver el esfuerzo que él hacía por caminar, incluso hubo un momento que perdía el equilibrio y tuvimos que aguantarlo. Una situación muy difícil de manejar emocionalmente porque ves que no va bien y cómo lucha la persona. A mí lo que me dio más impresión fue verlo. Tú tienes fotos de cuando era futbolista, pero claro, un futbolista así, encamado, con tantas intervenciones y hospitalizado tanto tiempo, muscularmente se atrofia, con lo cual, las piernas eran dos palitos. Y a mí me dio mucha sensación verlo cómo se esforzaba en levantarse e intentar caminar. Miki luchó y luchó, pero luchó como un animal contra su enfermedad. Pienso que lo que más lo ayudó es que él vivió esos meses en el hospital como él vivía su vida. O sea, con los mismos valores que él tenía en su vida. Yo creo que a partir de ese momento, que él se prueba a levantar, que pierde el equilibrio y que no acaba de ir bien la cosa, es cuando él se da cuenta que puede llegar a morir.

5

Qué importa el mañana,
si no se puede disfrutar del hoy.
Qué importa el destino,
si nadie lo conoce,
si para descubrirlo hay que avanzar.

Miki, al aceptar la invalidez para caminar, armaría un mundo nuevo para olvidar otra vez la presión de la realidad: empezaría a abrir la misma cantidad de puertas que se le estaban cerrando. Bailaba igual, sin una canción que suene. Parecía que durante el día se le cerraba una posibilidad, mientras que por la noche abría otra, cuando sus párpados no se caían, durante los alegres insomnios que alargaban su carretera para avanzar. Así, entendiendo que nada dura mucho, doblaría su apuesta para disfrutar también de lo efímero. Creía que no hay que hacer de la vida —dure lo que dure— una lenta y aburrida agonía. Escribiría, más seguido y con más cuidado, algunos guiones para aquellos que lo rodeaban, guiones sin palabras, guiones con ejemplos, prohibiendo tener los ojos en la espalda, mirando siempre para atrás. Una pila de mensajes dejarían el balón botando en el medio del terreno para que cada uno lo pueda patear para el lado que más convenga. En estos primeros meses de 2012, con las especulaciones al margen, no se sabía si él consideraba que era imposible sobrevivir, lo que sí se comprobó es que, para él, era imposible no pelear por ese objetivo.

• • •

Gabriel Masfurroll: su gran mérito fue disfrutar el tiempo que estuvo en el hospital, que eso es algo que muy poquita gente sabe hacer. Miki le sacaba la parte positiva a todo. Y a parte lo decía. Te decía *«hostia, pero cuánto estoy aprendiendo de ti»*. Era una persona muy generosa: siempre daba para todo el mundo. Yo creo que él nunca llegó al punto de querer hacerse una reflexión asimismo de decir «dónde estoy y hacia dónde voy». Él vivía el día, el día a día. Quizá sólo en la etapa de preoperación o posoperación, donde todavía había algo de luz en el mundo del fútbol, podía pensar otra cosa. Ahí sí que tenía algo más. Pero en el momento en el que ya sabe que hay una recidiva, él abandona ya el preguntarse y cuestionarse qué le está ocurriendo. Alguna vez lo hemos hablado esto con Santiago (Viteri), hablamos del mecanismo de supervivencia y de decir «yo vivo el día a día y prefiero no saber más». Hay como dos perfiles de pacientes oncológicos: el que para vivir tranquilo necesita saber el 100 por 100 de la realidad, es decir, el alcance, el diagnóstico y la probabilidad de vida, y el que no. Frente a eso, el médico tiene que comportarse según las necesidades del paciente. Miki era uno que, hasta donde yo sé, nunca quiso saber.

Ramón Canal: yo creo que ni siquiera se ponía mucho a buscar información por Internet. En general, los pacientes se ponen poco, lo digo por experiencias que hemos tenido. Buscan otras cosas. A esto, directo, no van. Todo el mundo sabe que hay gente que vive después del cáncer y otros que no. Entonces, hay veces que la gente no quiere ver o no quiere que le puedan explicar que su caso puede ir mal. Su caso es su caso. Y en Internet no va a ver su caso. Su caso lo va a escribir él. Entonces ya no buscas porque no quieres afrontarte a pensamientos.

Ricard Valdés: pienso que hay un momento en el que él ya no quiere más información. Hay un momento en el que él va viendo la evolución de las cosas y ya no quiere más información.

Gonzalo Rivas: no sé si era consciente de la enfermedad. Lo que sí era consciente es del poder, como ser, que él tenía, respecto a las cosas que él vivía. Sabía que dentro de él había lo necesario para hacer lo que se podía hacer. Cuando él me llamaba para contarme cosas de la enfermedad, me decía *«hay que hacer esto, me dijo que haga esto».* Tenía la virtud de saber elegir el momento de todas las cosas. No sé si sabía lo del bajo porcentaje de vida. Y, si lo sabía, él no perdió ni un gramo de energía. Él era así, «yo voy a lo mío, yo pongo toda mi energía y toda mi atención a esto». Si no lo has vivido, es muy difícil entenderlo. No hay palabras. No sé. Se dirá que es un tipo con garra, con optimismo, valentía… Es una parte de Miquel que muy poca gente conoce.

La puerta giratoria se cerraba y se abría, continuamente, rápidamente. Miki se desvelaba por la noche para intentar romper una nueva cerradura, para cambiar la esclavitud de sus encierros por la libertad de sus intenciones. Al ver, veía, y se daba cuenta de cuántas cosas se pierden por aparentar mirar. Había que atisbar, siendo cautelosos, para hallar esas pequeñas cositas. Aquí existía una lluvia que mojaba de verdad y otra que mojaba de mentira. Aquí había que divorciar —tantas veces como se pueda— el miedo del futuro. Hilvanar algo simple. Aspirar a que las decisiones no estén todas sujetas a la pregunta «¿y después qué vendrá?» Si bien sus principales sacrificios, desde pequeño, habían estado destinados para ser futbolista profesional, el mensaje que quería dar tras la recidiva era otro, quería decir que no hay que ser tan fanático de las etiquetas porque la vida pasa demasiado rápido si se hace siempre lo mismo, quería gritar que se pueden escribir varias historias dentro de una historia, quería afirmar que la mayoría de las prohibiciones nacen del prohibido. Todo, a pesar de estar acostado en una cama, lo haría con vehemencia. Así, en este proceso, irían surgiendo nuevos proyectos.

Gonzalo Rivas: a veces me decía *«si no juego al fútbol, me gustaría hacer lo que hace tu cuñado, producir música».* Era una cosa que le encantaría hacer. Entonces relativizó. El tema del fútbol lo dejó como diciendo «para mí, ahora, no es lo más importante de mi vida», como una integración brutal.

Ramón Canal: también decía *«me iré a trabajar otra vez a mi pueblo, y llevaré el tractor, y haré otra vez de payés».* Como que no pasaba nada. Iba viendo la parte alternativa, veía que no podía ser futbolista profesional, pero podía hacer otro trabajo. Se iba adaptando a las posibles salidas que le quedaban.

Jordi Senallé (tío de Miki): hacía planes para arreglar la casa de Tremp, para mejorar el jardín, la piscina. A su madre le decía *«yo me iré a casa, me tendrás en casa, haré lo que sea, si tengo que ir a la granja, iré a la granja».* Todo sin decaer. Era tan positivo que atraía a la gente. Supo atraer hasta el último momento.

Olga Farrero: buscaba tranquilidad. Ya sabía que no podía volver a jugar. Te hablaba con tranquilidad: *«me quedaré en casa, me dejarás estar en casa, iré a buscar al Gerard al cole, quiero pasear, mirar las estrellas».*

Lidia Guevara: hizo un trabajo mental. Decía *«y bueno, si no lo supero, si me quedo en sillas de ruedas, me iré al campo, con animales, y tomaré el aire».* Barajaba distintas posibilidades. Quería vivir, daba igual cómo. Recuerdo que una vez, en una caja, con una carta, le envié al hospital una guitarra de regalo. Y enseguida me llamó: *«Lidia, qué has hecho, yo no la merezco, te la pago, yo te la pago».* Después fui y le di unas cuantas clases. Él no sabía nada. Estaba sentado en la cama, con el colchón reclinado porque ya no se podía mover mucho, y aun así tenía los cojones para tocar la guitarra. Se la ponía encima, y lo aprendía a la primera. Creo que era superdotado. Aprendía enseguida, absorbía todo y se motivaba, se alegraba de cualquier detalle, le daba valor a las tonterías. Quiso aprender acordes y aprendió dos enseguida, y se emocionaba, festejaba, *«qué bien suena esto»*. Me decía que si no hubiese sido futbolista, le hubiera gustado ser cantante y guitarrista. Un día, en un mensaje, me grabó «Clara», mi canción. Y cantaba muy bien. Me sorprendió porque afinaba muy bien.

María José Coll (directora de enfermería): conmigo también hizo planes de futuro, de ir a buscar tomates a mi huerto. Sabía que yo iba el fin de semana, y me decía *«ahora no me traigas porque, cuando esté bien, ya iremos a buscar tomates allí»*.

Elena López (auxiliar de enfermería): te contaba todos los planes que tenía, lo que quería hacer y lo que no. Había perdido la idea de seguir jugando, pero tenía muchísimos planes. Se hacía querer mucho, y se hacía muy fácil.

Ricard Valdés: él le dijo a su padre, delante mío, que se iba a ir a la granja con él, y que lo iba a ayudar. Y el padre le decía «¿y qué vas a hacer en la granja?» Entonces Miki le contestaba *«no, papá, yo te ayudo en la granja, y yo tiro para adelante la granja»*. Ya se planteaba la vida sin fútbol, pero con su familia y con otras cosas. En eso lo ayudaba mucho la madre, porque su madre también es así. Cuando descartó el fútbol, habló de muchas cosas para hacer. Incluso que no le importaría dedicarse a hacer enfermería o algo relacionado con la medicina. Se adaptaba a todo, eso es tener una capacidad de adaptación tremenda a cualquier situación. Eso es tener plasticidad. Buscaba la parte buena, en vez de quedarse anclado en lo malo, él buscaba la ilusión, engancharse a algo, pues estudiar, ayudar a mi padre, ayudar a otros, escribir un libro para que la gente sepa cómo he pasado esto. Intentaba engancharse a la vida continuamente. Había cosas que se le habían derribado, pero el dolor le duraba un día. Al día siguiente ya estaba pensando cómo darle la vuelta. Me decía que el ser humano no tenía límites, y que podía hacer todo lo que se proponga.

Esto me lo decía cuando se planteaba cambiar de profesión, hacer enfermería u otra cosa. La madre le decía «pero cómo vas a hacer una carrera». Y Miki le respondía *«mamá, yo puedo hacer todo aquello que me proponga, no tenemos límites»*.

19
Realidades

1

El terreno de la lógica, lentamente, le iría quitando espacio a la confianza. Iría mordiendo, avanzando como terrateniente ambicioso. Las intenciones, los miedos y las realidades se mezclaban, se superponían, giraban con el propósito de crear confusiones. Miki Roqué empezaba a empeorar seriamente, ya imposibilitado de moverse, tumbado en una cama, casi sin probabilidades de salir de esa habitación ubicada en la planta séptima del Hospital Dexeus. Ni siquiera podía acurrucarse, ese gesto protector que viene con los seres desde el primer segundo de existencia, ni siquiera podía darse calor en esa posición fetal que recuerda al cálido interior de la panza de cada madre. Muy poco tiempo después de la intervención quirúrgica realizada el 1 de febrero, los doctores diagnosticarían metástasis, condicionando cualquier alternativa terapéutica. Es cierto que casi nadie, todavía en ese entonces, era capaz de animarse a juntar los vocablos «paciente» y «terminal», justificándose en la juventud de Miki, en las ganas de Miki, en el optimismo de Miki y en que, a veces, por una simple y desconocida razón, se puede llegar a vivir más tiempo de lo que se estima. Sin embargo, ya era evidente que en este desierto escaseaba el agua: con pesar y buscando la definición más exacta, los estudios médicos informaban que era un «paciente incurable». En esta historia, sin tantas opciones, ya desafinaban algunos estribillos de coplas tristes que resultaban, a la postre, indisimulables.

• • •

Santiago Viteri: se habían hecho algunas pruebas y, en esas pruebas, ya se veía que el tumor no estaba sólo en la zona del problema, sino que se había extendido a otros lugares, como al pulmón... La alternativa que quedaba, teóricamente, era darle otros tratamientos de quimioterapia, pero las posibilidades de que eso funcionara eran muy, muy, pero muy bajas. Y hablamos, y llegamos a la conclusión de que no valía la pena porque realmente Miki lo había pasado muy mal con los últimos tratamientos de quimioterapia, había tenido muchos efectos secundarios.

Enric Cáceres: el problema fue que, relativamente pronto, después de la segunda cirugía, hizo las metástasis pulmonares. Eso ya hizo que el proceso cambiara de pronóstico. No por el problema local, que lo teníamos controlado, sino por el problema sistémico. Eso fue lo que nos hizo ver que el tumor era muy agresivo. Porque después de una cirugía técnicamente con un buen resultado, con la recepción amplia de todo el tumor, no tardó mucho tiempo en tener metástasis. Entonces, el problema ya no era el control local, sino que era el control general. Es absurdo intentar controlar localmente algo, si a nivel general puede estar en todo el cuerpo.

La tierra, para el ilerdense, comenzaba a dar vueltas más lentas, evitando pagar peajes en una autopista veloz. Todo y todos, sin darse cuenta, metían un pie en el aula de los sobreentendidos, un espacio donde había una complicidad melancólica, donde había una cortina que separaba, que mostraba algo, a veces algo muy visible, otras veces algo muy confuso, sin tanta claridad, para que el enigma juegue un poco en este partido. Para Miki, otra vez, sin entretiempos, había que recomponer el rompecabezas porque las fichas se habían desordenado con el nuevo huracán. El mundo parecía tener deudas con él, parecía deberle algunas respuestas: ¿por qué las tormentas se daban una tras otra? ¿Por qué cuando se secaba de una lluvia, cuando la asimilaba, unas gotas furiosas lo volvían a empapar de inmediato, sin descansos en el medio? ¿Por qué el temor invadía de nuevo si ya se había retirado de esta contienda? Las suspicacias, que son también tan innatas como cotidianas, veían el hueco para pujar: quizá había que acostumbrarse a ciertos tipos de miedos, a esos que van y que vuelven, que se retiran pero se quedan en la frontera, que practican siempre el mismo hábito de distracción; quizá habría que tener en cuenta que lo único que cambian son los métodos para pugnar contra esas molestas invasiones.

● ● ●

Carles Puyol: yo me enteraba de todo a través de Ramón Canal. Luego, también, le iría preguntando a los doctores, y toda la gente te decía que era complicado. Pero nunca se sabe. Tú piensas en «¿por qué, no?» Hay muchos cánceres que han dicho que le queda poca vida y luego han seguido viviendo. Entonces tienes la esperanza de que pueda superarlo y pueda salir.

El propio Miki empezaría a preparar a su familia, con cursos invisibles, como aceptando una orden que no se entendía muy bien de dónde venía, quizá de otra vida, quizá de otras fuerzas. El exdefensa del Betis sacaba provecho de la montaña que había estado escalando durante los últimos meses, desde donde parecía haber tenido una mejor vista, un panorama más claro, con mayor perspectiva. Salía definitivamente de su retaguardia para asumir que no debía alarmarse cuando caminaba despacio si la idea era llegar bien lejos. Volvía a centralizarse en la carretera, en las formas, sin interesarse en la cinta de llegada. Su análisis quedaba al desnudo: claro que los caminos importaban más que las metas; cómo los caminos no van a importar más, si el final de todos los finales, si el desenlace para todos y para todas, ya es conocido e idéntico. ¿Cómo iba a renunciar a la idiosincrasia de los pasos? Consideraba que el tiempo se acortaba, aunque todavía era suficiente para capturar cientos de momentos y revisar el peso de cada una de las mochilas: buscaba cumplir el objetivo de aliviarlas para que el después sea más llevadero. Todavía quedaban días para más enseñanzas. Todavía tendría que realizar sus últimos pedidos. Miki, al cabo, entendía más de lo que decía entender, y estaba dispuesto a regalar los soplos que le quedaban.

—*Mamá, todo pasa por algo. Gracias a que me pasó esto, aprendí muchas cosas, me he dado cuenta de muchas cosas. Esto puede ir mal, y tú tienes que tirar porque están los pequeños, está la Olga, está el Albert, está papá y por ti misma. Cada cual por uno mismo. Hay que tirar.*

Como al pasar, cada vez con más continuidad, diría palabras y recitaría conceptos que todo parecían traer y todo parecían llevarse. Para el escucha había una tarea de interpretación, debía descodificar el mensaje y prestar atención al misterio que lo cubría: era como oír tratando de hallar algunas contraseñas. Su mirada se estrellaba contra los cristales de otros ojos, los penetraba y ya no había vuelta atrás.

• • •

José Millán (director del área de salud del Betis): a mí no hay quien me quite que él era consciente desde el principio, pero quería tanto a sus padres y nos quería tanto a todos, que no lo manifestó, sino que lo interiorizó. Creo que ése es uno de los mayores valores que le doy al chaval.

Antonio Farrero (tío de Miki): él tenía clarísimo cómo acababa esto, pero clarísimo desde hacía algún tiempo. Sin decírmelo, con la mirada. Pero también decía «*oye, esto hay que tirarlo adelante, si tenemos algún problema en la familia, si tenemos algún problema personal, para delante, hay que solucionar las cosas*». Pensaba también cómo ayudar a cada uno. Si le digo estas palabras, le ayudaré, si le digo estas otras, no.

Elena Garay (tía de Miki): yo siempre he creído que él tomaba una decisión y la tiraba para delante. La hacía suya y, a partir de ahí, iba con todo el equipo para delante. Era consecuente con él mismo, y con sus decisiones, hasta el final. No atropellaba nunca. Como él no atropellaba nunca, como él siempre era respetuoso, siempre exigía el mismo respeto, y lo igualaba para todos. Nunca se veía desbordado por los demás. De chico era un niño con carácter, pero creo que el estar afuera, estar en Inglaterra, le determinó mucho más ese carácter, lo hizo mucho más fuerte. Tenía una obsesión e iba con todo, lo ponía todo. Y con la enfermedad hizo lo mismo.

Ricard Valdés: hay algunos momentos, en la habitación, en los que Miki prepara a sus padres para cuando él muera. Hay algunos momentos que les habla, los va preparando, les va diciendo que si pasa eso, que no se preocupen, que ellos tienen que seguir para delante, que hay vida, que sobre todo miren por su hermana, que miren por su sobrino. Les decía *«si a mí me pasara algo, os pido por favor que intentéis ser felices, que intentéis seguir adelante, sobre todo que tengáis mucho cuidado de mi hermana, de mi sobrino».* Yo he estado en esas conversaciones y se te ponían los pelos de punta.

Cristina Farré (amiga de Tremp): en una de las últimas veces que fui a verlo al hospital, me quedé sola con él y me acariciaba la mano. Nunca había sido tan cariñoso conmigo. Me decía *«yo nací para pasar por esto, mi destino es éste».* También me dijo: *«Tienes que vivir, tienes que ser feliz, todo pasa por algo, tienes que vivir con esto».*

Oriol Paredes: la última vez que lo vi fue en el hospital, un día que fuimos con Cristina. Habíamos seleccionado fotos, fuimos a comprarle un álbum, se lo dedicamos por detrás, compramos el papel de regalo y se lo llevamos al hospital. Ahí ya no estaba muy bien. Pensábamos con Cristina que, si no podíamos subir, que se lo suba alguien, Olga, la madre, alguna enfermera... Queríamos que sintiera que estábamos ahí. Llamamos a Olga y le dijimos lo que habíamos hecho. Le preguntó a Miki si quería que subiéramos, y Miki le dijo que sí. Subimos, le dimos el álbum y se puso a llorar. Lloramos mucho ese día, nos pusimos todos a llorar, porque son muchos años. Hablamos de cuando éramos pequeños, de los buenos amigos que habíamos sido los tres. Él decía que la habitación era ya como su casa. Decía que quería estar tranquilo, quería tranquilidad. Al principio, sí quería volver a jugar al fútbol, pero ahora ya quería tranquilidad, sólo eso. Para la despedida, cuando nos fuimos... Siempre nos despedíamos chocando las manos y dándonos como un abrazo. Ese día fue un poco más. Nos dimos un beso, estaba más emocionado. Fue la última vez.

Olga Roqué Farrero: para esa época empezamos también a enviarnos muchos mensajes por whatsapp, y de esta manera nos expresábamos mejor. Tal vez, él podía llorar, pero no le veía la cara. Entonces empezamos a hablar más. Un día me dijo *«mira Olga, tengo la opción de irme, no está tan claro lo que me está pasando, pero yo no tengo ningún miedo a irme».* Quería que su tranquilidad me tranquilizara. Me dijo que temía al sufrimiento, pero no al irse. Entonces, yo le decía que también podía tener la opción de irme mañana. Y me contestaba *«pues también tienes razón».* Decíamos como que el primero que se vaya, que dé señales. Intentábamos sacar la parte cómica. También en estas conversaciones hablábamos de la enfermedad como una bendición. Parece raro decirlo así, pero analizábamos muchas de las cosas que habíamos aprendido. Al final del día acabábamos el whatsapp con un «te estimo». No es una palabra extraña, pero entre nosotros no la decíamos nunca. Es una de las cosas que los humanos, muchas veces, damos por hecho, con lo maravilloso que es escucharla y decirla a alguien que quieres. Estas conversaciones servían también para que él creyese que me ayudaba a mí, y yo a él. Nos tenían entretenidos cada noche. Sólo intentábamos ayudarnos uno al otro con palabrerías porque simplemente nos queríamos.

2

Miki creía que, tarde o temprano, todo acaba en el sitio que le pertenece. Trataba de aceptar su presente, sin minuciosas explicaciones. Trataba de comprender, pero a veces costaba, por supuesto. Y costaba más de los cálculos. Se enfadaba, se quejaba, lloraba, se descargaba gritando, se descargaba con los profesionales de la clínica como quien se descarga con los amigos por una cuestión de cercanía y de incondicionalidad. Porque Miki ya sentía que ellos eran incondicionales: era un agradecido por el afecto y por la ayuda —la desinteresada— que recibía diariamente. Claro que, aun así, conservaba su carácter y su personalidad para gruñir a los vientos. Su periplo se bifurcaba sobre todo con la aparición de los dolores: él, que vivía en su eterna juventud, que se asomaba sin temblar a los abismos, no podía soportar tanto esos mayúsculos fastidios que parecían no estar dentro de los parámetros de la normalidad. Sufriría dolores intensos, dolores extremos que, si bien no modificaban su óptica, hacían intransitable el recorrido que pretendía llevar a cabo. Es que, por un lado, se mostraba hábil para esquivar esas trampas que crea el propio ser humano, las trampas miserables y las trampas de la cobardía, esas trampas que son diseñadas por las personas, quienes, con sus medidas, hacen que el mundo tenga una senda más difícil para pasear. Pero, por el otro, no era capaz de ganar contra un sufrimiento físico en el que no había igualdad de condiciones, en el que no había justicia. Esos picos altos de dolor, picos que rozaban el techo del cielo, lo volvían más diminuto y más irascible.

• • •

Daniela Mota (enfermera): tenía momentos de rabia, de hundirse. Yo notaba que él se quería ir a su casa, con su familia, estaba preocupado por su familia, contaba que quería irse y empezaba a llorar.

Elena López (auxiliar de enfermería): a veces estaba muy cansando, y tenía muchísimo dolor, ya no sabía cómo ponerse en la cama. Tenía momentos de rabia, que te contestaba con un poquito más de rabia, pero nunca siendo desagradable. Un día que lo movimos nos pegó unos gritos: *«joder…»* Le hacía daño. Y nosotros lo estábamos moviendo bien, pero es que le hacía daño. Llegaba un momento que te decía *«no lo hagas así que me haces daño, que no lo haces bien».* Yo le decía: «Miki, ¿quién es aquí la auxiliar? Lo estoy haciendo bien, pero pasa que tienes dolor igual».

El tumor continuaba creciendo e invadía todas las estructuras que había alrededor: ya estaba completamente descontrolado y lo único que quedaban eran medidas paliativas, como podía ser la quimioterapia para conseguir que el tumor sea más pequeñito (aunque luego crecería una vez más) o como podía ser el tratamiento del dolor, mitigándolo. El cuerpo, también, se iba habituando a los diferentes tipos de medicamentos: algunas dosis, que podían ser potentes, que dejarían fritos a más de uno, en Miki ya no hacían el efecto deseado. Los cirujanos, por su parte, se habían dado cuenta que no había opción quirúrgica que pueda colaborar en esta causa. Y eso no era un punto menor porque, al principio, el dolor iba y venía, y el dolor, en sí, dependía de cómo estaban las recidivas: si la recidiva pinzaba un nervio, él sentía dolor; si lo operaban y le sacaban ese trozo, ya no había dolor. En esta etapa del tratamiento, con la metástasis, el problema era que la masa tumoral ya era tan grande que comprimía casi todo, sin darle alternativas a los traumatólogos: el dolor, entonces, era continuo.

• • •

Gabriel Masfurroll: de todas maneras, era acojonante porque él no desfallecía nunca. Pasó por tantas fases de enfermedad... Había muchos días que no dormía del dolor. Créeme que es hasta heroico. La patología traumatológica lo que tiene es que es una afectación nerviosa. Ya no se podía mover del dolor. Intenta quedarte 10 minutos sin moverte. Para no poder moverte, te tiene que doler mucho. Era un dolor muy difícil de controlar, él lo dijo una vez: «*Yo no dejo de tener dolor, a veces tengo menos dolor*». Sin embargo, no parecía un paciente terminal. Nunca fue un paciente terminal. Y, según me han dicho, por umbrales de dolor y medicación, te puedo asegurar que fue de los que podía haber estado pegando gritos como un animal, y quejándose todo el tiempo y llorando todo el tiempo...

Santiago Viteri: tenía crisis de dolor muy intensas, había momentos que de pronto le dolía mucho y lo pasaba fatal, pero luego, ese dolor, con la medicación, se calmaba. ¿Qué tipo de dolor es? Es un dolor como si te estuvieran cortando la pierna, es un dolor elevado a lo máximo.

El papel del departamento de anestesia sería fundamental en este periodo, involucrándose más del 100% en el proceso, con sus raudas subidas a la habitación, buscando controlar una situación que, a ratos, parecía incontrolable porque todo estaba como encerrado en una jaula de enormes alambres de púas que pinchaban y cortaban a la víctima. Las maniobras de este departamento pasarían a ser indispensables y plausibles, corrigiendo varias veces el compás para obtener una tregua de paz: ellos se extralimitarían, tendrían los pies en la tierra, la razón de sus conocimientos y una de las manos en el corazón para actuar, ayudando a su amigo, manejando las circunstancias de la mejor manera posible para que el exjugador estuviera el mayor tiempo a gusto. Hacía meses que Miki había dejado de ser un paciente. La tarea de los anestesistas, desde lo afectivo, era doble.

• • •

Ricard Valdés (anestesista): era un tumor que estaba en las extremidades inferiores, con lo que, al crecer, empezó a comprimir todos los nervios. Entonces, Miki llegó a tener momentos de muchísimo dolor, a pesar de que nosotros teníamos controlado todo con fármacos potentes. Fue necesario incluso ponerle bombas de dolor fijas, ponerle catéteres intradurables fijos, hacerle bloqueos en zonas de las piernas porque gritaba... Hubo una noche que desesperó de dolor, que se quería morir, del dolor que tenía, él decía que se quería morir. Y lo veías que se mordía del dolor. Llega un momento que también estábamos muy limitados porque le pusimos lo máximo que se puede poner a nivel del dolor. Lo máximo, una bomba fija, con un catéter intradural, dosis muy altas de morfina.

Juan Pablo Oglio (anestesista): una parte de la espalda la restituyeron por una barra metálica. Le acabamos metiendo una bomba de morfina dentro de la columna. Eso, al final, también le molestaba. Aparte, una persona con dolor, una persona oncológica, un paciente con mucho tiempo de mórficos, se hace tolerancia. Llega un punto que toleras, toleras, que por mucho que pongas, termina siendo agua. Son dolores muy difíciles de controlar. Dolor de huesos, dolor nervioso, dolor de comprensión. Hacíamos todo para que él estuviera a gusto, para que estuviera bien, para evitar esas crisis de dolor. Hicimos todo. La bomba de morfina intratecal te va dando morfina continuamente. No es una práctica habitual porque es muy cara, una bomba que va por debajo de la piel, como un marcapasos.

Daniela Mota (enfermera): llevaba muchísima medicación, mucha, para el control del dolor. A veces, él pedía morfina porque tenía muchísimo dolor: *«Me duele, me duele mucho, ponme algo»*. A veces tenía que llamar al médico porque ya no tenía más que ponerle. Nosotras tenemos una pauta. Los médicos hacen una pauta de medicación y nosotras seguimos esa pauta. La morfina o todos los mórficos y lo que sea, tú lo puedes poner cada 4 horas o cada 6 horas.

Había un punto que no dejaba de llamar la atención: aun con sus dolores y soportando todos los follones, Miki no renunciaba a la finalidad de romper redes que limitan. Parecía que, desde una bolsa, sacaba a veces una calma para repartirla generosamente y para decir que no toleraba que se bajen los brazos. Nunca, de cara a ciertos protagonistas, dramatizaría el escenario. Asumía lo que había y lo que venía, posándose en su pena, guardando mucho. Lo tenía todo muy claro, y hasta lograba a veces borrar la huella del dolor, como el mejor de los magos. No debía explicar tanto.

· · ·

Antonio Farrero: ante nosotros, ante la familia, quería hacer como si fuera una cosa natural, como que no pasaba nada, estaba como siempre fue, hablando de cualquier cosa, menos de la enfermedad. Era como ir a visitarlo a Tremp o a otro lado. Cuando lo venían a curar, él quería que no estuviera nadie. La última vez, a mí no me echó, a mí me hizo pasar a la habitación de al lado, que era una continuación de su habitación, sólo dividida por unas puertas correderas. Me dijo *«y tú al sofá»*, y cerró la puerta. Yo no lo vi, pero claro, lo escuché, y empezó a gritar, gritos desesperados. Seguro que, si eso me lo hacen a mí, estoy gritando cuatro días seguidos. Pero él, después de esos gritos, cuando volvió a entrar toda la gente, cero, nada, como si nada hubiera pasado, como si hubiera venido del bar, después de tomar un café. Y ya no se hablaba del tema. Yo no lo podía creer, estaba con susto y admirado. Yo había escuchado unos gritos, y él, cuando entró la gente de vuelta, era como si nada hubiera pasado.

Irene Ortega Pes (abuela de Miki): yo fui sólo una vez al hospital, y esa vez fui feliz. Tenía una fuerza cuando fui a verlo a Barcelona. Lo vi muy bien. Estaba estiradito, no podía moverse, pero él habló bien. Me preguntaba cómo conocí al abuelo. Me preguntaba mucho por su perro, por *Simón*, que me lo dejó a mí para que se lo cuidara. Me decía *«no sufras, padrina, que yo estoy muy bien. Tú tranquila que yo estoy muy bien»*. Por teléfono, también me decía siempre que estaba bien y contento. Nunca le sentí una queja.

Se mordía para aguantar, aunque ya casi no había más para esconder. Sólo él tenía la respuesta del por qué.

3

Mensajes de voz, mensajes de texto, mensajes por whatsapp, llamadas... El teléfono no paraba de emitir esos sonidos que pedían información. Sonidos que venían desde Sevilla, desde Barcelona, desde Tremp, desde La Pobla de Segur... Había preguntas con sentimiento, preguntas de cortesía, preguntas periodísticas correctas y preguntas periodísticas para cumplir con una falsa ley del consumidor. Claro que, en cualquiera de los casos, sobraban razones para abrir la ranura de la insistencia: para el mundo exterior, de puertas para afuera del hospital, los labios se mantenían prácticamente cerrados. Todo se manejaba en secreto. Nada quedaba a la intemperie. Las decisiones de este proceso las tomaba su líder. La estructura del silencio era ideada por el propio Miki Roqué: había que prohibir que se levanten más paredones, mientras se estaban rompiendo algunos muros.

—*Mamá, te pido un favor. Necesitamos toda la energía para nosotros. No podemos estar con el teléfono. Así que por favor, déjalo. Si suena, que suene. Que no te sepa mal... Tú tranquila, la gente ya lo entenderá y el que no lo entienda es su problema.*

El hermetismo sería tan estricto que ni siquiera la segunda gran operación, la del 1 de febrero, saldría en la prensa. El trempolín sabía bien cómo era, conocía sus ambiciones, sabía de lo que no podía escapar y procuraba hacer una vida lo más normal posible, dentro de un contexto difícil. Buscaba patear miserias y que la hipocresía, una moda mundial, no se acerque tanto a su habitación porque no estaba dispuesto a esforzarse por resultar cariñoso cuando no lo sentía.

—*Yo quiero ponerme bien, quiero tener la mente bien, quiero que la gente piense que yo estoy bien, así todo funcionará mejor, así también estaré más tranquilo.*

Tampoco quería alarmar a los corazones que latían más acelerados, a esos seres que lo apreciaban desde un interior y no desde una vidriera. El trayecto, corto o largo, es siempre más fácil cuando se camina más liviano, sin tantas ataduras. Decía que ya tenía sus preocupaciones como para preocupar a terceros o para preocuparse más por lo que podía llegar de rebote. Ansiaba ventiscas, más ventiscas para reemplazar a ese viento que silbaba enfurecido. Daría directivas, órdenes precisas y firmes, para que la mayoría de las noticias no salgan a la luz.

—*Me estoy recuperando y punto. Estoy bien y punto. Me verán, cuando me vean, bien.*

• • •

Gonzalo Rivas: lo de la poca información sobre el caso salió de Miki 100%. Miki controlaba todo, absolutamente todo. Te digo un caso

216

menor, pero que sirve de ejemplo para saber que controlaba todo: un día, la madre se va a comprar algo y se encuentra con un amigo de Miquel, en Barcelona. La madre no le dice casi nada, solamente que le han hecho algo… Miquel le pegó un reto a la madre, un reto que se sobrepasó, montó un rollo, *«que no le tienes que decir nada»*, que esto, que lo otro… Después hablé con Miquel para decirle «no desgastes en tonterías».

Olga Farrero: sí, ese día me metió una bronca, y eso que era un amigo de Tremp, un amigo suyo que lo vi por delante de la Dexeus. Me retó, diciéndome *«mamá, no expliques tantas cosas»*. Hubo otro momento que a mí me llamó la prensa, y Miquel, entonces, me dijo *«mamá, pásamelos»*. Y habló él: *«por favor, yo estoy así, en este momento no tengo nada para decir. Yo no estoy y ni quiero que llaméis más a mi madre para nada. No molestéis a mi madre porque necesitamos estar tranquilos»*.

Ya desde el comienzo del tratamiento, desde aquel marzo de 2011, Miki hablaría con Joel Lara, su representante, para expresarle bien claro cuáles eran sus intenciones. Desde entonces, cuando todavía palpitaba la idea de regresar al fútbol profesional, rompía puentes nocivos, con formato espiral, y construía puentes rectos que conducían hacia su libertad, eliminando ciertos gérmenes.

• • •

Joel Lara: una de las cosas que me dijo fue *«todo periodista, toda televisión, todas historias, a ti. Y por favor que no sea un circo mediático, que de esto no se monte un espectáculo, yo no quiero que haya rumores, ni nada»*. En esto fue muy claro. Entonces, todas las llamadas que me llegaban por Miki duraban un minuto y medio. Me llamaban compañeros suyos, futbolistas que habían jugado con él… A todos le decía lo mismo: «Mira, Miki ahora mismo la está pasando mal, está recuperándose y no te puedo decir nada más».

Carles Puyol: creo que esto que hizo es muy importante. Cuando tú estás en un estado así, hay que tener la energía centrada en recuperarte, en curarte. Hay momentos que deben ser durísimos y supercomplicados. Agradeces el cariño de la gente, y ya... A mí nunca me pidió o me dijo nada sobre la información que podía o no podía dar, pero la gente que me conoce sabe que yo con la prensa no tengo mucho trato. Si no cuento mi vida, tampoco voy a contar la de los demás. Simplemente, con la prensa, he mandado mensajes de ánimo y de apoyo para él. Nada más. No iba a contar nada. Jamás. Él no me lo pidió nunca, pero si me conocía sabía que no iba a hablar.

Los recados de Miki, tan convincentes, se subirían a un torbellino para llegar también hasta Andalucía, entendiendo que la controversia, allí, podía desembocar en cualquier historia estresante con interminables puntos suspensivos. En su club, Real Betis Balompié, se respetaría a rajatabla las órdenes del jugador 26.

• • •

Tomás Calero: desde el primer momento, el Betis sólo hacía comunicados oficiales, que eran muy consensuados con él. Nosotros no hicimos nada que no hayan querido Miki y su familia. La prensa, por su parte, tuvo un comportamiento exquisito, muchísimo respeto. Nunca vi tanto respeto en la prensa como con el tema de Miki.

José Millán: a nosotros nos preocupaba mucho la comunicación de la enfermedad en los medios. No se puede opinar porque, si se opina, se puede cargar al chaval. Cualquier noticia morbosa hubiese sido un espectáculo. Hablamos con Tomás y dijimos «aquí no se habla de nada». Nosotros sabíamos perfectamente todo, sabíamos cómo iba todo, pero eso era un secreto nuestro, del presidente, del consejo y listo. En el club había una opacidad tremenda en cuanto a la información. Yo tenía mucho miedo de que se nos escapara de la mano. Mira si un periodista se enteraba y lo metía en Internet... Esto podía ser peor. Aunque la prensa se portó muy bien, realmente bien. La prensa es muy impaciente, siempre quiere dar noticias, pero en este caso supo respetar el dolor de la familia, el dolor de Miki, la situación que vivía el club.

Rafael Gordillo: los periodistas no son tontos. Si ellos querían, ellos se enteraban, pero hubo mucho respeto, nunca dijeron nada y manejaron todo con mucho respeto. A veces preguntaban, pero nosotros tampoco dábamos informaciones precisas. Decíamos «sí, Miki se está recuperando, que esto, que lo otro», pero no decíamos toda la verdad. Al menos 15 personas lo sabían en el Betis. Había que cerrar el grupo. La afición preguntaba y teníamos que actuar, ahí comenzó mi faceta de actor, diciendo «allá está, se está recuperando, la está peleando». A los jugadores también le decíamos que la estaba peleando, le decíamos mentiras piadosas. Respetamos mucho a la familia. También es complicado decirle al plantel «tu amigo es probable que se vaya». Por otra parte, el que cree en el de arriba... Yo cuando me enteré que era grave, que se podía ir «casi seguro», entonces aposté al «casi», que pasara algo, cualquier cosa, porque a veces han pasado cosas muy raras en la vida.

Salva Sevilla: nosotros no teníamos tantas noticias de él. Nos decían que todo iba bien. La realidad era que las cosas iban mal y nos querían aislar un poco del tema. Ya no le mandábamos tantos mensajes porque nos pedían que lo dejáramos tranquilo. Nosotros claro que preguntábamos, pero lo típico era «sigue con su tratamiento, van bien las cosas, la está peleando». No nos especificaban tanto. Por eso, el fallecimiento nos pilló a todos por sorpresa.

Miguel Guillén: el técnico estaba bastante informado, pero los compañeros preguntaban y, en cierto modo, llegó un momento que había un pacto entre nosotros, como para no ser pesimistas porque las cosas habían empezado a empeorar. Llegamos a la conclusión de que todos mantuviéramos ese estado de optimismo. Los jugadores no estaban en ese pacto.

Miguel Angel Parejo: cuando lo operan por segunda vez, muchas cosas se callan, lo sabíamos muy pocas personas. Entonces, cuando a ti te preguntaban por Miki, decías «va bien». Muchas veces, Miki me decía *«Miguel, no digas nada por favor, es que no quiero que la gente me vea así, que cuando yo vuelva a Sevilla me tienen que ver perfectamente, como yo me fui».* Llegó un momento que ya no quería hablar tanto por teléfono con él porque me ponía a llorar, y era él en ese sentido el que decía *«tío, que esto lo saco yo».* Te sentías avergonzado. El cabrón te hacía sentir avergonzado. Yo me decía «joder, el que está enfermo es él, el que lo está pasando mal es él, al que le están dando leña es a él, y resulta que el cabrón me está diciendo que no llore, que no es para tanto». Tenía vergüenza. Cuando colgaba, me sentía avergonzado. Entonces, llegó un momento que prefería hablar por whatsapp, que es más frío. Ahí, él me decía esto de *«no cuentes nada de lo que me están haciendo, Miguel».* Tenía un espíritu de superación, un espíritu de positivismo. Para esas fechas, muchas veces, yo le decía que había vivido un tiempo en Barcelona, entonces me contestaba *«bueno, cuando quieras hablamos en catalán».* Y el cabrón me seguía hablando en catalán. Yo me metía en el traductor de Google. Claro, yo hablaba palabras sueltas, pero no podía mantener una conversación. Y él lo sabía. «Miki, vamos a volver al castellano.» Y él me hacía bromas con eso.

20
El pedido

—*¿Cómo fue el entierro de tu hermano?*

—Fue muy bonito. Fue muy duro, pero estaba al tope. El cura nos dijo que nunca había visto un entierro con tanta gente. Había tantas coronas de flores que mi madre dijo «lo que hubiese querido aquí tu hermano es que, en vez de ponérselas todas a él, las repartié-ramos por todo el cementerio», porque mi hermano era muy gene-roso. Entonces, repartimos todas las flores. En el entierro, yo canté...

—*¿Has cantado?*

—Sí...

El rostro de Miki se invadió con lágrimas. Estaba tumbado, en su cama, pocos días después de enterarse que su cuerpo tenía metás-tasis. Lidia Guevara se mantuvo de pie, limpiando esas gotas que salían de los ojos. Hacía casi dos meses que no se veían porque ella había necesitado recuperar su sonrisa tras el fallecimiento de Gabriel.

—*Lidia, si me muero, quiero que cantes en mi entierro.*

—No voy a cantar en tu entierro. Tú no te vas a morir. O cuando tengas 80 años...

—*Lidia, prométemelo.*

—Que no te lo voy a prometer, que no te vas a rendir.

—*Lidia, prométemelo.*

—Bueno, bah... Te lo prometo porque como sé que no te vas a morir hasta que seas superviejo...

—*Quiero que cantes la canción con la que te volví a encontrar.*

21

La familia Roqué-Dexeus

1

—Qué suerte que he tenido de que me pasara esto. Qué suerte he tenido por conocer la gente que he conocido. Yo nunca hubiera vivido en mi vida lo que viví este año aquí. Nunca hubiera conocido tanta gente increíble si no me pasaba esto.

MIKI ROQUÉ, pocas semanas antes de su fallecimiento,
refiriéndose al personal del Hospital Dexeus.

2

Caminar en puntillas, sin correr tanto, para que la longitud de vivir no se mida con la longitud del tiempo. Su espada desenvainada para volver a su primera vocación, esa que ejerció antes que el fútbol: el oficio de disfrutar sin conocer los almanaques. Ese era el último sueño para que no sea mínima la parte de la vida que se vive. Para esa intención guardaría sus últimos alientos. Diferenciar ese vivir del existir, y entender por felicidad el momento en el que se desea detener el reloj para inmortalizar o hacer durar más un instante. Priorizar ese instante, aminorando el siguiente paso. Miki, con cierto esmero, buscando una melodía simple, daría numerosas pistas para interpretar o para apreciar lo que se perdía. Desde su habitación, ubicada en la planta séptima, él no sólo se adaptaría a los movimientos de la clínica, sino que, además, armaría allí una revolución, una gran revolución, capitaneando la mayoría de las actividades y mirando por un microscopio para resaltar las pequeñas cotidianidades. Su estilo hermanaba para sumar en las restas.

La raya que divide al profesional del paciente

—Miki, ¿qué te hace daño? ¿Aquí, aquí o aquí? —interrogó un serio Enric Cáceres.

    —*Doctor, tú de teoría mucho, eh, pero la práctica, tío...*

• • •

Enric Cáceres (traumatólogo): por más que te cubras psicológicamente para mantener la profesión, no es excepcional que te afecte. No pasa seguido porque no tenemos enfermos de este perfil: él tenía un comportamiento siempre impecable con nosotros. Muy razonable en todo, con un estado de ánimo que sólo variaba en función del dolor, básicamente.

Maite Ubierna (doctora integrante del equipo de Enric Cáceres): nosotros somos médicos y, por lo tanto, nuestra profesión nos lleva a aplicar nuestros conocimientos, nuestra experiencia, a un paciente. Lo mejor que sepamos en cada caso. Con Miki, quizá, se traspasó un poco esta frontera, y humanamente nos llevó un poquito más allá. Hemos convivido con Miki mucho más de lo que convivimos a veces con otro paciente. Todo por su manera de ser. Esto se lo gana él. Nosotros le hemos intentado ayudar siempre en todo, pero él nos ha dado mucho personalmente. Esto no se puede describir más. Hay que vivirlo. Miki era así. Siempre animándonos, siempre positivo, siempre explicando cosas. Humanamente ha dado más por su carácter, su carácter positivo y cariñoso, terriblemente cariñoso con todos nosotros.

Santiago Viteri (oncólogo): la cosa rápidamente trascendió de paciente-médico. Miki te desarmaba esas defensas profesionales porque él era muy natural, muy simpático. Era fácil conectar con él. La gente que te da mucho cariño, mucha confianza, es muy difícil no mantener una reciprocidad, entonces siempre es mutuo, sobre todo cuando alguien te aprecia y te lo hace notar. Lógicamente, yo era mayor que Miki, pero, en cuanto a edades, no había tanta diferencia, no estábamos tan lejos. A él le hacía gracia, quería saber cómo era ser un médico joven. Un poco le daba curiosidad, si viajaba, si iba a un congreso, si qué tal lo había pasado, si me iba a dar una vuelta el fin de semana. Quería, de forma muy espontánea, romper barreras, buscaba más complicidad.

Elena López (auxiliar de enfermería): no es que hemos pasado un poquito la raya, la hemos pasado bastante. Pasó de ser un paciente a ser un amigo. De hecho, cuando se murió, yo no perdí un paciente, yo perdí un amigo. Yo me escribía con él por whatsapp, fuera del hospital. Un par de veces, que no tenía que trabajar, pasaba por la clínica y subía para verlo. Eso no lo he hecho en mi vida. O le íbamos a comprar chocolate, eso tampoco se hace, yo no lo he hecho nunca. La teoría de enfermera la sabes, la tienes, pero llega un momento que la práctica la encuentras y es inevitable. Casi todos los ratos libres que teníamos, si él estaba despierto, estábamos con él. Se hacía querer tanto que no le podía negar nada. Yo lo primero que hacía cuando llegaba, después de pasar el parte, era ver a Miki. Siempre. A veces vas a hacer compañía al paciente, y en este caso era al revés. Estás ahí y decías «bueno, me voy a ver al Miki». Mi horario era de 9 de la noche a 7 de la mañana. En ese horario tienes más tiempo porque ya todos están durmiendo. Yo me ponía a estudiar, por ejemplo, pero Miki venía, cuando todavía se podía trasladar caminando o en silla de ruedas, me cogía los bolis, la regla, preguntaba «*¿esto qué es?*» Se aburría, no podía dormir y venía con nosotras.

Tomás Torres (especialista en cuidados intensivos): subías y veías también a los padres y era como si te conociesen de toda la vida. Te reciben con dos besos, los brazos abiertos, te invitaban o te daban bombones o magdalenas. No me planteé esto de pasar una barrera profesional porque yo ya subía como un amigo, como si estuviera un amigo enfermo. Cuando subía, no subía como médico. Miki ya tenía varios médicos a cargo, tenía a los traumatólogos, a los oncólogos, a los internistas. Cada uno tiene sus funciones. Yo no me iba a meter en el medio de ninguna función. Cada uno sabía allí cuál era su papel. Yo lo conocí siendo su médico en intensivos y luego, con el paso de los meses, me convertí en su amigo: él se ganaba a todo el mundo.

Daniela Mota (enfermera): en la época de octubre y noviembre, a las 2 o 3 de la mañana, nosotras estábamos tranquilas, y él salía de la habitación y venía a hablar porque no podía dormir. O a veces, a esa hora, íbamos a cenar. Tenemos una cocinita donde cenamos, y él venía y nos hacía compañía. Era muy cercano, muy amable, muy chistoso y muy divertido. Cuando todavía podía caminar, muchas veces venía al control para pedir algo, para no llamar al timbre, y ya se quedaba allí hablando.

Vanesa Ruiz (enfermera): la cura de la espalda la hacían los médicos y nosotras. Había días que se hacía por la mañana, pero si «el niño» estaba durmiendo, había que dejarlo: los médicos se programaban para ir a verlo más tarde. Tenía privilegios. A otro paciente lo despertarían, pero con él era «bueno, ya vendremos por la tarde». A lo mejor se le mimaba más, pero también era un paciente que se lo merecía. Todo paciente se lo merece, pero Miki llevaba tantísimo tiempo que ya no sentías que era un paciente. Para mí era también un amigo. A veces entrabas a la habitación para hacer algo de 10 minutos y te quedabas 25 porque él te hablaba, te preguntaba, aunque no sea de la enfermedad. Te preguntaba cosas personales: «¿Tienes pareja? ¿Qué has hecho esta noche?» Llegó a ser una amistad. Si a lo mejor, yo llegaba y tenía mala cara, él te decía *hoy no tienes buena cara*. Nos conocía demasiado.

María Caballero (supervisora de la planta 7): yo creo que, con Miki, la raya la pasamos todos. Nos involucramos todos, nos implicamos todos. Tenía algo especial. Era muy difícil no encariñarse con él. Yo no quería encariñarme, yo me decía «no puedo», «no debo» porque me conozco, después sufro mucho, pero no lo pude evitar. Miki era cercano, muy cariñoso. Tenía el don de persona, una persona muy abierta, muy cordial. Era tan joven, tan vital… No sólo él: tenía también una familia excepcional. En 23 años de carrera, yo no he conocido nunca una familia como ellos, tan especial como ellos, viviendo esta situación. Con Miki hicimos todo lo que no debes hacer: no te tienes que implicar, nos implicamos; no te tienes que llevar al paciente hasta tu casa, lo llevábamos; no debes hablar de tus pacientes con tu familia, yo le hablaba siempre a mi marido, a mi hijo y a mis padres de Miki. Mi madre hasta lloró cuando murió, y no lo conocía de nada, lloró por todo lo que le había contado de él. Pero es que todo esto no lo pudimos evitar. Existe mucho protocolo, pero también somos personas. Se implicó todo el mundo tanto con él que tú piensas: ¿qué tenía este chico?

Las cenas

—*Mira mamá, si fuera por todo lo que me he cuidado, por el cariño de la gente, ya estaría curado. ¿Qué me queda? ¿Qué es lo único que puedo hacer? ¿Disfrutar comiendo? Que si me tiene que matar una pizza, que me mate.*

• • •

Juan Pablo Oglio (anestesista): se conocía todos los delivery del barrio. Entonces, quedábamos para cenar con él. Subíamos con Tomás (Torres), con Ricard (Valdés), venía también Gaby Masfurroll. Eso era como ir con los amigos a un bar. Incluso, mejor. El líder de esas cenas era Miki. Era él. Miki se encargaba de pedir todo, nunca quería que lo invitáramos, siempre él quería invitar. Era como que íbamos a su casa, como si cenaras con tu grupo de amigos. Las cenas eran su válvula de escape. Hablábamos de todo menos de la enfermedad. En el fondo, sabíamos que a él le iba a hacer bien, pero a nosotros también nos hacía bien. A nosotros nos hacía bien porque salíamos de la guardia. La anécdota de cenar con un paciente en su habitación, de que te llame y que te diga *«ya tengo las pizzas, suban cabrones que se enfrían»*, eso nunca me pasó. Sólo con Miki. Me llamaba como un amigo.

Gabriel Masfurrol (director): para él era como cenar en un restaurante. La primera etapa de las cenas, antes de la intervención de febrero, él iba en una silla de ruedas, y ahí sí lo podíamos acercar a la parte de acompañantes. Tenía una habitación más hostelera que hospitalaria. Luego, como avanzó la enfermedad, ya nos poníamos alrededor suyo, alrededor de la cama. No era un encuentro habitual con un paciente. Generalmente, el paciente que recibe la visita es el que se toma la licencia de desconectar con el hospital durante esa visita. Lo especial de estas quedadas es que desconectábamos todos. Era como una especie de democratización a lo bestia. Todo risa. Todos riéndose, pero riéndose con él. Miki lideraba: él se prestaba. Yo perdía mi cargo de director del hospital, Ricardo el suyo de anestesista, Juan Pablo lo mismo, Tomás igual y Miki su condición de futbolista, de mito...

Tomás Torres: en mi caso, no es normal lo que se dio con Miki. De hecho, no se ha dado nunca. Yo llevaba 15 años ejerciendo la especialidad. Nunca se dio un caso así, de subir, de cenar en la planta... Es raro. Miki era un tío genial. Cuando estaba en la planta, yo subía para saludarle y hacerle compañía. A veces, él me decía *«pues hoy te vienes a la hora de la cena y cenas aquí»*. ¿Si subí muchas veces? Pues yo ahora creo que subí pocas, creo que tendría que haber subido mucho más. No lo sé. Cuando se fue, siempre te queda la cosa de decir «podría haber subido más, podría haber cenado aquel día con él».

Vanesa Ruiz: nosotros nunca habíamos visto cómo subía un pizzero. No estábamos acostumbrados a que la gente pidiese. Tú podías ir a comprar y traerte una pizza, pero que subiera el pizzero expresamente, no. Antes no era normal. A partir de Miki, y todavía ahora, algunas veces sigue subiendo.

Elena López: pedían un montón de pizza y, como siempre sobraba, Miki después te decía *«Elena, Daniela, nos ha sobrado pizza para cenar»*, y nos las daba a nosotras. Estaba muy pendiente de todo.

Ricard Valdés (anestesista): él era el *showman*, el líder, y eso que al final ya no se podía mover de la cama. Se preocupaba de que todo estuviera bien. Te decía *«abrid la nevera que tengo ahí Coca Colas»* o *«he pedido aparte unos kebab»*. Convocaba cenas a tres o cuatro personas, y él tenía todo organizado, pero organizado desde las 6 de la tarde. Y se preocupaba: *«siéntate, siéntate, cena bien, ya te irás luego»*. Y te ponía el fútbol. Era él el capitán de la cena y se preocupaba de que todo estuviera bien: *«¿te has quedado bien? Oye, pido otro, eh»*. O capaz te decía *«oye, saca de ahí que también hay un heladito»*. Detallista al máximo. A veces venía el morito, y al morito del kebab le daba la mano, se chocaban las manos, le daba un abrazo. El morito del kebab ya era amigo de él. Subía hasta la séptima planta, hasta dentro de la habitación.

La ley del mosquetero: todos para uno y uno para todos

—Miquel, ¿cómo le puedes hablar así a los médicos?
—*Son mis amigos.*

• • •

María José Coll (directora de enfermería): saludaba a todo el mundo, se sabía los nombres de todos, a todo el mundo le preguntaba cómo estaba, si tenía un niño le preguntaba cómo estaba el niño... Ha sido el paciente más conocido de la casa, y mira que tenemos una historia de muchos años. A él lo conocía todo el mundo, los de cocina, las enfermeras, los otros pacientes. Se sentía muy integrado al equipo, era como de la plantilla. Más que un paciente era un grupo de amistad, un equipo. Es más, desde que él se fue, toda la gente que hacía equipo con él, tenemos un trato distinto entre nosotros. Nos dejó eso. Todo este grupo que hicimos tenemos una unión diferente al resto. El grupo Miki nos caló. Todos los que estábamos con él hemos hecho una piña distinta.

Juan Pablo Oglio: te hacía tener mejor relación con compañeros del hospital. Miki ya conocía a mucha gente y, gracias a él, uno lo pasaba mejor con los propios compañeros de la clínica. Gracias a él, yo conocí mejor a algunos compañeros míos e hice mejor relación. Gracias a él hicimos mucha piña.

Ricard Valdés: con Gabriel Masfurroll, por ejemplo, yo tenía una relación buena, profesional, una relación correcta, pero tampoco habíamos tenido mucho intercambio. Sabía que su padre tenía estima por mi hermano, por Víctor, por el Barcelona. A raíz de lo de Miki, yo con Gabriel tengo una excelente relación, que va más allá de lo profesional. Hoy, si lo veo, le doy un abrazo bien fuerte.

Vanesa Ruiz: fue extraño. Se formó como una familia: el equipo médico, anestesistas, incluso nosotras con dirección de enfermería, con la directora, con el Gaby Masfurroll, que era el gerente. Eramos como una familia, estábamos todos superafectados. Gabriel Masfurroll, para nosotras, era el gerente y había un respeto. Cuando estaba Miki, él ya era Gaby, no nos dejaba que lo llamásemos de usted. A nosotras nos salía hablarle de usted, porque era el jefe, pero cuando venía por lo de Miki ya cambiaba, ya te veía, te preguntaba… Nunca pensé que un gerente se pudiera involucrar de esa manera con un paciente. Gaby nos preguntaba a nosotras cómo estábamos porque también nos veía afectadas. Con María José Coll, lo mismo: era la directora, y también el trato era de usted. Durante la etapa de Miki, la relación ya fue diferente: «hola María José» u «hola Gaby». Al principio nos costaba decirle «Gaby». Yo, ahora, a María José ya no le hablo de usted. A mí me gustó mucho ver la parte humana de mi gerente y de mi directora, y eso no me lo quita nadie. Y eso salió naturalmente. Eso surgió. El gerente, a mí, me llegó a preguntar por mi examen del máster que debía rendir. Antes de Miki, casi no lo veía. Si subía, era un «hola, buenas tardes». Teníamos una relación cordial, de jefe... Probablemente, antes de Miki, ni sabía mi nombre. Y después de Miki, sí. Y eso salía de Miki, él era así. Miki trataba igual al gerente, al médico o a mí. Si a un médico le tenía que decir *«oye, pareces tonto»* o *«joder, despabila con mi caso»*, él se lo decía. Yo estaba allí y me quedaba como diciendo «joder, Miki, que es el médico», yo no me atrevería nunca a decir eso. A (Enric) Cáceres le hablaba de tú a tú.

El conquistador

Arcoíris en nubes de tormentas.
Arcoíris durante la tormenta.

• • •

Santiago Viteri: con todo lo que llevaba, había momentos que se divertía y te hacía divertir. Siempre te hacía un comentario, alguna broma o te preguntaba *«¿y tú cómo estás?»* Como tenía que estar ingresado mucho tiempo, le regalaron una guitarra, y él quería aprender a tocarla. Un día llegué a la habitación, y vi ahí esa guitarra. Me acuerdo que me dice *«ah, ¿y sabes tocar?»* Le respondo que sí, y me dice *«pues venga»*. Una de esas cosas que no lo pensé mucho y me senté, y toqué tres acordes. Estar ahí sentado, tocando la guitarra en la habitación de un paciente, lo hice sólo una vez en mi vida. Después, cuando me lo decían, yo pensaba «no, no, madre mía, cómo se me ocurrió aquel día».

Juan Pablo Oglio: él hacía nuestra tarea divertida. Capaz le aplicabas algo, y él te hacía una broma. A veces, ir a hacerle algo a Miki, era ir a divertirse. En esos meses que estuvo en el hospital, si hacemos un porcentaje de momentos lindos y momentos feos, los felices ganan por goleada. Hubo muchos momentos de felicidad. Vos lo veías a Miki, y no lo veías como un enfermo. Veías que se apagaba por el aspecto, pero no por la forma de ser. A mí me hacía reír muchas veces porque me decía *«ah, cabrón, yo tenía tu melena hace tiempo, después me corté el pelo, pero tenía tu melenita»*. También nos mandábamos mensajes todo el tiempo, por whatsapp, y casi todos los mensajes eran graciosos.

María Caballero: Miki revolucionó la planta 7 y todo el hospital. Todo el mundo sabía que el Miki estaba ingresado, pero no porque era jugador del Betis, porque, total, nosotros hemos tenido jugadores de fútbol mucho más famosos que él. El hospital se revolucionaba por su forma de ser, por su simpatía. Lo veías siempre con la sonrisa en la boca, y siempre contándote cosas, con risas... Yo me decía «madre de Dios, cómo está, y las risas que lleva...» Siempre con humor. Una vez le dije...

—Tú eres culé, tú eres del Barça.
  —*No, yo no soy culé. A mí, me gusta el fútbol, me gusta el buen fútbol.*
  —Anda ya, tú eres mentiroso. Tú eres culé hasta la médula.
  —*No, María. A mí me gusta el fútbol.*
  —Entonces también te gusta el fútbol del Madrid.
  —*Hombre, eso ya son otras cosas...*

Elena López: me acuerdo el día de mi cumpleaños, que es en diciembre. Ese día traje un pastel y, cuando terminamos la ronda de la noche, nos fuimos a su habitación para celebrarlo. Me regaló una camiseta del Betis, firmada, pero justo en aquel momento estaba mal, no podía escribir y me la tuvo que firmar su madre. Yo me puse la camiseta e hice desfile en la habitación.

Alicia Sánchez Martínez (camarera): tenía eso de mandón, lo que yo diga, cuando yo diga, pero bien dicho, con gracia. Decía todo con gracia. A mí nunca me cayó mal. La familia me invitaba también a comer a la suite. Yo no lo podía hacer, y a veces me quedaba igual, comía algo rápido y me iba porque estaba trabajando. Con Miki te dejabas llevar muy fácil porque te lo ponía todo muy fácil: él y su madre, los dos. Yo le llevaba magdalenas de chocolate, no le podía llevar, porque estaba trabajando, pero las ponía debajo del carro. Se las compraba en mi pueblo.

Ricard Valdés: hay otro día que subo del quirófano y me lo encuentro, con una silla de ruedas, metido en el control de enfermería, haciendo cachondeo con las enfermeras. Cuando me ve llegar, dice *«doctor Valdés, venga que estamos quedando aquí con estas señoritas»*. El tío se había metido con la silla de ruedas dentro del control de enfermería de la planta 7. Tenía un sentido del humor tremendo. Con Miki te reías todo el rato. Momentos lindos con él fueron todos, excepto cuando yo lo veía sufrir.

Vanesa Ruiz: tenía sus momentos graciosos, te contaba sus historias y, si se podía meter contigo, se metía, riéndose. Te decía *«hostia, córtate el pelo ya»*. De mucha confianza, de muy buen rollo. Momentos que te quería preguntar algo muy íntimo y no sabía cómo hacerlo, y se ponía rojo. Se mostraba como es. Si tenía buen día, te lo demostraba. Y si tenía mal día, también te lo demostraba. Muy transparente. Luego tenía detalles. Si le traían un brownie de chocolate, te decía *«venga, coger uno»*. Le respondías «no, Miki, que no quiero». Y te volvía a decir *«que cojas, que cojas»*. Compartía todo.

Día a día

—*Estamos aquí por algo. Estamos de paso.*

• • •

Tomás Torres: me quedo con la suerte de haber conocido a alguien como él, con la suerte de conocer a su familia. Creo que nos dieron una lección de vida a todos, una lección de optimismo, de comportamiento, de educación y de saber estar. Lección de vida por aceptar las cosas, de luchar, estar bien con todo el mundo, de no resignarse, de no sentirse un desgraciado. Vivir cada día como si fuese el último.

Juan Pablo Oglio: creo que, en el fondo, él intentaba seguir con una vida normal acá adentro. Entonces se adaptó al medio por así decirlo. Se adaptó a la situación. Vivo en este hospital, me hago el rey del hospital o me deprimo. Se hacía querer mucho. Traspasó los corazones de todos.

Gabriel Masfurroll: hay una personalidad que siempre fue igual, sano o enfermo, y ese es un magnífico punto. Para mí, es incomparable con otros pacientes. En seis años de trabajo con la medicina, vi pasar todo: niños, ancianos, agradecidos, desagradecidos... Todo. Nunca tuve y nunca volveré a tener una relación como la que tuve con Miki porque fue una relación muy productiva, muy fructífera. Todo el mundo con el que hablaba me decía «bueno, esto te ha pasado porque eres joven y porque era un tipo especial». Miki sí que era una persona especial, casi un ángel caído del cielo. Parecía una persona interpuesta en el camino de muchos de nosotros.

Alicia Sánchez Martínez: él era presente. Con él, el momento era 100 por 100. Sabías que no iba a estar, pero cuando estabas con él no pensabas más allá. A lo último se sabía que el final era irreversible, pero yo no lo quería aceptar: él te hacía vivir al 100 por 100 cada situación. Conocer al Miki fue una de las mejores cosas que me ha pasado. No fue un periodo tan largo con él, pero fue muy intenso. He sufrido mucho con algunos pacientes que he conocido, pero como con el Miki... No entiendo el porqué tampoco. Dentro de lo malo, sé que él fue feliz en el hospital.

Ricard Valdés: el vínculo que tuve con Miki, con muy pocas personas en la vida lo he tenido. Tú siempre dices que tienes dos o tres amigos de verdad, y si tienes dos o tres es mucho. Miki hubiera sido uno de mis mejores amigos en mi vida. Lo llegó a ser. Yo le explicaba cualquier cosa.

María José Coll: Miki era un seductor. Se llevaba a todo el mundo, estando como estaba, sólo con las palabras, con las miradas. Era un chico que te ganaba. Su habitación era siempre una fiesta. En aquella habitación había un ambiente que nunca pensarías lo que estaba pasando allí, un ambiente de alegría: él era tan alegre que alegraba a todo el mundo. Nunca viví un caso similar, y desde 1986 trabajo en el mundo de la medicina. Yo me dormía pensando en él, y me despertaba pensando en él, en cómo habrá pasado la noche. Iba a verlo cada día, le llevaba bocadillos. Era un encanto. Ya cuando lo conocí, congeniamos enseguida, en todo. A Miki no le podía negar nada. Aparte de seductor, te daba vuelta como quería. Era un tío diferente, tenía algo diferente. Te pillaba, lo hacía todo con gracia. Cuando Miki murió, todo el hospital quedó muy vacío. Nunca, en la historia de Dexeus, hubo un paciente tan querido como él.

3

—Gràcies a la clínica Dexeus i a tota la gent que formeu part d´aquesta gran família. No canvieu mai i seguiu treballant així de bé. Sempre agraït.

Dedicatoria en la camiseta del Betis que
MIKI ROQUÉ obsequió para el hospital.

22

La escuela de los más pequeños

Clarita descansó cómoda en sus brazos. No lloró. Hacía minutos, apenas minutos, que había llegado a esta vida. Todavía tenía el mensaje bien fresco. Él, en cambio, estaba postrado en la cama, casi sin poder levantarse, con dolores al moverse, buscando recuperar esa misión inicial. Los dos, pese a los extremos, se entendieron y se igualaron enseguida. Contemplaron la simpleza. El reloj marcaba una hora, y no importaban todas las horas que venían detrás. Sólo había que vivir ese episodio porque todo ser humano se forma con episodios. Clarita estaba comenzando su viaje, y él estaba finalizando su recorrido. En esa habitación de la planta 7, mientras repasaban el más importante de los principales recados, ellos estuvieron un buen rato abrazados: se protegieron de un mundo exterior. No hubo tantas voces porque los latidos, cuando son acelerados, obstruyen las primeras palabras: cuando se habla con el corazón, la lengua parece pegarse al paladar. Tampoco se pudo comprobar todo lo que se dijeron con los ojos: aún no aparecieron los traductores para ciertos idiomas. Se sospecha que hicieron un pacto porque, al día siguiente de su nacimiento, Clarita se despertó para descubrir algo, para disfrutar de sus padres, para jugar con la más mínima excusa, para llorar sin culpas, para sonreír con la acción más vulgar, para ignorar la mayoría de las cadenas, para expresar sin filtros sus descontentos, para cautivar con su luz, para no avergonzarse de sus defectos, para guiarse sólo por sus sentimientos, para exhibir sus ganas de vivir; él, con casi 24 años, amaneció con las mismas intenciones. Dicen que no fue una coincidencia. ¿Cuánto habría que aprender de los más chicos?

3 de abril de 2012, Hospital Dexeus, Barcelona.

23

Padrina

Las lágrimas son impulsivas:
no se anuncian y tampoco se juzgan.
Las lágrimas se respetan:
no son del cuerpo, son del alma.
Las lágrimas son visibles para describir lo invisible.
Son las letras que utiliza el corazón para contar un segundo relato.

—Miquel, papá no podrá venir ahora porque la padrina no está muy bien y tiene que estar con ella. Nos han dicho que ya no responde.

Miki Roqué explotaría, como nunca había explotado en la Clínica Dexeus, tras enterarse que su abuela paterna, su querida Marcelina, había sido ingresada con una infección alarmante en un hospital de la provincia de Lleida. Empezaría a llorar, como nunca había llorado en los meses posteriores a marzo de 2011. Empezaría a recordar, empezaría a gritar, empezaría a quejarse, empezaría a pedir, prendiendo las orejas de cualquier ser humano que caminara por la planta 7. La enunciación endulzada de su madre no mitigaría la llegada del puñal que enhebraría nuevas heridas: Miki, contra su voluntad, volvía a estar dependiente del tiempo, sumergido en otra situación laberíntica, manejada por un ritmo irresoluto. ¿Dónde estaba el fin de todo esto? La dicotomía de un presente que no dejaba de sorprender.

Su prioridad, aquel día, tras escuchar la noticia, alteraría cualquier ley: se olvidaría completamente de su tumor y de sus dolores. Borraría sus necesidades primordiales, las triviales y perdería toda coordinación, toda razón, para dejar fluir un sentimiento que parecía gobernar con un régimen absolutista. Había algo más que él callaba: en su rostro, repleto de lágrimas, se leía un segundo texto. Fulguraba en su interior algo tan importante que no sabía bien cómo expresarse porque algunas cosas se ven más claras cuando no se tienen que explicar: cuando se explican salen siempre agitadas y confusas.

—*Mamá, voy, sólo le doy la mano y ya está.*

—Miquel, cómo piensas entrar a un hospital con lo que vas cargando. Tú peligras.

—*La tengo que ver, yo la tengo que ver.*

—Pero Miquel, ¿qué harás?

—*Yo quiero estar allí.*

—Pero no puedes, Miquel. Mira todas las máquinas que llevas...

—*Bueno, que la bajen, ¿no se puede hacer algo? Si la bajan aquí la podrán mirar mejor, que la bajen y ya.*

—No, Miquel, no puede...

—*¿Y por qué no? Si hay sitio aquí, puede estar aquí...*

Las voces entrecortadas de Miki, producto de su llanto desconsolado, no le permitían contar bien lo que sentía. Era imposible clasificar pensamientos y largarlos así no más al mundo de las carnes y de los huesos. Lo que veía tan evidente en su corazón, no lo podía transmitir como quería para su exterior. El hospital comenzaría a movilizarse porque él mismo, con sus maniobras, las que le quedaban, lo haría movilizar por completo. Había gestos extraños que pasaban a ser extraordinarios sin notar esa transición: cuanto más entendía en su soledad, cuando más parecía tener el concepto claro, más difícil era explayarlo para que lo entiendan los demás. No sabía cómo manifestar con exactitud lo importante que era para él ver a su abuela. Quería buscar la manera de encontrarse con ella, buscar la mirada, darle el último beso, uno de esos besos que dejan cicatrices, decir las últimas palabras, a pesar de que las despedidas desparramen siempre ese sabor agrio. Él y sólo él podía comprender a la perfección esa necesidad de subirse a una ambulancia para ir hacia Tremp: vestigios de un amor punzaban para provocar un sufrimiento más grande que el causado por su propio físico.

• • •

Elena López (auxiliar de enfermería): entré a la habitación, y me comentó que se estaba muriendo la abuela, que se tenía que ir a verla como fuera, que iba a pedir una ambulancia. Me acuerdo que le decíamos que no podía, y él *«que sí, que sí, que me da igual, que lo pago»*. Lo que estaba pidiendo no era viable. Hizo venir a todo Cristo. Se había enterado todo el mundo que se quería ir.

María José Coll (directora de enfermería): el problema de él no era el viaje a Tremp. El problema era si allá le agarraba dolor o pasaba algo. Era muy arriesgado.

Santiago Viteri (oncólogo): la verdad es que él estaba muy limitado. Siempre se intenta hacer todo lo posible por no interrumpir la vida normal de una persona, pero él estaba ingresado y tenía varias cosas que obligaban a que permanezca ingresado: medicación por vena, el tema de la herida que no le terminaba de cicatrizar, etcétera. Le ponía en riesgo. Era peligroso para él.

El inconveniente o la virtud de Miki, según el ángulo desde donde se mire, era que convivía todos los días con un fuego que crepitaba constantemente: no bajaría tan fácil los brazos y, si se deducía o no su sentir, daba igual. Tampoco pensaba hacer una pausa prolongada en un aspecto tan difícil de someter. Se había dado cuenta que, al cabo, todos tienen un conocimiento fragmentario de cada una de las cosas, que cada uno tiene su novela, y esas novelas son infinitas, llenas de ramas que no desaparecen ni siquiera con la propia muerte. Resultaba un desperdicio de horas repasar una historia entera porque nunca las historias están enteras. En este caso, sólo en este caso, había una espina que lo pinchaba a él y a nadie más, una astilla que parecía estar olvidada, pero, como suele ocurrir, ciertos recuerdos se guardan en la memoria, permanecen escondidos, casi imperceptibles, hasta que explotan en el momento oportuno.

—*Es que se han muerto los abuelos, y yo no los he podido ver. Y esto lo llevo dentro. No me pude despedir como quería. Nunca pude estar en el momento que se murieron los abuelos.* Y esto me pesa —diría Miki Roqué entre suspiros, cometiendo el pecado de hablar y llorar al mismo tiempo, una mezcla nada buena.

• • •

Miquel Roqué: cuando pasó lo de mi padre, él era chico, estaba estudiando en Lleida. Nosotros estábamos en Barcelona porque mi padre estuvo en la UCI muchos días. No se podía ir a buscar a Miki. No tenía sentido llevarlo para que entre en la UCI, para ver a una persona que no lo podía reconocer.

Olga Farrero: esa vez lo pasó fatal. Un día, tiempo después, me dijo: *«mamá, tú no sabes… Cuando me diste la noticia, yo estaba en Lleida, vosotros estabais juntos, pero yo estaba solo».*

Miquel Roqué: eso le quedó, le quedó una pena muy grande. Por eso dijo que, cuando se enteró, nosotros estábamos juntos y él no. En la residencia de Lleida, él pasó un tiempo muy mal, con esta sensación…

Olga Farrero: y cuando murió mi padre, él estaba en Liverpool, en Inglaterra. El último día que lo vio, porque había venido de vacaciones, le dijo *«padri, mañana te vendré a ver»*, pero ese día, o sea, a la mañana siguiente, no fue. Y eso no lo ha podido olvidar. Y también lo pasó fatal. Por eso, cuando sucedió lo de la abuela Marcelina, dijo *«no me puede pasar otra vez».*

Para conseguir su propósito, Miki apelaría a la última carta de su baraja; quizá, la más decisiva: llamaría a Gabriel Masfurroll, el director del Hospital Dexeus, convertido hacía meses en su amigo. A esa altura del día, sus lamentos eran tan enérgicos que cruzaban cualquier límite.

• • •

Gabriel Masfurroll: me llamó desesperado. Fue la única vez que lo escuché desesperado, llorando, pidiéndome ayuda.

—*Hostia, que le pasó esto a mi abuela, que me tengo que ir, por Dios, ayúdame.*
  —Es que no me lo puedes pedir esto como amigo. Yo soy muy amigo tuyo, pero también soy el director del centro, y vas a poner en riesgo mi responsabilidad. Lo único que te pido es que te tranquilices y que confíes en mí. Yo haré las valoraciones oportunas para ver si, en primer lugar, tu salud no corre peligro si te enviamos para allá y, en segundo lugar, si yo no me meto en un lío legal enviándote para allá.

• • •

Gabriel Masfurroll: y lo chequeé, y lo conseguí. Miki era un enfermo muy delicado. No podía exponerse a infecciones. No es como trasladar a una persona que se ha roto la pierna. Tenías que montar un hospital en una ambulancia, llevarlo y devolverlo. Le conseguí una unidad de cuidados intensivos.

En ese lapso, mientras tanto, Miki, quien había tenido siempre locura por sus abuelos (Miquel, Pepito, Marcelina e Irene), llamaría también a Lidia Guevara, un poco para pedirle una aprobación y otro poco para pedirle un consejo, una manera de buscar señales para comprender y orientarse en una medida.

• • •

Lidia Guevara: recuerdo que ese día estaba grabando en un estudio, y salí de la cabina de grabación.

—¿Qué te pasa, Miki?
  —*¿Qué? ¿Estás grabando? No dejes de hacer nada por mí.*
  —Miki, ¿qué te pasa? Tú eres más importante.

Lidia Guevara: estaba confundido. Sabía que era arriesgado, pero quería ir igual. Me decía «*¿qué hago? ¿Qué hago?*» Yo le decía «tu padrina lo va a entender si no vas, ella estará contigo».

Lentamente, en este río caudaloso, el exdefensor del Betis iría asumiendo el nuevo estrago para salir a flote. Es cierto que no cualquier bebida era capaz de saciar su sed porque él era un caminante empedernido. De todos modos, subrayando su personalidad, aceptaba que en este tema no sólo podía perjudicarse, sino que, además, podía perjudicar a su gente. Y esto último sería imperdonable para sus valores que distaban de cualquier individualismo. Con todo se aprendía y con todo se enseñaba. Sus padres serían fundamentales para aportarle otra visión de la dificultad:

—Miquel, estás poniendo en un compromiso a Gaby. El Gaby está todo el día pendiente de ti. Es muy bonito lo que haces, es por la abuela, por el cariño que le tienes, porque quieres verla... Pero puedes perjudicar a Gaby. Tiene que alquilar algo fuera del hospital. Esto no es correcto. Puede perder el trabajo con esto. Es su faena...

• • •

Gabriel Masfurroll: yo sé que Olga y Miquel lo hicieron entrar en razón porque cuando volví de vuelta a hablar con él, le dije «hostia, mira, lo hemos logrado», diciéndole «las condiciones del traslado son éstas: vas, la ves y vuelves, pero echando hostias», y él me respondió: «*mira, tío, te estaré siempre agradecido, lo he pensado mejor...*» Eso fue uno de los puntos de inflexión en nuestra amistad porque yo ahí me jugué mucho. Al final, como era muy arriesgado, él me pidió disculpas. Era un tío muy educado, muy humilde, muy cortés. No hay mucha gente así. Era muy generoso, pero muy generoso con todo el mundo.

Olga Roqué Farrero: después de eso, Miki me decía convencido que la abuela no se iba a ir hasta que no se pudieran ver, que él lo estaba pidiendo. Mi abuela estuvo con sedación más de una semana, aguantó muchísimo. Yo hablaba con Miki y se lo contaba: él no quería pensar que se iría, creía que volvería a estar bien, me decía que no se podía ir aún, que él le pedía cada día que aguantara. Fue entonces cuando le dije que su estado era muy malo, que ella necesitaba descansar, marcharse, que no tenía más vida aquí. También vi la angustia de mi padre, de ver que su madre se estaba marchando y, al mismo tiempo, aguantando cuando no tenía ningún pronóstico favorable, y pensando también en su hijo porque mi hermano lo necesitaba. Le pedí a Miki que la dejase ir, que no le pidiera que continuara. Su sitio ya no era aquí. Él, resignado, me dijo que, si realmente era así la situación, que lo mejor era que se fuera ya, que entonces dejaría de pedir que permaneciera aquí y pediría que descansara. Al día siguiente, la abuela murió.

24
Las versiones del amor

1

Para llegar a entender algo,
se debe pasar mucho tiempo no entendiendo nada.

Durante sus últimos casi tres meses de vida, como parte de un pacto entre su sentir y su pensar, Miki Roqué tomaría la decisión de borrar a una segunda línea sentimental, integrada, en su mayoría, por aquellos amigos que conocía desde su infancia o adolescencia. Se había propuesto configurar un terreno pacífico durante la transición que finalizaría con el fallecimiento, enarbolando bien alto sus argumentos y desarticulando algunas de las lógicas impaciencias. Su consigna, para la que reuniría esfuerzos desmedidos, era ser recordado por ese ceño alegre que embriagaba felicidad en cualquier sitio, y no por esos hilos traumáticos tejidos en las semanas que llevaba el 2012. En la habitación 712 del Hospital Dexeus, en la soledad de algunas noches, tenía sus cavilaciones: no quería lastimarse más de lo que se estaba lastimando y tampoco quería lastimar a ese segundo entorno tan especial. Su tarea no era liviana porque suele ser complicado crear un consenso en estos tipos de resquicios.

Había una personalidad, una armadura sin fisuras, que no se modificaba ni siquiera en las realidades más adversas: detallista al extremo como en sus años de futbolista, exigente consigo mismo para dar explicaciones o para encabezar cada combate, Miki notaba que se estaba quedando sin potencia para dar lo que pretendía dar, advertía que su propia exigencia, la innata, la que lo obligaba a estar siempre preparado, era la misma que lo fatigaba. Sabía con precisión de cirujano que ya no estaba en condiciones de responder a todas las preguntas que podían tocar la puerta de sus oídos o de sus ojos: no contaba con tantas encendidas expresiones para enfrentarse a las personas queridas que formaban parte de ese segundo cordón de relaciones. Sus palabras, escritas u orales, se disolvían como en una agonía y ya le costaba cada vez más que salgan tan convincentes desde dentro, fundamento por el que, sin demasiados giros, apelando a un prudente silencio, buscaría un nuevo procedimiento para seguir armonizando el presente —objetivo casi primordial—, naturalizando cada día, colocando como una persiana para que desde fuera no se vea ni se padezca tanto ese dolor.

Miki no quería transmitir tristezas, esa era su frontera para avanzar o para quedarse: la línea era muy delgada. No se permitía contagiar lágrimas en este desenlace que había asumido y, sin más opciones, saldría de la escena principal, aferrándose a un modo más enigmático y distante porque mostrarse no encajaba en el cuaderno de sus intenciones, no era parte de este relato en el que pugnaba para que los pronombres, desde el «yo» hasta el «ustedes», persistan confortables —o intenten estar confortables— en un suelo pantanoso. Sin un designio expuesto públicamente, él parecía tener la cualidad del artista para proporcionar otro sentido a lo conocido: entendía, a su manera, que una mirada o un conjunto de letras eran suficientes para herir más que cien bofetadas. Ese borrar, con paciencia inmaculada, era la prueba más grande de su amor. Ese borrar equivalía a protección y era un acto de valentía, un servicio noble que, tiempo después, sólo tiempo después, tendría una mejor comprensión.

• • •

Josep Maria Fernández: a mí me quedó eso de ir igual, de ir al hospital, aunque él no quisiera, porque él no dejaba de ser un amigo. Pero es verdad que tampoco sabía cuál era el mejor momento para ir porque ya no contestaba los mensajes.

Oriol Paredes: siempre hizo lo mismo. Cuanto menos daño le hacía a la gente, mejor. Yo le mandé dos o tres mensajes en esa época, y no me los contestó. Lo normal era que si no me contestaba, él me llamaba después, pero los últimos meses no lo hizo. A mí, él me conocía muy bien: yo no soy fuerte para aguantar y, si lo hubiera visto al final, me hubiera costado mucho. Yo creo que él tenía muchísimas cosas pensadas, él no quería que la gente sufriera.

Gonzalo Rivas: en los últimos meses, yo no contacté con él porque él se reservó, se separó de cierta gente, totalmente pensado. Yo lo respeté porque así lo hice toda la vida.

Esther Senallé (prima de Miki): creo que quería proteger, sobre todo, a gente de su edad, como diciendo que ellos no tenían que vivir esta situación. Les quería quitar esa pena. No quería que sus amigos vivan ese presente, como que pensaba que esto era una cosa que no tenía que vivirla la gente joven.

Vanesa Ruiz: Miki, en verdad, podía contestar por whatsapp y por el ordenador. Es más, al final, la última época, que ni siquiera se incorporaba, que estaba completamente tumbado, él estaba casi todo el día con el móvil y con el ordenador. No sé por qué no le respondía a sus amigos.

Ricard Valdés: en ese tiempo, yo creo que de verdad empieza a asumir que puede morir, y empieza a dejar de tener contacto con determinadas personas, posiblemente para proteger a esas personas. Esa segunda línea de amigos, con los que él tenía mucho vínculo, sí que es verdad que a mí me llamaba la atención por qué se había aislado. No contestaba mensajes cuando podría haberlo hecho.

Lidia Guevara: en mi caso, seguíamos hablando, pero él cada vez tenía menos ganas de contestar. Al final, ya no quería ver a nadie. La última vez que lo vi fue un día que fui al hospital para hablar con su hermana y, conversando con ella en la clínica, me dijo «vamos a comer, va a venir mi madre también». A último momento convencieron a Miki para que baje, y eso que Miki no quería ver a nadie. Bajó con la silla de ruedas, muy delgado, con una gorrita. Me dijo *«mira cómo estoy, mira cómo estoy»*. «Pero si estás guapo igual», le dije. Se sentía incómodo. Después de comer nos despedimos en la puerta de la clínica. Yo le di un beso y le toqué la cabeza; él estaba sentado en la silla de ruedas y me cogió la mano, la miró y me la apretó muy fuerte, como una despedida. Me miró con una mirada... Con ojos brillantes, esa mirada la tengo grabada, como diciéndome gracias, como que era un adiós.

2

Miki Roqué, aun aceptando que su paso por este mundo estaba cerca del final, seguía siendo el narrador de su historia y de las historias que se unían cerca de su figura. La categoría de líder, para cada una de las decisiones, no se reducía: a veces gritaba para ordenar, gritaba con su estilo seductor, y otras veces mantenía una templanza admirable para conseguir sus metas. En cualquiera de los escenarios, siguiendo las pautas misteriosas de un régimen que había nacido con su organismo, él elegía pisar descalzo la mayoría de los trozos de cristal que se habían desparramado por el piso, evitando callado las lastimaduras de otros pies.

Con este panorama que masticaba acostado en su cama, borrados y protegidos los amigos, al exdefensor del Betis le quedaba resolver todavía el tema de su círculo más íntimo: su familia era su primera línea de contactos y, con ellos, no proyectaba ni podía separarse. Esa unión era irrompible, intente como se intente, aunque, al mismo tiempo, viéndolo desde otra plataforma, él quería también que ellos vivan, que vivan de verdad porque vivir no es lo mismo que sobrevivir. Que vivan literalmente, que le dediquen más momentos «al peque», Gerard, su sobrino. Que disfruten de una cena, de un espectáculo, de una caminata y no permanezcan tantas horas en el hospital, privándose de realizar otras tareas. Lo que él sentía por sus padres, y lo que sus padres sentían por él, debería ser traducido con letras e inscribirse en cada libro de estudio para definir el concepto más amplio de amor. Miki amaba a sus padres con locura infinita. Los necesitaba allí, sí o sí, en esa habitación, a su lado, la mayoría de las horas, pero, por otra parte, como si fuera una contradicción muy profunda, sabía que eso suponía una cuota de sufrimiento extra para los suyos. Y lo sabía muy bien porque había aprendido a ser, sobre todo en el último tiempo, un gran explorador de gestos. Ese contacto permanente significaba, a su vez, quitarle bocanadas de aire para descansar, y como hijo tampoco toleraba ver esas angustias: su corazón crujía seguido cuando se detenía en este dilema.

—*Si yo pudiera pasarlo solo, es que lo pasaría solo. No puedo, pero es que lo pasaría solo...*

Las luces que se encendían al pasar, atravesando el horizonte mientras su vela se apagaba, le brindarían de a ratos la claridad necesaria para construir distintos puentes con la intención de que su papá, su mamá y su hermana puedan escapar de algunos agobios, preparándolos de este modo para el día después de una de las despedidas, de la física, porque las otras, en ciertos casos, no existen por mucho que pasen los años. Su manera de manejarse para impedir que se inunden las pupilas sería otro motivo para subrayar y resaltar con bolígrafos fluorescentes: en esas semanas, las últimas, ayudado por el don de la sutileza, finalizaría con tres puntos cada una de sus acciones, como procurando dejar algo en suspenso para que se ponga de vez en cuando en movimiento. Así también, sin tantas aclaraciones, con su cuerpo que continuaba recibiendo facturas para pagar, trataría de hallar una excusa tras otra para distraerlos y para inyectarles más energía durante esos días tan opresivos.

· · ·

Esther Farrero (tía de Miki): a sus padres les decía «*ya me puedo quedar aquí yo esta noche, iros a cenar, yo cualquier cosa tengo a las enfermeras aquí, que vienen a cada rato*». Quería que se distrajeran un poco.

María José Coll: a mí me decía *«llévate a mi madre por ahí».* Entonces, lo que hacíamos con Olga, más que nada, era ir a fumar las dos, que fue donde más amigas nos hicimos. A Miki le encantaba que sus padres salieran.

Mariona Subirá: quería que cada noche me fuese a cenar por ahí con su madre. *«Iros, iros, llévatela»,* me decía, pero, a la vez, él tenía la necesidad de que su madre estuviera siempre con él. En 15 meses, Olga no se movió de su lado para nada.

Gabriel Masfurroll: él sufría mucho por ellos, muchísimo. A mí también me había pedido muchas veces, pero muchas, que les dijese a sus padres que se fueran a cenar, que lo dejasen tranquilo.

Ricard Valdés: es cierto que él pedía que le diga a la madre que se fuera dos o tres días de allí, que se fuera a veces con su padre, que estaba trabajando en Tremp, y lo dejara tranquilo en la clínica, que le dijera que él estaba bien y tal… Lo que pasa es que esto lo intentó hacer en varias ocasiones y, cuando llevaba un día solo, él ya necesitaba a su madre. Cuando la madre se iba, Miki empezaba a llorar, a estar nervioso, a tener más dolor, más irritable… Él no reclamaba que venga, pero estaba clarísimo que él necesitaba a su madre al lado. Él intentaba distanciar a su madre de allí porque la veía sufrir, él no era tonto, él veía que su madre subía de fumar con los ojos llorosos, él veía a su madre sufrir, y le pedía que se fuera de ahí, pero cuando su madre no estaba, el que sufría era él. La calma que le daba su madre no se la daba nadie. Había un cordón umbilical que no se cortó en la vida. Miki tenía una conexión increíble con su madre.

3

Dos mujeres. Dos almas para prolongar los insomnios, para no irse a acostar temprano porque los sueños no se sueñan dormido. Dos excusas para soñar, cualquier cosa, pero soñar. Dos historias nuevas que se comenzarían a vivir con entusiasmo a partir de marzo de 2012. Dos personas que ingresarían justo en la etapa de aislamiento. Dos nuevos motivos para continuar avanzando por caminos de algodón, sin generar más heridas que las evidentes. Dos ayudas, en forma de clave, para sujetar la propia cruz que tocaba acarrear. Dos inspiraciones para sumergirse e ignorar la cáscara, esa linda presentación que, antes o después, se termina tirando. Cuatro orejas y cuatro ojos para hablar de imposibles porque los posibles ya no eran tan interesantes. Dos nombres para volar un poco más durante el final del viaje. Dos apariciones para romper las rejas de la última prisión.

• • •

Vanesa Alonso: yo soy de Pobla. A nosotros nos presentó un amigo en común, en una fiesta, 9 años antes. Después hablamos de vez en cuando, por Internet, y nos vimos otras veces, pero yo no tenía una relación de amistad directa con él. Cada vez que nos encontrábamos, te saludabas, te hablabas, porque es del pueblo de al lado, porque sabes quién es y te conoces. Con los años vas cogiendo un poco más de confianza y hablas más, pero nunca fuimos superamigos. La última vez que nos encontramos fue un sábado que él subió a Pobla con unos amigos, eso fue mucho antes de la enfermedad. Durante la enfermedad, yo no lo vi porque él me decía *«me verás cuando esté bien, yo cuando suba a Pobla, te iré a ver e iremos a tomar algo»*. Siempre *«cuando yo vaya»*. No quería que yo lo visitase en Barcelona. Yo estuve una semana en Barcelona, mientras él estuvo enfermo, pero no quiso verme.

Inés Graells: mi madre, María José Coll, era la directora de enfermería del hospital en ese momento. Y con Miki, como llevaba mucho tiempo ingresado, tenían una relación muy buena. Mi madre era como una tía para él. Le llamaba *«la tieta»*. Mi madre le llevaba cosas para comer, le tenía un aprecio increíble. Me decía «Miki, Betis», pero yo, nada. No lo conocía. Me había enseñado una foto, pero yo no sabía quién era. Un día, no sé por qué, estaba con mi madre, estábamos las dos en casa, y ella estaba jugando con él al Apalabrados, jugaba porque él estaba solo en el hospital, para entretenerlo un rato. Entonces me dije «pues, venga, voy a jugar yo también con él». Era agregar el usuario. Empezamos a jugar y había como un pequeño chat, y a partir de ahí empezamos a tener relación. Nos dimos el número de teléfono, de whatsapp... Y cada día era constante. Empezamos a escribirnos a mediados de marzo. Intenso, de escribirnos cada día, de escribirnos hasta las 4 de la mañana, escribirnos de todo...

Vanesa Alonso: cuando me enteré de la noticia de su enfermedad, le mandé un mensaje, supongo que como hizo todo el mundo. Yo me enteré por la tele, a la familia de él no la conocía de nada. Lo vi por la televisión, le mandé un mensaje por Facebook, pero él nunca me contestó. Cada vez que salía una noticia de él, le dejaba un mensaje de aliento. Le habré enviado tres o cuatro. Un día, recién en noviembre, me contestó *«gracias por los mensajes»*. Me quedé sorprendida. Hablamos luego un momento. Me dijo gracias por todos los mensajes que le había mandado durante todo este tiempo y... *«¿Qué tal estás tú?»* Siempre se preocupaba más por cómo estabas tú que por contarte él cómo estaba. Nos volvimos a dar los teléfonos de móvil, y ahí empezamos a hablar, una vez de vez en cuando, pero muy poco, todavía muy poco....

Inés Graells: en mi caso, no era por teléfono, era por whatsapp. Yo le preguntaba «¿y nos veremos algún día?» A mí me venían vacaciones en junio y le decía «no tengo qué hacer, vendré a hacerte compañía», pero él siempre con un *«no»* rotundo. Siempre era no, no y no: *«cuando esté bien, te veré, pero mientras esté en el hospital, no te voy a ver»*.

Vanesa Alonso: para marzo, no sé por qué, empezamos a hablar más. No sé. Quizá un día estaba aburrido y vio mi número. No lo sé. No hubo ningún cambio en ningún sentido, aunque empezamos a hablar más. Yo no conocía a su familia ni era amiga de sus amigos. Yo lo que sabía de él era lo que él me contaba en ese momento. Yo no podía saber si estaba mejor o peor. Si él me decía que estaba bien, estaba bien. No tenía otra fuente de información.

Inés Graells: por teléfono nunca hablé. ¿Si en teoría no le conocería la voz? Y... No. Bueno, sólo le escuché la voz un día, que ya era la última semana, antes de morir. Hablé con mi madre, y me dijo «a Miki le apetece comer patatas bravas, vete a buscar y tráemelas». Se las llevé a la puerta de la habitación. Salió Olga, su madre. Yo estaba en la puerta, y Miki estaba detrás. Salió la madre y me dijo «lo siento, pero no quiere que entres». Yo lo oí hablar desde dentro. Para mí era... Bueno, era verlo, después de todo esto. Habíamos hablado de mil cosas por hacer, él tenía mil planes, de subir a Tremp para hacer una barbacoa, me prometió ir a Sevilla para ver un partido del Betis... Yo era como realista, yo sabía que no podía llegar nunca ese momento. Mi madre estaba al corriente de cómo iba todo, y ella me decía «va mal». Yo ese día me quedé en la puerta, esperando que alguien saliera. Yo sabía que él no quería y, si él no quería, no iba a hacer algo que no quisiera. Iba a estar incómodo. De hecho, su madre le preguntó «está Inés aquí fuera, ¿puede entrar?» Y él dijo *«prefiero que no»*. Es raro. Yo me moría por dentro. Pensé, más que nada por respeto a mí, tendría que haber dicho «sí, has venido hasta aquí, al menos entra y salúdame». Ese día sí que me morí de la rabia.

Vanesa Alonso: llegó un punto en el que hablábamos cada día. Esto a partir de finales de marzo, principios de abril. Pero hablar de *«hoy qué haces para comer»* o *«pues mira, esta noche estoy cenando hamburguesas porque han venido los demás médicos aquí»* o sobre lo mal que lo pasó cuando se enteró que su abuela estaba mal, que me contó que se armó como una revolución en el hospital. Hablábamos de todo. También pasaba que hablábamos cada día y, de repente, un día no me contestaba, y estaba dos o tres días que no me decía nada. Claro, al principio, a mí me impactaba. Después de la primera vez que sucedió, él ya me dijo que durante esos días estaba recibiendo tratamiento o no tenía muchas ganas de hablar. Pasaban dos o tres días y volvía a estar igual que siempre.

Inés Graells: nos quedábamos escribiéndonos hasta las 4 de la mañana. Cogimos mucha confianza, muy rápido. Me iba mandando fotos... En dos semanas, me hablaba supercariñoso, como un hermano, como un mejor amigo, quizá. Fue algo muy rápido, pero muy intenso, de muchas horas de whatsapp. Casi todos los días, a partir de mediados de marzo. Me decía que no dejaba a sus amigos que le fueran a ver porque no quería que le vieran así como estaba, igual que me decía a mí *«no quiero que nadie me vea»*. Me decía que gente del fútbol le hablaba por el whatsapp, sus compañeros, pero que no contestaba nada. Eso es una cosa que tampoco acabo de entender, esto de que borrara. Yo no le preguntaba cómo estaba, no preguntaba sobre la enfermedad. Yo ya sabía que estaba mal. Si quería saber algo de la enfermedad, se lo preguntaba a mi madre.

Vanesa Alonso: creo que alguna vez lo hemos comentado, creo que él se sentía seguro de hablar conmigo porque como yo no tenía relación con nadie más, yo sólo sabía lo que él decía. Yo sabía que estaba mal, sabía que ya no se levantaba, pero cuando hablabas con él estaba tan vivo, tan alegre, tan bien... No te demostraba en ningún momento que estaba mal. Siempre me ha llamado él, y siempre me recriminaba que yo no lo llamaba nunca. Pero claro, yo no lo llamaba porque tampoco quería molestar. Le decía «yo no sé si estás con el médico o con alguien», y me respondía *«pues no te contestaré y luego te llamo»*. No sé por qué me llamaba a mí. Supongo que era porque no le preguntaba mucho.

Inés Graells: recuerdo otro día que tuve un accidente jugando al fútbol, y me tuvieron que coser. Fui a la Dexeus como a las 2 de la mañana. Yo sabía que él estaba despierto, y le dije «vendré a darte las buenas noches». Me respondió *«si estoy despierto, sí»*. Fue la primera vez que me dio como una autorización. Entonces, me cosieron, le hablé, pero ya no me contestó más. Yo tenía la esperanza de conocerlo ese día. No me iba a dejar nunca...

25
Ellos sobre él

El solidario...

Josep Pallàs*: a Miki no lo conocía, pero sabía de él. Después del boom (Carles) Puyol, venía él para los que somos de la zona. Yo soy de Pobla, y Pobla y Tremp son pueblos pegados. Casi todos se conocen. Muchas familias se conocen entre sí. Nosotros cruzamos mensajes, los dos estábamos en la etapa de recuperación. La comunicación empezó para Navidad de 2011. Decíamos «a ver si nos vemos un día», esperando que pasara el tiempo para reírnos un poco. Las conversaciones, por Internet, fueron siempre alegres. Al principio, con respeto y empatía, de dar ánimos, soporte, hasta romper el hielo. A mí no me dejaba entrever que estaba preocupado. Decíamos «ya nos veremos, ya nos veremos para reírnos de lo que había pasado». Esa era un poco la idea.

Jordi Senallé (tío de Miki): yo siempre me pasaba el cruce para entrar a la Dexeus, entonces me empecé a guiar con las letras de arriba del

---

* Josep es bombero. El 21 de julio de 2009, siendo parte del Grupo de Actuaciones Forestales de Lleida, concurrió a un gran incendio en Horta de Sant Joan (Tarragona). Murieron cinco compañeros, y él fue el único sobreviviente, quedando con el 70% del cuerpo quemado. Los primeros dos meses estuvo inconsciente. Luchó y pudo recuperarse. Su última operación fue en julio de 2012. Miki Roqué, padeciendo la primera recidiva del tumor, le había comentado a su madre: «Tengo ganas de conocerlo. Es una persona que me gustaría conocer, cuando salga de aquí quiero darle un abrazo. Él sí que es un luchador».

257

hotel Princesa Sofía. Uno de los fines de semana que fuimos a verlo, un sábado, me distraje viendo las letras del hotel, se puso el semáforo en rojo y le di al de delante. Lo choqué en la Diagonal. No lo vi, me distraje. Cuando llegué al hospital, Miki ya lo sabía, y enseguida me dijo *«coge las llaves de mi coche en Tremp»*. Le respondí «no Miquel, a mí no me hace falta». Y me lo dijo 5 o 6 veces más. Yo me dije «bueno, ya se le pasará la cosa». A él ya lo habían operado por segunda vez, tendría que tener otras prioridades, pero el lunes, a las 8 de la mañana, se presentó su padre en Tremp con las llaves del coche y me dijo: «Mira, te traigo las llaves del coche porque no calla. No está callando para que cojas el coche. Toma, porque es capaz de llamarte a las 8 de la mañana para ver si te las he traído».

Mari Carmen Mases (madrina de Miki): en todo momento, pensaba muchísimo en los demás. Cuando pasó lo de su abuela, él dijo que quería ir, que quería estar con ella, aunque sea para cogerle un rato la mano. Decía *«pagaré lo que sea, da igual, pagaré lo que cueste»*. Pensaba en su abuela con todo lo que él tenía. Insistió tanto que le terminaron consiguiendo una ambulancia especial. Lo extraño es que, todo eso, Miquel lo encontraba normal. Otro paciente, quizá ni lo pide. Yo esto lo vi como algo muy bonito, pero también lo vi como un mensaje, de pensar en los demás.

Mariona Subirá (prima de Olga Farrero): él era alegría e, incluso, estando en el hospital, te solucionaba cosas desde allí. Un día, yo tenía que preparar un *catering*, que era como para 100 personas, y me faltaba gente... Miki empezó a coger el teléfono y llamó a unas chicas que eran amigas de un amigo suyo. Estas chicas terminaron viniendo a ayudarme de camareras para el *catering*. Todo me lo había solucionado Miki desde una cama, sin poder moverse, con sus dolores.

Olga Farrero: a los amigos le transmitió siempre mucho la cosa de *«hay que vivir»*, hay que vivir el momento, hay que cambiar muchos valores, si quieres hacer una cosa, hay que hacerla. No hay que tener miedo.

El humorista...

Miquel Roqué: cuando todavía estábamos en Sant Just, en las primeras quimios, nos encontramos a Gerard Piqué en la calle. Miki llevaba una gorra porque estaba sin pelo. Piqué, al principio, no lo reconoció, y eso que ellos se conocían muy bien desde la época de cuando los dos jugaban en Inglaterra. Miki se sacó entonces la gorra para que se le vea bien la cara, y le dijo con humor: *«Piqué, ¿ya no saludas?»* Ahí lo reconoció enseguida: «Miki, ¿cómo estás?», le preguntó. Y él le respondió: *«Aquí estamos, tú te estás yendo a jugar la Champions y yo me estoy yendo al hospital, pero el año que viene nos enfrentamos, eh».*

Mari Carmen Mases: tenía un humor especial. No en plan de chistes, sino en plan de decirte una cosa y tú decías «bueno, esto va en serio o va en broma». A veces, Olga, su madre, comentaba «ay, qué vergüenza que he pasado... Es que le habla de una manera a los médicos». Y él, estando delante de ella, decía *«ah, vergüenza no sé de qué... Si no se lo digo yo, que soy el enfermo, quién se lo va a decir».* Con la forma de actuar de Miki, el otro no podía ser distante. Y él no entendía que su madre dijera esto, le decía *«¿y qué? ¿Por qué?»*

Esther Farrero (tía de Miki): en una oportunidad, me llamó mi hermana, que estaba en Sant Feliú, que el tranvía no pasaba y no sé qué más. Me llamó para que vaya al hospital hasta que llegara ella. Ese día, yo llevaba un pelo fatal, tenía que ir a la peluquería, pero, ante la llamada de Olga, me fui directamente al hospital, me fui con todos los pelos así como estaban. Cuando llegué, Miquel me vio y me dijo: *«tía, ¿no te da vergüenza? ¿No ves qué cabeza llevas? ¿Dónde vas así? ¿Cómo has salido de casa así? ¿Por qué no te arreglas el pelo?»* Me echó la bronca, con su humor, siempre gracioso, a su manera. Esto fue durante los últimos días, que ni se podía mover de la cama.

Elena Garay (tía de Miki): una vez le metió también una bronca a Antonio, su tío... Lo habían operado de una hernia, una tontería: ambulatorio, un día, y esa tarde para casa. Días después fuimos a visitar a Miki al hospital, esto fue en los dos últimos meses de él. Fuimos y le dije «a tu tío lo tengo que perseguir para ponerle las inyecciones». Y Miki, entonces, le metió una bronca… Todo con gracia, sin dramatismo, diciendo *«pues mira, que a mí me ponen tres cada día, y tú no te dejas poner unas inyecciones, que no son nada, te tienen que pinchar y nada más. Y encima seguro que vas metiendo broncas porque no te las dejas meter. Pues te las dejas poner y se ha acabado. No ves que una inyección no es nada, no pasa nada. ¿Por qué haces este drama de una inyección?»* Esa fue la única vez que le oí una referencia de algo que le hacían a él, tras decir *«tú no te dejas poner una, y mira a mí cuántas me ponen»*, pero no lo hizo para dramatizar, fue un poco para decirle no seas gallina.

Jordi Senallé: en otra ocasión, estaba en su habitación y teníamos hambre. Le digo «hostia, ¿por qué no pedimos unas pizzas?» Yo no sabía hacerlo, pero él era un experto. Cogía el teléfono y listo. Me dice *«sí, vamos a pedir unas pizzas»*. Pedimos dos. Al cabo de media hora digo «hostia, Miquel, no llegaron las pizzas». Yo tenía hambre, y él también. Miquel vuelve a llamar y le dicen «sí, el motorista ya ha salido, no se preocupen». Después de un momento, nos llaman y nos dicen de vuelta «está en la puerta el motorista, y no contesta nadie». Nosotros le habíamos dado el número de habitación. Miki, con su manera de ser, le respondió *«cómo que está en la puerta, si yo estoy aquí y no me puedo mover, si yo estoy dentro de la habitación, no me puedo mover de aquí»*. El chico se había ido a la puerta de la habitación del hotel Princesa Sofía. Cuando se enteró Miki… *«Pues ya puedes despabilar que como llegue fría te la tendrás que comer tú.»* Nos quedamos riendo como media hora juntos. Para nosotros, él nunca fue un paciente.

El coqueto…

Esther Farrero: era superpresumido y estaba en todas. Dos o tres días antes de que se fuera, yo estaba también con él en la habitación. Y me dice *«tieta, mira que tengo la máquina de pelar, mira si la tengo ahí.*

Tráela, enchúfala aquí y ponme una toalla». Y él cogió la máquina, casi no se podía mover, y empezó a pelarse. Yo le terminé cortando por detrás. Se fue con ese rapado, él se fue arregladito.

Lidia Guevara: siempre se perfumaba. Su habitación, en el hospital, olía siempre bien y su aroma era increíble.

Vanesa Ruiz (enfermera): cuando estaba bien, en los primeros meses, elegía las bambas para caminar en el pasillo. Te podía decir *«no, esas bambas no quiero, tráeme el otro par»* o *«esa camiseta está sin planchar»*, cuando sólo iba a dar algunos pasos por el pasillo, dentro del mismo piso del hospital. Nadie lo vería, pero él quería ir bien vestido, con su camiseta especial. También se tenía que perfumar sí o sí.

Mari Carmen Mases: estuvimos de compra un día, al principio de la enfermedad. Todavía no había empezado la quimio. Estuvimos con Olga, su madre. Primero compró mucha ropa, porque él tenía que estar perfecto, y después, como sabía que se le caería el pelo por la quimio, fue a comprar gorras. Se compró 6, 7 o más, todas distintas, diferentes modelos, diferentes colores, para esto, para lo otro. Se las sacaba, nos miraba y preguntaba *«¿cómo me queda?»* Al final decidía él. Nos pedía opinión, pero al final no servía para nada nuestra opinión. Si coincidíamos con su opinión, bien, pero si no coincidíamos, él ya decidía. Todo con humor, sabiendo todo lo que se le venía. Estuvimos ahí tres cuartos de hora, probándose las gorras. Se probó todas las gorras que había en el lugar. Ya de pequeñito era así con la ropa. Presumido, muchísimo. Si una cosa no le gustaba, no salía a la calle. No podía. La ropa tenía que estar perfecta. Además, si su madre no planchaba bien algo, uh, se ponía... Si alguna camisa no se la planchaban bien, la dejaba ahí para planchar otra vez.

Su enseñanza...

Inés Graells (amiga): después que pasó esto de Miki, plan que me venía, plan que hacía... Era voy a hacer todo lo que pueda. Y empecé a hacer todo lo que podía. Soy una persona muy cerrada, muy tímida. Al morirse Miki dije voy a hacer viajes, voy a conocer gente, voy a aprovechar oportunidades, voy a salir más con mis amigos...

Esther Senallé (prima de Miki): dejó mucho valor y mucha valentía. Todo era día a día. Y eso también se lo inculcó a mi tía porque cada dos por tres, uno y el otro te decían lo mismo: «Hoy, veremos hoy». Pero esto te lo decían por cualquier cosa, no sólo por la enfermedad. Quizá le decía «pues tieta, de aquí a tres días...» Y ella me contestaba «pues no, lo tienes que hacer ahora». Yo, por ejemplo, hacía 10 años que tenía una operación pendiente, una operación muy tonta. Al cabo de nada, cuando mi primo murió, pedí hora y me operé. Yo le veía a él ese ánimo de superación, de voluntad, de hacer lo que sea... Y te lo contagiaba.

Albert Mullol: una de las cosas que más me quedó de Miki fue su personalidad fuerte y decidida para hacer lo que quería y cuando quería, sin importar si era políticamente correcto. Aprendió a vivir cada día como si fuera el único día. No había ni pasado ni futuro en la existencia: la existencia era sólo presente. Te daba lo que necesitabas en cada momento. Muchas veces pensé en hablar con él, si necesitaba descargar alguna cosa, alguna emoción o hablar de algo que, a lo mejor, con el núcleo interno, los padres, no se atrevía. Siempre lo pensaba, pero, cuando estaba con él, era como que eso lo necesitaba yo. A él lo veía y estaba lleno de energía: pocas veces lo vi de bajón.

Irene Ortega Pes (abuela de Miki): él me retaba, me decía *«no te quejes porque estás muy bien»*. Decía que no había que estar siempre quejándose. Me daba ánimos. Tenía una fortaleza y unas ganas para todo. Tenía algo...

Mariska Bruinsma*: él podía estar muy enfermo, pero a la vez era muy positivo. A mí me queda mucho de Miki. Yo siempre fui positiva, pero ahora sé que tengo que ser muchísimo más positiva. Para todo. Yo todavía tengo el gusto de estar en este mundo. También ser positiva para los detalles. A veces voy a correr y digo «no puedo más, no llego más...» Pero después digo «puedo». Y sigo. Esto me ha dado Miki. Yo era así, pero él me ha dado más. Como que lo potencié. Yo tengo la suerte de poder vivir. Me sigo preguntando por qué me hice amiga de él tan rápido, ya en el primer día. No es normal: él era muy especial. Hablábamos como si nos conociéramos desde hacía muchos años. Una amiga me dijo «pero lo conoces de muy poco tiempo». Le dije que «sí, pero era tan intenso». Vivía todo con intensidad. Lo conocí ya enfermo, pero mi relación con él fue divertida, nada de tristeza. No entiendo cómo un chico de 23 años ha cambiado el mundo de tantas personas. El mío lo ha cambiado. Ese sentir de una amistad tan corta, pero tan intensa y tan rara al mismo tiempo. ¿Cómo puede ser? Creo que su ser y su enfermedad no iban juntos. Quizá era otra persona la que estaba enferma, pero no él. Siempre estaba positivo, se preocupaba por mi hijo, preguntaba por mi hijo... Miki estaba en silla de ruedas, había salido de una operación importante, y se interesaba por mi hijo. Con él, de un momento a otro, hablábamos de todo, intercambiamos números de teléfono y mantuvimos la relación hasta el final, y yo la sigo manteniendo ahora con sus padres y con su hermana. Con Miki intercambiaba seguido mensajes por whatsapp y lo he ido a visitar en más ocasiones. Yo creo que en su cabeza, él ya tenía pensado que, si un día no estaba más, yo podía ser amiga de su madre. Hizo como un grupo, un grupo también de soporte para sus padres. Con el hospital no me relacioné con ningún otro paciente, sólo con él, y no sé por qué. Miki me ha dado mucho, me ha dado como una familia más.

---

* Uno de los hijos de Mariska ingresó en febrero de 2012 a la planta séptima del Hospital Dexeus, debido a un problema en una rodilla. Allí, ella conoció a Miki y a su familia. En sólo 10 días, lo que duró la internación del pequeño, ellos se unieron sin hacerle caso al tiempo y formaron una gran amistad.

Su marca...

Marc García (compañero en Lleida): no sé qué me llevó a hacerme un tatuaje sobre él. Miki nos ha transmitido tanto... Toda su historia es para recordar. Yo lo quiero recordar y quiero que nadie se olvide de él. Me puse «mrf 26», casi a la altura del codo. Cuando me vean este tatuaje, me van a decir «¿y estas iniciales son las tuyas?» Y yo lo voy a explicar, voy a decir que son del Miki, voy a dar a conocer su caso, darle continuidad. Yo tendré pie para decir quién fue Miki.

Lidia Guevara: en 2012, hice una campaña para la Televisión de Cataluña. Todo lo que se recaudaba era a nivel benéfico, iba destinado a una ayuda para gente con riesgo de exclusión social, para gente sin trabajo, que lo estaba pasando mal. Entonces compuse una canción junto a dos artistas, Elena Gadel y Manu Guix. Se llamó «Fora de Joc». La canción era para que nunca te quedes fuera de juego, siempre habrá un amigo que te dé una mano. La imagen de la campaña era una silla, el juego de la silla, el que no se sienta, pierde. La idea es que haya sillas para todos: nunca estarás fuera de juego. Esa canción la hicimos entre los tres. Las partes que compuse yo de esta canción las hice pensando en Miki. Las frases eran para Miki, y se lo dije a Miki: «He hecho una canción con otros dos artistas, la vas a ver por la tele a todas horas. Cada vez que la escuches, acuérdate del mensaje. Te lo doy yo». Conseguí cantar en el Palacio Sant Jordi, que es casi lo máximo para un artista a nivel nacional. Él me vio por la tele. Cuando la estaba cantando, yo estaba pensando en él, y él, cuando me estaba viendo por la tele, decía «Lidia está pensando en mí». Mensajes cortos, pero intensos.

Oriol Paredes (amigo): una tarde que estábamos en el hospital, no sé por qué salió el tema de los tatuajes, y hablando le dije «yo quiero hacerme uno», y él me dijo que también le gustaría hacerse uno, y me resaltó esta frase: «E pluribus unum», que significa «De muchos, uno». Está escrito en latín. Tiene sentido del sitio de donde eres, la gente que te envuelve, tu familia, tus amigos y las cosas que te han ido pasando en la vida, cómo se forma la personalidad de uno. Después me dijo: *«espérate que al salir de aquí, vamos tú y yo para hacernos el tatuaje»*, pero él ya no salió. Yo me lo hice cuando se cumplió un mes de que lo enterramos en Tremp. Pasé por delante del lugar, iba con una amiga, andando, y paramos. Le dije a mi amiga «me voy a hacer un tatuaje», así, de repente. Ella se quedó muy sorprendida. Le dije «sí, es que tiene que ser hoy». Me acuerdo que entré y que dije «quiero hacerme un tatuaje que ponga esto». Me dijeron «hoy no puede ser». Entonces le contesté «no, es que después vienen unos primos y no podrá ser, a ver si me encuentras un hueco». Me respondió «si vienes dentro de 20 minutos, te lo hago pitando». Y así me lo hice.

Olga Roqué Farrero: cuando estaba embarazada de nuestro segundo hijo, la enfermedad de Miki ya no iba bien. Con Albert, en aquellos días, pensábamos qué nombre le podríamos poner al niño, y entonces dijimos Miquel. Fuimos y se lo contamos a Miki, pero no quiso. Nos dijo *«Miquel, no. Miquel somos muchos en casa y será un lío cuando nos tengamos que llamar»*. Después le dijimos Biel, y le gustó. Entonces quedó Biel. Cuando faltaban tres meses para que muera, él, con su silla de ruedas, quiso salir de su habitación para acompañarme a una ecografía, que se hacía allí mismo, en la Dexeus. Después de su fallecimiento, después de que pasó todo, buscamos qué día es el santo de Biel. Y nos dimos cuenta que es el mismo día que el santo de Miquel.

Miguel Guillén (presidente del Real Betis Balompié): para nosotros, Miki Roqué sigue estando presente, no sólo aquí en Sevilla, sino también afuera, porque en el minuto 26 de cada partido se grita su nombre, es un gesto de la afición, nace de la afición, desde el primer día. La camiseta 26 se retiró de la plantilla y tenemos el memorial en el estadio que lo recuerda todos los días.

Carles Puyol: yo empecé jugando la temporada 2012-2013 con las botas MR26, pero no salió en ningún lado porque no dije nada. Los que lo sabíamos no dijimos nada. Cuando me operé de la rodilla derecha, me llegaron nuevas botas, y puse unas fotos en Twitter. Entonces ahí se vio MR26, y la gente relacionó. Siempre hablábamos de que él quería volver a jugar. Y esto era como llevarlo ahí para que él pueda disfrutar de los campos que yo pueda jugar.

Ricard Valdés (anestesista y psiquiatra): cuando murió, yo tuve que escribir una carta. Tuve que escribir esa carta que salió en los medios porque tenía la necesidad de expresarle a todo el mundo quién era Miki. Yo llegué a mi casa después de la guardia en la que él falleció, no dormí en toda la guardia, y lo primero que hice cuando volví a mi hogar fue ir a mi ordenador, escribir la carta y enviarla a la web del Betis. Eso salió después de 24 horas sin dormir. Era una terapia para mí. Necesitaba escribir esa carta porque lo llevaba dentro y tenía que sacarlo.

26

La huella invisible

1

No hay fotos suficientes. No existen páginas que retraten y eternicen lo sentido sin omisiones. No se inventó una pluma que narre con exactitud para combatir contra la mala memoria. Algunos recuerdos, con el paso de los años, fallarán o se distorsionarán. Se perderán detalles banales e importantes. Los rostros, sin más opciones, se rendirán ante el ejército de las arrugas. Quizá, más adelante, ya casi nadie, desde fuera, se detenga a pensar en el camino compartido. Lo único que quedará intacto será una huella. Nadie la verá. Estará allí, sin envejecer, sin transmutar, pero nadie la verá. Esa huella, la más poderosa, será inmune a las opiniones externas. Será una huella invisible. El ser humano y sus huellas invisibles.

2

¿A dónde habrán ido las palabras que no llegó a decir? ¿Qué otra voz las pronunciará? ¿A qué estrella habrá que mirar? Durante su última semana, Miki Roqué se apresuró a firmar fotos y camisetas. Quería dejar algo más, algo simbólico, acercar el último calor para el frío que se avecinaba, actuar sin llamar mucho la atención, siempre con su manera natural, con su risa que desarmaba, sobresaliendo por la armonía que impregnaba. En el texto que estaba narrando dejaría múltiples sugerencias para que el después se llene de imaginaciones, de comprensiones y de interpretaciones. Había pedido que le traigan postales de su época como jugador del Betis para autografiar y regalar. Miki nunca se despediría porque no comulgaba con las despedidas y porque hay personas que nunca se van del todo. Las palabras, por otra parte, no alcanzaban para relatar lo que dictaba su amor en los momentos del adiós. Entendía, eso sí, que un final estaba cerca, y el tiempo se hacía notar por la consecuencia de sus actos.

• • •

Ricard Valdés: hay una guardia que subo a la séptima y una de las enfermeras me pide un autógrafo de él. Me dice «¿tú puedes pedírselo?» «Claro», le contesté. Entonces entro y se lo digo a Miki...

—*¿Y por qué me lo traes tú?*
   —Bueno, a la chica le dará vergüenza...
   —*Dile que pase.*

• • •

Ricard Valdés: la enfermera pasó y Miki le dijo «*hombre, pues claro que te lo firmo, venga, trae... Te firmo dos, no uno, dos*». Tenía unas postales de cuando jugaba en el Betis, y entonces desde su cama le hacía bromas: «*qué, aquí estoy más guapo, eh. Has visto que tiarrón...*» Yo hice también una broma con algo, otra vez con lo de que era alto y tal, pero él cambió la conversación...

—*¿Y tú cuándo me vas a pedir un autógrafo?*
   —Yo no... Es que yo no soy de esas cosas... Yo no necesito autógrafos.
   —*Bueno, por lo menos para que tengas algo mío.*

• • •

Ricard Valdés: y ahí me recorrió un escalofrío. Me dio la sensación de que él me quería dejar algo, me dio la sensación de que él se despedía de mí. También me regaló una pulsera. Y las dos veces, la de la pulsera y la de la foto, me dijo «*esto es en agradecimiento por todo lo que has hecho por mí*».

Vanesa Ruiz (enfermera): autógrafos nos firmó a todos. La foto que me regaló a mí la tengo guardada en mi habitación. Eso fue en la última semana. A mí cuando me la dio, yo como que no quería. Es más, le dije «pero para qué la quiero, si ya te conozco, si ya llevo un año y medio contigo. Yo te llevo en el corazón, hombre». Pero él me la dio igual. No sé por qué. Supongo que él ya sabía todo.

Antonio Farrero (tío de Miki): él sabía también que yo tengo recuerdos suyos, que tengo fotos de la familia, que tengo comidas… Cómo me voy a olvidar de él, de él y de ninguno de la familia. No me voy a olvidar de él. En cambio, la penúltima vez que estuve en la clínica, me dijo «*oye, toma aquí… Aquí hay cinco o seis fotos, quédatelas*». Yo me dije «esto no cuadra, esto es que se está despidiendo». Lo hizo tranquilo, no montando un circo. Me dio las fotos cuando sabía que yo tenía fotos de él, que no hace falta que me dé unas fotos vestido de futbolista. Además, sabía que yo no lo idolatraré porque sea futbolista, lo idolatraré porque seamos amigos, porque seamos familia… Que me diera esas fotos no cuadraba.

Mariona Subirá (prima de Olga Farrero): yo tampoco quería esto porque no me gustaba. Una semana antes debía ser, él estuvo firmando y firmando, firmaba postales a todo el mundo. Yo no se lo pedí. Cuando lo vi allí con todas las fotos, me daba mal rollo. No quería que firme nada, pero empezó él, y me terminó dando más de una.

María Caballero (supervisora de la planta 7): un día antes de morir, el sábado 23 de junio, yo estaba en el control de enfermería y lo oía gritar porque tenía un dolor horroroso. Llamamos a anestesia: «Por favor, sube que Miki tiene muchísimo dolor». Cuando le pasó un poco ese dolor, cuando lo pudieron calmar, yo fui a su habitación, y él, como si nada, me dice *«no te he dado ninguna fotografía mía firmada para tu hijo».* Sabía que a mi hijo le gusta mucho el fútbol, y me dio dos fotografías autografiadas para él. Le puso «que seas un jugador muy bueno y que seas muy feliz». Mi hijo tiene 8 años, y tiene las dos fotos en su habitación.

Santiago Viteri (oncólogo): a mí me firmó la foto en su última noche. Me acuerdo que ya había llegado un momento en el que las crisis de dolor se hacían muy difíciles de contener. Tenía muy seguidas, y ya estábamos pensando en ponerle más medicación para que estuviese dormido durante todo el rato o casi todo el rato porque era inaguantable para él. Ese día, él había estado firmando autógrafos, distintas fotos por la mañana. Después, por la tarde, ya se lo había empezado a sedar. Yo cuando llegué estaba medio dormido, pero abrió de repente los ojos y me dijo *«¿tú qué haces aquí? A ti no te he firmado nunca ninguna foto. ¿Te he firmado a ti alguna foto?»* Tenía todas las fotos en la mesilla y me dedicó una. Me la dio y la tengo guardada en mi casa, la tengo puesta en una mesa. Me firmó el autógrafo casi como una despedida.

Gabriel Masfurroll (director del hospital): para estos días, en una de las visitas que le hizo Patricia (psicóloga del Betis) al hospital, le trajo la nueva camiseta para mí, con mi nombre bien escrito. Cuando Miki me da la camiseta, me dice *«toma, la que te prometí».* Le respondí «bueno, ahora fírmamela». Entonces, el tío la coge y me dice *«bueno, yo me la quedo, y ya te la dedicaré».* Miki ya no se podía incorporar, tenías que sujetarle la camiseta para que él pueda escribir encima de la misma. Para que te des cuenta del carácter exigente y de un tipo riguroso como él, Miki no escribía muy bien el catalán e hizo que su madre chequease el texto ortográficamente para que me lo pudiese escribir. En la dicción de ese texto, Olga cometió un error, pero lo escribió. Se ve que estuvieron, además, como dos días para escribir. Cuando Miki se da cuenta del error, se quiere romper la cabeza: *«hostia, pero si te lo había pedido…»* Es un poco la frustración, él hizo mucho esfuerzo, era escribir cuatro líneas, pero significaban mucho esfuerzo, y fue como un poco darse cuenta de lo mal que estaba. Fue una situación desagradable porque él estalló contra su madre, pero yo creo que fue un tema más de frustración interna, como decir «hostia, es que no puedo ni escribir una camiseta».

Olga Farrero: en el ordenador, él había escrito lo que quería poner. Lo escribió muy bien porque para él era muy importante. Estaba tirado en la cama, no podía casi moverse, le costaba mucho, y él cogió la camiseta de un lado, yo del otro y, al final, tuve que escribir yo. Me equivoqué en una frase, y Miki se puso a llorar...

—Ya está, Miquel. Ya lo arreglaremos...
—*Mamá, tú no sabes lo importante que es para mí. Es lo que me sale... No hay nada más importante que lo que siento.*

3

Miki asumía el inminente final, pero seguía como si todo se tratara de una continuación infinita. En las últimas semanas, se había enviciado también con las apuestas por Internet, como si fuera un guiño a su esencia, porque a él no le gustaba perder sin haber competido: según su visión, lo peligroso era no atreverse.

• • •

Jordi Senallé (tío de Miki): cuando no se podía mover de la cama, fue tan listo que se buscó la vida con el ordenador, y hacía apuestas de partidos. Yo nunca he jugado apuestas, ni por Internet, ni esas cosas, pero para pasar el rato con él, me comencé a enganchar: «coño, ábreme una cuenta y te doy plata, las vas jugando en la semana y cuando llega el viernes hacemos cuentas para ver cómo vas». Así que abrimos una. Me dice *«mira tío, yo ahora he visto una cosa, que la mayoría de los equipos, en los 10 primeros minutos del partido, no marca nadie un* *gol. He apostado a que estos equipos ninguno marca antes de los 10 minutos».* Yo dije «hostia, esto es bueno, es verdad». Inocente, voy y pongo plata al partido de Barcelona, y a los 4 minutos marca el Messi. Miki, con buen rollo, *«pero a quién se le ocurre apostar cuando juega Messi. No apuestes contra Messi».*

Juan Pablo Oglio (anestesista): el mismo día que se estaba muriendo, él seguía apostando goles por Internet. Apostaba a cualquier cosa. Yo me acuerdo que se estaba muriendo y estábamos viendo el partido de fútbol de la Eurocopa (España-Francia), estaba casi sedado y abría medio un ojo, y preguntaba cómo iba. Ese sábado, como desde mucho antes, ya formábamos parte de la familia.

Casi 48 horas antes de fallecer, disimulando su dolor en su habitación, dejaría entrar a sus tíos y a sus primos para que allí germinen otros valores. Quería a su familia. Y ese permiso valdría más que una tonelada de frases. El esfuerzo era colosal y, a la vez, según creía, era necesario para sostener que el poder se construye con el intento.

• • •

Esther Farrero (tía de Miki): le dolía mucho, pero quiso que estemos todos allí, sin decir nada, siguiendo todo con normalidad. Nos dejó entrar a todos los de la familia. Aguantó que entráramos todos a su habitación. Aguantó como un valiente.

Esther Senallé (prima de Miki): siempre te hacía una buena cara, y eso supone un esfuerzo muy grande cuando tú estás enfermo. Dejas desprender mucha energía, pero él lo hacía para atendernos. Cuando estaba con nosotros, al menos, él hacía ese esfuerzo. Desprendía mucha energía para que tú estuvieras bien a su lado. Yo no notaba que él estuviera enfermo. No tengo un recuerdo de él diciéndome «me duele aquí». Para mí, allí estábamos como en casa, no parecía un hospital, parecía ir a verlo a casa. Desprendía eso. A veces tienes que ir a ver a un enfermo y dices «madre mía, qué le hago, qué le digo».

Con él, no me pasó eso. Podías estar callado, hablando, con una copa de cava, pero siempre estabas a gusto. Yo conocía toda la realidad, tenía mi dolor, pero mientras estaba con él, era como si no pasara nada.

Xabier Senallé (primo de Miki): recuerdo que, en una ocasión, él me dijo que recibir a alguien durante media hora significaba estar después como tres días sin fuerzas, era como que después sabía que iba a estar tres días mal. Hacía mucho esfuerzo en eso, y a nosotros nos recibía.

Albert Mullol: no quería que le viéramos sufrir, supongo que para que nosotros no sufriéramos. Los últimos tres meses, sí que cambió, pero para mejorar nuestra relación. Eso fue una sorpresa para mí. Se centró más en la familia y en «su gente» del hospital. Conmigo hubo mucha más comunicación, había encontrado el tema de las apuestas online, y comentábamos por whatsapp sus apuestas, todo el día. Fue un acercamiento que nunca había tenido con él. Y lo mejor es que, en esos momentos, fue cuando con más energía y felicidad lo vi desde que empezó su enfermedad, aunque físicamente estaba peor.

Ese mismo día, ese viernes 22 de junio de 2012, Vanesa Ruiz, una de las enfermeras del turno tarde, le comunicaría a Miki que tendría que realizar un máster fuera de Barcelona, y que no lo vería durante casi una semana.

• • •

Vanesa Ruiz: murió el 24 de junio, el 22 fue la última vez que hablé con él, y aquella misma tarde nos pidió perdón a mi compañera y a mí por habernos chillado durante los últimos meses. Porque claro, a veces le dolía tanto que no sabíamos cómo moverlo. Le teníamos que decir «dinos tú dónde tenemos que colocar las manos, cómo quieres que te movamos». Tenía dolor, era lógico, y se cabreaba. Pero ese mismo día nos pidió perdón. Le decimos «coño, Miki, no nos tienes que pedir perdón, no te preocupes, que es normal en todo esto». Con mi compañera Azucena, que es la auxiliar, le aclaramos: «anda Miki, que no pasa nada, que ya sabemos cómo es todo». Y al día siguiente se sedó. Después que ha pasado todo, lo piensas y dices «coño, ese día nos pidió perdón como despidiéndose», porque en 15 meses, en ningún momento, nos había dicho nada. Y ese día se disculpó. Yo en ese momento no lo relacioné.

Con su hermana, también de manera sutil, actuaría rápido para despedirse sin despedirse, para verla sin revolver tanto el baúl de las heridas y para decirle con la mirada lo mucho que la quería: durante esos intervalos, respetando todos los síntomas, era obligatorio aprender a escuchar con los ojos.

• • •

Olga Roqué Farrero: de enero a junio, haciendo un promedio, yo bajaba a Barcelona cada 15 días, un fin de semana sí, un fin de semana no. Es decir, lo veía cada 15 días. Dos semanas antes del fallecimiento hablé con él, le comenté que quería bajar una semana entera con Gerard, de viernes a viernes, para estar allí con él. Le dije «¿bajo esta semana que viene o me espero a la próxima?» Me contestó: *«baja esta semana porque la otra no sé dónde estaré».* Bajé esa semana entera, entonces, y fue esa semana que le dio prisa por firmar camisetas y fotos para la gente del hospital. Me marché el viernes, pensando en verlo dentro de una semana, pero murió el domingo.

4

—Gracias por todo lo que hicisteis por Miki —le diría Olga Farrero a Gabriel Masfurroll, el director del hospital.

—¿Gracias? Gracias se las tengo que dar yo a él. Tú no sabes lo que me ha aportado. Yo a él le he contado cosas que no se las conté a nadie. Miki me da fuerzas a mí. Yo le tengo que dar las gracias a Miki.

Ya se acercaba el momento de marchar. Miquel Roqué Farrero sabía que, en sus últimos meses, había aprovechado muy bien sus minutos, aportando cimientos para nuevas causas. Había vivido un tramo intenso, comprobando que la intensidad puede multiplicar el tiempo de un reloj: había hecho más larga una vida corta...

Miki había dicho que algunos «no» se pueden transformar en semillas de algunos «sí». Había sido una muestra para entender que se puede estar convencido de una idea, se puede creer con firmeza en una convicción, pero que, a la vez, se necesita siempre un empujoncito para que todo eso se convierta en una acción: Miki, diferenciándose de cualquier trivialidad mundana, era el empujón y el ejemplo para romper barrotes. Había sido valiente, y el hombre valiente, en su adversidad, recibe su reconocimiento.

Los trabajadores del Hospital Dexeus sentirían el golpe del adiós y las resistencias, humanas y profesionales, se vencerían en los soplos finales de un cuadro inalterable. Los médicos lloran... O lloraron como nunca con un paciente.

• • •

José Millán (director del área de salud del Betis): es que Miki entró de paciente y salió casi de médico, de terapeuta, de amigo de todos los que estaban en la clínica.

Ramón Canal: con Miki, todos traspasamos una raya que, normalmente, los médicos no traspasamos. No la traspasas como elemento de protección tuya. Con Miki lloró todo el mundo. Aparte de hacer el seguimiento médico, hacías el seguimiento de cabeza y de corazón, más de corazón que de cabeza. Eso por un lado. Por el otro, Miki tenía un imán, y ese imán te arrastraba. Hay personas que tienen imán, otras que no. Hacía que a todo el mundo le fuera fácil. Una cosa difícil, como es tratar esta enfermedad, él te lo ponía fácil. Y este punto te hacía ir más para allá.

Vanesa Ruiz: cuando murió, yo estaba en mi casa, preparando algunas cosas porque me iría a hacer un máster fuera, pero tuve que ir al hospital a despedirme de él. Cuando me enteré, tuve que dejar de hacer lo que tenía que hacer e ir al hospital. Yo no fui como enfermera, sino que fui como amiga. Yo nunca lloré tantísimo por un paciente. Ese día entré llorando al hospital.

Elena López (auxiliar de enfermería): cuando llegué al hospital para cumplir con mi turno, me comunicaron que ya había fallecido. Así como entré, subí a la planta, no me fui a cambiar ni nada. Subí, llegué a la planta, me abracé con la madre y me puse a llorar.

María Caballero: nosotros estamos acostumbrados a vivir con la muerte. Por desgracia, cada día o cada semana fallece alguien. Pero claro, yo me encariñé muchísimo con Miki. Yo y todos. Se hacía querer. El día que murió, a mí me tuvo que consolar Olga, su madre. Yo me derrumbé. Fue muy duro, y me consoló su madre.

Ricard Valdés: los padres de Miki nos consolaban a nosotros.

Santiago Viteri: siendo oncólogo se te mueren muchos pacientes y, lógicamente, te apenas, pero bueno, de alguna manera, continúas. No son muchas las veces que te llegas a emocionar de verdad, no son muchas las veces que te afecta. Yo cuando salgo del hospital me olvido de todo. Cuando murió Miki, me emocioné y lloré. No fue normal.

Ricard Valdés: yo sabía perfectamente que estaba lleno de metástasis. Y es curioso, pero, siendo médico, hay un momento en el que tengo la esperanza de que él se cure. Lo veo a él con esa esperanza, y a mí me la transmite. Yo sé que no se va a curar, pero hay un momento que tengo la esperanza de que se cure. Como médico, sí que me doy cuenta de que eso va a acabar en muerte, pero como persona, yo también hago una adaptación y tengo un mecanismo de defensa. Llego a tener la esperanza de que se cure porque no quiero perderlo.

Dejo de pensar como médico en algún momento, y creo en algo más que lo pueda curar. Se me mezclaron un poco los sentimientos personales con los procedimientos de medicina, y ganaban los sentimientos personales. Explicar esto no es sencillo.

5

Era raro porque decía lo que sentía.
Y era más raro porque hacía lo que decía.

Hoy y mañana hablará el silencio. Hoy y mañana se lo seguirá llorando. Hoy y mañana, por él, se seguirá peleando. Si el resultado del partido terrenal se define por muerte, la derrota será general. Si el resultado se define con otro reglamento, Miki Roqué, quizá, ganó holgadamente: él pudo, claro que pudo... La vida que se apagó le dio sentido a las vidas que se quedaron.

Carta para Miki

Miquel, sólo nos sale dirigirnos a ti en catalán, como hablábamos en casa (ver carta original a continuación). ¡Eres el mejor angelito que podíamos tener! Queremos, por encima de todo, darte y no dejar de repetir gracias, gracias y miles y miles de gracias, de parte de papá, de mamá, de Olga, de Albert, de tus sobrinos, Gerard y Biel, y de tu familia más cercana.

Miquel, para nosotros era impensable vivir el proceso de tu enfermedad y de tu partida de la manera que lo hemos podido vivir, sin derrumbarnos, siempre mirando hacia delante con esperanza. Nos has enseñado desde la grandiosidad de tu ser que con amor y valentía se puede respirar VIDA en cada momento presente, y esto es muy grande. ¡Eres un maestro!

Hemos podido vivir esta experiencia y darnos cuenta del amor que tenías dentro. En todo momento, con tus dolores y sufrimientos, cuidaste de nosotros, cuidabas de todos, de la familia, de los amigos, de los médicos, para todos tenías una mirada, una sonrisa, una broma, un saber estar desde el saber interior, un llevar la enfermedad con entereza, con valentía, con VIDA.

Nos has dejado la marca de vivir en cada momento el presente, por muy devastadora que sea la experiencia. Sí, Miquel, todo esto hemos aprendido. Es tan valioso y tan bonito que no podemos dejar de repetir gracias y más gracias.

Te echamos de menos, pero te sentimos muy cerca en cada paso que damos. Sabemos que estás aquí, ayudándonos y guiándonos a superar la función que tenemos aquí asignada. Tu guión, aquí, terminó. La película continúa. Llegará el día que el nuestro terminará también, y ese día entenderemos mucho más que ahora.

«Teniendo en cuenta que el tiempo es infinito, sólo te has ido un segundo antes que nosotros.» De esta manera, cuando nos reencontremos, será como si nunca nos hubiéramos separado.

¡Te queremos, Miquel! ¡Hasta pronto, campeón!

• • •

Miquel, solament ens surt dirigir-nos a tu en català com parlàvem a casa. Ets el millor angelet que podem tenir! Volem, per damunt de tot, donar-te i no deixar de repetir gràcies, gràcies i mils i mils de gràcies, de part de papà, de mamà, de l'Olga, de l'Albert, dels teus nevodets, Gerard i Biel, i de la teva família més propera.

Miquel, per nosaltres era impensable viure el procès de la teva malaltia i de la teva mort de la manera que l'hem pogut viure, sense defallir, sempre mirant endavant amb esperança. Ens has ensenyat des de la grandiositat del teu ésser que amb amor i valentia es pot respirar VIDA en cada moment present, i això és molt gran. Ets un mestre!

Hem pogut viure aquesta experiència i adonar-nos de l'amor que tenies dins teu. En tot moment, amb els teus dolors i patiments, vas cuidar de nosaltres, cuidaves de tots, de la família, dels amics, dels metges, per a tots tenies una mirada, un somriure, una broma, un saber estar des de la saviesa interior, un portar la malaltia amb enteresa, amb valentia, amb VIDA.

Ens has deixat l'emprempta de viure en cada moment el present, per molt colpidora que sigui l'experiència. Sí, Miquel, tot això hem aprés. Es tant valuós i tant bonic que no podem deixar de repetir gràcies i més gràcies.

Et trobem a faltar, però et sentim molt aprop en cada passa que fem. Sabem que ets aquí, ajudant-nos i guiant-nos a superar la funció que tenim aquí assignada. El teu guió, aquí, va acabar. La pel·lícula continua. Arribarà el dia que el nostre també acabarà i, aquell dia, entendrem molt més que ara.

«Tenint en compte que el temps és infinit, només has marxat un segon abans que nosaltres.» D'aquesta manera, quan ens tornem a trobar, será com si mai ens haguéssim separat.

T'estimem, Miquel! Arreveure, campió!

MIQUEL ROQUÉ, OLGA FARRERO,
OLGA ROQUÉ FARRERO, ALBERT MULLOL,
GERARD y BIEL
Noviembre 2014

Epílogo

Querido Miki

El papel nos sirve a todos para recordar. Y este libro no será una excepción. Es cierto que no hemos podido explicarnos demasiadas cosas, más bien pocas, porque ha sido demasiado breve tu paso entre nosotros. Pero breve no quiere decir que el olvido sea fácil. Es todo lo contrario. A pesar de la corta duración, seguro estarás para siempre en la memoria de los que te hemos conocido y tratado. Es imposible olvidar el esfuerzo de un valiente, tu perseverancia ante un cúmulo sucesivo de malas noticias. Todo iba en contra y tú venga a luchar. La lucha no te permitió la vida, pero ha hecho una gran cosa: nos ha dado más vida a los que te rodeábamos. Hemos aprendido una gran lección, a valorar más y mejor lo que tenemos cerca nuestro, a ser más generosos, a recordar que todos estamos de paso, que además para algunos este paso es corto, que hay que disfrutar de los buenos momentos y tener presente qué afortunados somos cuando la salud nos acompaña.

Desde allí arriba, porque no puedes estar en otro lugar, ya habrás ido viendo lo que ha ido pasando estos años: tu familia ha crecido y tu Betis sigue luchando, unas veces más arriba que otras, pero siempre con el mismo espíritu que viviste, todo un modelo de equipo y de afición, que no te olvidan y que siempre han estado al lado de tu familia, tus padres Miquel y Olga.

Yo ya me he retirado, qué m…, tío, pero todo llega. Ahora tendría más tiempo para compartir contigo, para tratar de darte algún consejo y que fueras mi heredero como nuevo central de nuestro Pallars... El día de la despedida, en el auditorio del Camp Nou, dije unas palabras. Las pensé bien, con tiempo. Desde un primer momento tuve claro que tenían que aparecer, de alguna manera, aquellas personas que yo quería que estuvieran y no era posible. Tú, una de ellas, con otras pocas: mi padre, los míster Aragonés y Tito Vilanova, y mi amigo Oliveres.

Los momentos que compartimos han sido breves, pero intensos. Recuerdo cuando hablamos a raíz de tu fichaje con el Liverpool, que estabas nervioso y entusiasmado por el reto. Después, tu llegada al Betis, o cómo estabas de contento por poder jugar en el Camp Nou, en aquel partido de Copa. Jugaste como un campeón, aguantando el dolor, pues ya no estabas bien... Guardo la camiseta que hicimos lucir los jugadores del Barça para darte ánimos... Y tú desde la clínica vas y me pides que vaya, pero para ver a un niño, que tiene a su madre muy enferma en la habitación de al lado... ¡Qué crack estás hecho!

Al final, cuando te llamé un día desde Ibiza, recuerdo que trataba de animarte diciéndote que haríamos una gran fiesta... Ese día me dijiste que hiciéramos la fiesta nosotros, que tú no podrías estar. Tu sinceridad me apagó la luz de aquel soleado día de junio. Pero soy una persona creyente, terca y, desde aquí, te digo que nos volveremos a ver, que la fiesta no se va a cancelar, sólo está aplazada.

Un fuerte abrazo de tu amigo.

CARLES PUYOL
Barcelona, noviembre 2014

ECOSISTEMA
DIGITAL